LA BATAILLE DES ROIS

GEORGE R.R. MARTIN

LA BATAILLE
DES ROIS

LE TRÔNE DE FER - 3

TRADUIT DE L'AMÉRICAIN
PAR JEAN SOLA

Titre original :
A CLASH OF KINGS
(première partie)

© 1999, by George R.R. Martin

Pour la traduction française :
© 2000, Éditions Pygmalion / Gérard Watelet

À John et Gail,
avec qui j'ai tant de fois partagé le pain et le sel

PRINCIPAUX PERSONNAGES

Maison Targaryen (le dragon)

Le prince Viserys, prétendant «légitime» au Trône de Fer, en exil à l'est depuis le renversement et la mort de ses père, Aerys le Fol, et frère, Rhaegar

La princesse Daenerys, sa sœur, épouse du Dothraki Khal Drogo

Maison Baratheon (le cerf couronné)

Le roi Robert, dit l'Usurpateur

Lord Stannis, seigneur de Peyredragon, et lord Renly, seigneur d'Accalmie, ses frères

La reine Cersei, née Lannister, sa femme

Le prince héritier, Joffrey, la princesse Myrcella, le prince Tommen, leurs enfants

Maison Stark (le loup-garou)

Lord Eddard (Ned), seigneur de Winterfell, Main du Roi

Benjen (Ben), chef des patrouilles de la Garde de Nuit, son frère, porté disparu au-delà du Mur

Lady Catelyn (Cat), née Tully de Vivesaigues, sa femme

Robb, Sansa, Arya, Brandon (Bran), Rickard (Rickson), leurs enfants

Jon le Bâtard (Snow), fils illégitime officiel de lord Stark et d'une inconnue

Maison Lannister (le lion)

Lord Tywin, seigneur de Castral Roc
Kevan, son frère
Jaime, dit le Régicide, frère jumeau de la reine Cersei, et Tyrion le nain, dit le Lutin, ses enfants

Maison Tully (la truite)

Lord Hoster, seigneur de Vivesaigues
Brynden, dit le Silure, son frère
Edmure, Catelyn (Stark) et Lysa (Arryn), ses enfants

PRÉLUDE

La comète étalait sa queue, telle une balafre sanguinolente, en travers de l'aube mauve et rose qui se levait sur les falaises de Peyredragon.

Cinglé par tous les vents, le mestre la lorgnait du balcon de ses appartements. Là aboutissaient, au terme de leurs longues courses, les corbeaux. Leurs fientes maculaient les deux statues-gargouilles – un cerbère et une vouivre – qui, hautes de douze pieds, le flanquaient, deux des mille dont se hérissaient les antiques murailles de la forteresse. À son arrivée, jadis, cette armée de chimères grotesques l'avait incommodé. Il avait eu tout le temps de s'y faire et considérait même comme de vieux amis ses voisins immédiats. Et c'était de conserve qu'ils contemplaient tous trois ce ciel maléficieux.

Les présages, le mestre n'y croyait pas. Encore que… Tout chenu qu'il était, Cressen n'avait jamais vu de comète comparable à celle-ci. Ni d'un tel éclat, tant s'en fallait, moins encore de cette couleur, de cette effroyable couleur de sang, de crépuscule et d'incendie. Était-ce une première aussi pour les gargouilles ? Elles dardaient leurs regards sur le vide depuis tant de siècles… *Bien avant moi*. Continueraient de le faire bien après lui. Si seulement les langues de pierre pouvaient parler !

Quelle bouffonnerie. Il se pencha par-dessus le rempart, la mer s'écrasait, furieuse, tout en bas, la rugosité du basalte lui meurtrissait les doigts. *Des gargouilles qui parlent et des prophéties dans le ciel. Tellement vieux, voilà, je retombe en enfance. Pas plus de jugeote qu'un marmot.* En lui retirant la force et la santé, l'âge l'avait-il également privé de la science acquise par toute une vie d'étude? Être mestre, avoir obtenu sa chaîne après des années d'apprentissage dans la grande citadelle de Villevieille et en arriver là, la cervelle aussi farcie de superstitions que le plus ignare des rustres, quelle déchéance…

Et pourtant…, pourtant…, la comète, à présent, brûlait même de jour, tandis que de Montdragon, derrière le château, les bourrasques exhalaient des vapeurs grisâtres; et un corbeau blanc, pas plus tard que la veille, était arrivé de la Citadelle annoncer la fin de l'été, nouvelle qui, pour avoir été dès longtemps pressentie, prévue, n'en était pas moins effrayante. Présages, présages partout. Trop nombreux pour qu'on les récuse. Il avait envie de hurler: que signifie tout cela?

«Mestre, nous avons de la visite», chuchota Pylos, en homme qui répugne à troubler de solennelles méditations. S'il avait deviné quelles balivernes occupaient Cressen, il aurait glapi. «La princesse aimerait voir le corbeau blanc.» Avec son sens aigu des convenances, il l'appelait désormais princesse, puisqu'aussi bien le seigneur son père était devenu roi. Roi, certes, d'un écueil tout froncé par les flots salés, mais roi tout de même. «Son fou l'accompagne.»

Le vieillard se détourna de l'aube en se cramponnant d'une main à la vouivre pour conserver l'équilibre. «Ramène-moi à mon fauteuil avant de les introduire.»

Agrippé au bras de Pylos, il regagna la pièce. Preste et vif dans sa jeunesse, il avait, à près de quatre-vingts ans, des faiblesses de jambes et le pied instable. Il s'était, deux ans plus tôt, brisé la hanche en tombant, et la fracture ne s'était pas bien ressoudée. Et il n'avait pas été dupe lorsque, à l'occasion de sa maladie, l'année précédente, juste avant que lord Stannis ne retranche l'île, Villevieille avait envoyé Pylos… le seconder, prétendument. Attendre en fait sa mort pour le remplacer, mais il n'en avait cure. Il fallait bien quelqu'un pour lui succéder, dût ce quelqu'un-là trouver la pilule prématurée…

Il se laissa installer derrière ses livres et ses paperasses. « Introduis-la. Il est malséant de faire attendre une dame. » Du bout des doigts, il lui signifia d'avoir à se hâter, mais la débilité de son geste indiquait assez qu'il n'était même plus capable de hâter quiconque. Sa chair était toute ridée, toute tavelée, sa peau si fine qu'y transparaissaient le réseau des veines et l'os comme à nu. Et comme elles tremblaient, ces mains qu'il se rappelait naguère si sûres, si déliées…

Pylos reparut. Aussi timide que jamais, la fillette l'accompagnait. De son étrange démarche en crabe mi-traînard et mi-sautillant la suivait son fou ; un heaume dérisoire le coiffait, taillé dans un vieux seau d'étain ceint d'une couronne où étaient plantés des andouillers surchargés de clarines ; chacun de ses pas trébuchants faisait tintinnabuler celles-ci, en un concert hétéroclite de *ding ding din drelin din drelin dong dong*.

« Qui nous vient donc de si bonne heure, Pylos ? affecta de demander Cressen.

— Moi et Bariol, mestre. » Des yeux d'un bleu sans malice clignotaient vers lui. La pauvre enfant était tout, hélas, sauf jolie. Du seigneur son père elle tenait la ganache carrée, de dame sa mère les consternantes feuilles de chou, et, de son propre cru, comme pour achever de se défigurer, les stigmates de la léprose qui avait failli la tuer au berceau. Sur un bon pan de sa joue et du cou, la chair

s'était littéralement pétrifiée, morte et rigide, sous des crevasses, des écailles et des cloques noires et cendreuses.
«Pylos m'a dit que vous nous permettriez de voir le corbeau blanc.

— Bien sûr que je permets», répondit-il. Jamais il ne se
sentait le cœur de lui refuser rien. La vie ne l'avait-elle pas
déjà suffisamment abreuvée de refus? Shôren, c'était son
nom, allait bientôt fêter ses dix ans, et jamais il n'avait vu
d'enfant si triste. *Ma honte que cette tristesse*, se dit-il, *une
preuve supplémentaire de mes échecs*. «Faites-moi la grâce,
mestre Pylos, de monter à la roukerie chercher l'oiseau
pour lady Shôren.

— Ce me sera un plaisir.» En dépit de sa jeunesse,
à peine vingt-cinq ans, Pylos mettait dans sa politesse
la gourme d'un sexagénaire. Que n'avait-il davantage de
gaieté, de *vie*, on en manquait si fort, ici…! Les lieux
lugubres avaient besoin de lumière, pas de gourme, et, dans
le genre lugubre, Peyredragon se posait un peu là, citadelle
isolée, perdue dans le désert des flots, cernée de tempêtes
saumâtres, à l'ombre fumante de sa montagne. Comme un
mestre va où on l'expédie, que tel est son devoir, Cressen
avait suivi lord Stannis, quelque douze ans plus tôt, et servi,
bien servi, mais sans jamais parvenir à se plaire dans l'île ni
même à s'y sentir en vérité chez lui. C'en était au point
que, ces derniers temps, quand le réveillait en sursaut l'affreux cauchemar où figurait la femme rouge, il lui arrivait
souvent de se demander où il se trouvait.

En se tournant pour regarder Pylos gravir l'échelle de fer
qui menait aux combles, le bric-à-brac bigarré de Bariol
sonnailla. «Dans la mer, lâcha-t-il en *ding-din-dongant*, les
oiseaux portent des écailles en guise de plumes. Oh, je sais
je sais, holà.»

Une chose navrante que ce fou, même pour un fou. S'il
avait jamais été capable de déclencher le moindre rire par

ses saillies, la mer s'était bien chargée de lui en ôter le talent, non sans le rendre amnésique et semi-idiot. Obèse et flasque, atteint de tremblote et d'épilepsie, l'incohérence était son lot. Et s'il n'amusait plus qu'elle, la petite était aussi la seule à se soucier qu'il fût mort ou vif.

Une fillette disgraciée, un fou sinistre et un mestre sénile pour compléter..., quel trio ! Le genre de conte à faire larmoyer les foules. « Viens t'asseoir, petite. Plus près, plus près, là..., insista-t-il d'un signe. C'est bien tôt pour une visite, l'aube est à peine levée. Tu devrais être pelotonnée dans ton lit.

— Je faisais de mauvais rêves, s'excusa-t-elle. Pleins de dragons. Ils venaient me manger. »

Du plus loin qu'il se souvînt, le mestre l'avait toujours vue hantée de cauchemars. « Nous en avons déjà parlé, protesta-t-il d'un ton doux. La vie ne peut venir aux dragons. Ils sont sculptés dans la pierre, petite. Dans les anciens temps, notre île était, à l'ouest, le dernier avant-poste de l'immense empire de Valyria. Ce sont les Valyriens qui édifièrent cette citadelle, et leur art de façonner la pierre s'est perdu, depuis. Pour sa défense, un château doit comporter des tours partout où ses murailles forment des angles. Ces tours, les Valyriens leur donnaient la forme de dragons pour accentuer l'aspect redoutable de leurs forteresses, tout comme ils en hérissaient les remparts d'innombrables statues-gargouilles en guise de créneaux. »

Enfermant la menotte rose dans sa frêle main tachetée de brun, il la pressa gentiment. « Ainsi, vois-tu, tes craintes sont vaines. »

Shören demeurait sceptique. « Et le truc qu'on voit dans le ciel ? Matrix et Dalla en parlaient, au puits, et Dalla disait avoir entendu la femme rouge dire à Mère que c'était du souffle de dragons. Si les dragons soufflent, ça signifie bien qu'ils vivent, non ? »

La femme rouge, pensa Cressen avec aigreur. *Cette folle !* *Il ne lui suffisait pas de farcir la cervelle de la mère avec ces sornettes ? Il lui fallait encore empoisonner les rêves de la fille ?* Il en toucherait un mot à Dalla. La sommerait de ne plus caqueter à tort et à travers. « Le truc dans le ciel, comme tu dis, n'est qu'une comète, ma douce. Une étoile avec une queue, égarée dans le firmament. Elle ne tardera guère à déguerpir, et nous ne la reverrons plus de notre vivant. Dépêche-toi de la regarder. »

Shôren acquiesça d'un brave hochement. « Mère a dit que le corbeau blanc signifiait la fin de l'été.

— Ça, oui, dame. Les corbeaux blancs ne s'envolent que de la Citadelle. » Ses doigts se portèrent à la chaîne qui cernait son col et dont chaque chaînon symbolisait par un métal spécifique l'une des disciplines où il était passé mestre dans son ordre. Du temps de sa fière jeunesse, il l'avait allégrement arborée ; il la trouvait pesante, à présent, et glacé son contact sur la peau. « Comme ils sont plus grands que leurs congénères et plus intelligents, on les élève pour ne porter que les messages essentiels. Celui que tu vas voir est venu nous annoncer que le Conclave s'est réuni et, après avoir étudié l'ensemble des rapports et des mesures effectuées par les mestres de tout le royaume, a conclu que le grand été touchait à son terme. Avec une durée de dix ans, deux lunes et seize jours, il aura été le plus long connu de mémoire d'homme.

— Il va faire froid, maintenant ? » Enfant de l'été, elle ignorait ce qu'était véritablement le froid.

« Le moment venu, répondit-il. Si les dieux daignent, leur bonté nous accordera la grâce d'un automne chaud et de moissons opulentes pour nous permettre d'attendre l'hiver de pied ferme. » Le dicton du petit peuple avait beau jurer qu'« à long été succède hiver plus long », contes que cela, Cressen répugnait à en effrayer la fillette.

Bariol tintinnabula. « Dans la mer, c'est *toujours* l'été, pontifia-t-il. Les ondines se coiffent de nénimones et se tissent des tuniques d'algues argentées. Oh, je sais je sais, holà. »

Shôren se mit à glousser. « J'aimerais bien en avoir une, tunique d'algues argentées.

— Dans la mer, reprit le fou, la neige s'élève et la pluie est sèche comme l'os. Oh, je sais je sais, holà.

— Il neigera vraiment ? demanda l'enfant.

— Oui », confirma Cressen. *Mais veuillez, par pitié, que cela ne dure pas des années, que cela ne s'éternise pas.* « Ah ! voici Pylos avec l'oiseau. »

Shôren poussa un cri de ravissement. Cressen lui-même devait en convenir, l'oiseau le méritait, superbe, avec sa blancheur neigeuse, sa taille supérieure à celle du plus gros faucon, les prunelles de jais qui, le distinguant des vulgaires albinos, l'attestaient pur corbeau blanc de la Citadelle. « Ici », appela-t-il. L'oiseau déploya ses ailes, prit son essor, traversa la pièce à grand bruit, vint se poser sur la table à côté du mestre.

« Je vais de ce pas m'occuper de votre déjeuner », déclara Pylos. Cressen acquiesça d'un signe et, s'adressant au corbeau : « Je te présente lady Shôren. » L'oiseau hocha sa tête pâle en guise de révérence et « *Lady* », croassa-t-il, « *Lady* ».

La petite en demeura bouche bée. « Il parle !

— Quelques mots. Je t'avais prévenue qu'ils étaient futés.

— Oiseau futé, homme futé, fou futé futé, fit écho le carillon discordant de Bariol. Oh, fou futé futé futé. » Il se mit à chanter. « *Les ombres entrent, messire, dans la danse, danse messire, messire danse*, chantait-il en sautillant d'un pied sur l'autre, alternativement. *Les ombres entendent s'installer, messire, s'installer messire, s'installer messire.* » Et de tant branler du chef, à chaque mot, que les clarines de ses andouillers menaient un tapage d'enfer.

Avec un cri d'effroi, le corbeau blanc prit l'air et s'alla percher sur la rampe en fer de l'échelle de la roukerie. Shôren s'était recroquevillée. « Il me chante ça tout le temps. Je dis : "Arrête !", il continue. Ça me terrifie. Faites qu'il arrête. »

Et je m'y prends comment ? se demanda le vieillard. *Autrefois, j'aurais pu lui imposer silence pour jamais. Maintenant…*

Il n'était qu'un marmouset, Bariol, lorsque Sa Seigneurie Baratheon, lord Steffon, de tendre mémoire, le découvrit à Volantis où le roi – le vieux roi Aerys II Targaryen qui, à l'époque, conservait encore un semblant de raison – l'avait envoyé chercher sur le continent un parti pour son fils Rhaegar, faute de sœurs à lui faire épouser. « Nous venons de trouver le plus fabuleux des fous, mandait-il à Cressen quinze jours avant de rentrer bredouille de sa mission. L'agilité d'un singe, tout jeune qu'il est, et plus d'esprit qu'une douzaine de courtisans. Il jongle, trousse la charade, sait des tours de magie, chante en quatre langues d'une jolie voix. Nous l'avons affranchi et comptons bien le ramener. Il fera les délices de Robert et saura peut-être même, à la longue, inculquer le rire à Stannis. »

Le souvenir de la missive attrista Cressen. Enseigner le rire à Stannis, personne n'y devait parvenir, Bariol moins que quiconque. Durant la tempête dont la soudaineté, les hululements ne confirmaient que trop l'appellation « baie des Naufrageurs » sombra, juste en vue d'Accalmie, *Fière-à-Vent*, la galère à deux mâts de lord Baratheon. Sous les yeux de Stannis et Robert, debout sur les remparts, elle se fracassa contre les écueils, et les flots l'engloutirent, avec Père et Mère et une centaine de rameurs et de mariniers. Pour lors et durant des jours et des jours, chaque marée déballa sur la grève, au bas du château, sa cargaison fraîche de corps ballonnés.

C'est le troisième jour, alors que le mestre aidait les gens à identifier les cadavres, que le fou refit surface, nu, blanc, tout fripé, tout saupoudré de sable humide. «Un mort de plus», pensa Cressen. Mais lorsque Jommy le saisit aux chevilles pour le traîner vers le tombereau, le gamin revomit de l'eau et se jucha sur son séant. «Foutrement glacé qu'il était pourtant, j'vous dis!» jura Jommy jusqu'à son dernier souffle.

Deux jours d'immersion..., le mystère demeurait entier. Les pêcheurs se plaisaient à dire qu'en échange de sa semence une sirène lui avait appris à respirer l'eau. Quant à Bariol, il n'en pipait mot, lui. L'être vif et malicieux vanté par lord Stefford n'atteignit jamais Accalmie; le garçon découvert sur la plage était quelqu'un d'autre, une ruine de corps et d'esprit, à peine à même de parler, moins encore de divertir. Et pourtant, son aspect même attestait son identité. Dans la cité libre de Volantis, l'usage voulait qu'esclaves et domestiques eussent le visage tatoué; depuis le col jusqu'au sommet du crâne, des carreaux verts et rouges bigarraient le sien.

«Ce pauvre diable souffre, il est dément, ne peut être utile à personne et surtout pas à lui.» Tel fut à l'époque l'avis du vieux ser Harbert, gouverneur d'Accalmie. «Le meilleur service à lui rendre est d'emplir sa coupe de lait de pavot. Un sommeil paisible, et c'en sera fini. Il vous en bénirait, s'il était conscient.» Mais Cressen refusa tout net et finit par imposer son point de vue. Amère victoire... Bariol en avait-il éprouvé la moindre joie? Impossible de l'affirmer, même aujourd'hui, tant d'années après.

«*Les ombres entrent, messire, dans la danse, messire danse, danse messire*», persistait à chanter le fou, ponctuant chaque mot d'un branle de tête qui vous fracassait les oreilles. *Dong dong din drelin ding dong.*

«*Sire*, piailla le corbeau blanc, *sire, sire, sire.* »

«Les fous chantent à leur gré, soupira le mestre et, dans l'espoir d'apaiser la princesse : Ne prends pas à cœur ses paroles, il ne faut pas. Peut-être, demain, se souviendra-t-il d'une autre chanson, tu n'entendras plus celle-ci.» *Il chante en quatre langues d'une jolie voix*, disait la lettre de lord Steffon…

Pylos entra en trombe. «Daignez me pardonner, mestre.

— Tu as oublié mon gruau…!» s'amusa Cressen. Une incongruité, de la part de Pylos.

«Ser Davos est revenu durant la nuit, mestre. Toute la cuisine en parlait. J'ai pensé que vous seriez aise d'en être informé sur-le-champ.

— Davos…, cette nuit, dis-tu? Où est-il?

— Chez le roi. Ils ont quasiment passé la nuit ensemble.»

Révolu, le temps où lord Stannis aurait fait réveiller Cressen, quelque heure qu'il fût, pour s'assurer de ses conseils. «On aurait dû m'avertir, maugréa-t-il. On aurait dû m'éveiller.» Il se libéra des doigts de Shôren. «Pardon, dame, je dois aller m'entretenir avec votre seigneur père. Pylos, ton bras. Bien qu'il y ait déjà par trop de marches dans le château, il me semble que, chaque nuit, on en rajoute quelques-unes, à seule fin de m'humilier.»

Shôren et Bariol leur emboîtèrent d'abord le pas, mais la démarche languissante du vieillard ne tarda pas à impatienter la petite qui fusa de l'avant, suivie du fou, clopin-clopant, dont les carillons faisaient un vacarme insensé.

Qu'inhospitaliers aux faibles soient les châteaux, Cressen avait tout lieu de s'en souvenir dans l'escalier scabreux qui conduisait au bas de la tour Mervouivre. Lord Stannis, il le trouverait à la chambre de la Table peinte, tout en haut du donjon central à qui son étourdissante capacité de résonance durant les orages avait valu le nom de tour Tambour. D'ici là, il lui faudrait emprunter la galerie, franchir les portes de fer noir de l'enceinte médiane puis de l'enceinte intérieure, sous l'œil des gargouilles qui les gardaient, gravir tant et tant de marches que mieux valait n'y point songer. Si les jeunes gens les grimpaient quatre à quatre, chacune était un martyre pour les méchantes hanches d'un vieillard. Mais comme lord Stannis ne se souciait pas d'aller à lui, force était au mestre de se résigner. Du moins avait-il Pylos pour lui alléger le supplice, et il en rendait grâces aux dieux.

L'interminable galerie qu'ils suivaient, cahin-caha, passait devant une série de hautes baies cintrées d'où l'on jouissait d'une vue plongeante sur la courtine extérieure, la braie et, au-delà, les maisons de pêcheurs. Dans la cour, les cris : « Coche ! bande ! tir ! » rythmaient l'exercice à la cible, et les volées de flèches émettaient des froufrous de plumes affolées. Des gardes arpentaient les chemins de ronde et, de gargouille en gargouille, jetaient un œil sur l'armée qui campait dehors. La fumée des foyers brouillait le petit matin, trois mille hommes se restauraient là, sous la bannière de leurs seigneurs et maîtres respectifs. À l'arrière-plan, le mouillage, une forêt de coques et de mâts. Depuis six mois, aucun des bâtiments qui s'étaient aventurés dans les parages de Peyredragon n'avait été autorisé à reprendre le large. Tout imposante qu'elle était avec ses trois ponts et ses trois cents rameurs, *Fureur*, la galère de guerre personnelle de lord Stannis, paraissait presque naine à côté de telle caraque ou telle gabare pansues qui émergeaient de la cohue.

Les connaissant de vue, les plantons postés devant la tour Tambour laissèrent passer les mestres. « Attends-moi ici, dit Cressen, une fois entré. Mieux vaut que je le voie seul à seul.

— Il y a tant de marches, mestre… », protesta Pylos.

Cressen eut un sourire. « Crois-tu que j'aie pu l'oublier ? Je les ai grimpées si souvent… Je les connais toutes par leur petit nom. »

Il ne tarda guère à se repentir de son procédé. Il se trouvait à mi-parcours et s'était arrêté pour reprendre haleine et donner un peu de répit à sa hanche quand lui parvint un martèlement de bottes. Quelqu'un descendait. Il se retrouva bientôt nez à nez avec ser Davos Mervault. Lequel, le voyant, s'immobilisa.

Un individu mince dont les traits vulgaires proclamaient l'extrace. Usé jusqu'à la trame et aussi maculé de sel et d'écume que décoloré par le soleil, un manteau verdâtre drapait ses piètres épaules. Assortis à ses yeux comme à ses cheveux, chausses marron, doublet marron. Attachée à son col, sous la barbichette poivre et sel, par une courroie pendait une bourse de cuir râpé. La main gauche, estropiée, se dissimulait dans un gant de cuir.

« Ser Davos…, feignit de s'étonner le mestre. De retour ? Depuis quand ?

— À la brune. Mon heure de prédilection. » Pour naviguer de nuit, jamais personne n'était arrivé, disait-on, à la cheville de Davos Courte-Main. Avant d'être fait chevalier par lord Stannis, il s'était taillé dans les Sept Couronnes une réputation de contrebandier hors pair.

« Et ? »

L'homme secoua la tête. « Et il en est comme vous le lui aviez prédit. Ils ne se soulèveront pas, mestre. Pas en sa faveur. Ils ne l'aiment pas. »

Non, songea Cressen. *Ni maintenant ni jamais. Il est énergique, capable, juste…, mmouais, juste jusqu'à l'absurde…, mais cela ne suffit pas. Cela n'a jamais suffi.* « Vous les avez tous rencontrés ?

— Tous, non. Seulement ceux qui ont condescendu à me recevoir. Ils ne m'aiment pas non plus, ces bien-nés. À leurs yeux, je serai toujours le chevalier Oignon. » Il crispa sa main gauche dont les doigts tronqués formèrent un vilain moignon ; Stannis les lui avait tous tranchés à la dernière jointure, le pouce excepté. « J'ai rompu le pain avec Gulian Swann et le vieux Penrose, les Torth ont daigné m'accorder un rendez-vous bucolique à minuit. Quant aux autres, bon…, Béric Dondarrion est porté disparu, d'aucuns le prétendent mort, et Bryce l'Orangé – lord Caron – se trouve auprès de Renly. Il fait partie de la garde Arc-en-ciel.

— La garde Arc-en-ciel ?

— La garde royale que s'est fabriquée Renly, expliqua l'ancien contrebandier. Sept hommes aussi, mais qui, au lieu du blanc, portent chacun sa couleur. Loras Tyrell en est le commandant. »

Un nouvel ordre de chevalerie nippé de neuf et bien rutilant, bien somptueux pour ébouriffer, voilà exactement ce qui pouvait le mieux séduire Renly Baratheon. Dès son plus jeune âge, Renly avait adoré les couleurs vives, les tissus riches, adoré jouer. « Regardez-moi ! criait-il à tous les échos d'Accalmie, tout galops, tout rires. Regardez-moi, je suis un dragon », ou : « Regardez-moi, je suis un mage », ou : « Regardez-moi, regardez-moi, je suis le dieu de la pluie. »

Pour avoir grandi, depuis, pour être devenu adulte, vingt et un ans…, le petit effronté aux cheveux noirs hirsutes et aux yeux rieurs n'en poursuivait pas moins ses batifolages. *Regardez-moi, je suis roi,* s'attrista Cressen. *Oh, Renly, Renly, te rends-tu compte, mon cher garçon, de ce que tu fais ? T'en soucierais-tu, si tu le savais ? Qui, à part moi, s'inquiète de ton sort ?* « Et quels motifs les lords ont-ils invoqués pour refuser ? demanda-t-il.

— Eh bien, là…, certains m'ont bercé de cajoleries, certains rebuté tout court, certains régalé de regrets, certains de promesses, certains se sont contentés de mentir. » Il haussa les épaules. « En définitive, des mots, du vent.

— Ainsi n'aviez-vous aucun espoir à lui rapporter ?

— Que des fallacieux, et je n'avais garde, répondit Davos. Je lui ai dit la vérité. »

Ces seuls mots remémorèrent à mestre Cressen toutes les circonstances de l'adoubement de Davos… Malgré sa maigre garnison, lord Stannis soutient le siège d'Accalmie depuis près d'un an contre les forces conjuguées des lords Tyrell et Redwyne, et ce quoique la mer aussi lui soit interdite, car les galères de La Treille croisent à l'affût, jour et nuit, sous pavillon pourpre ; dans la place, où l'on a dès longtemps mangé chevaux, chiens et chats, les défenseurs en sont réduits à se nourrir de racines et de rats ; survient une nuit de nouvelle lune où, de noires nuées voilant les étoiles, Davos le contrebandier ose dans les ténèbres braver le blocus, ainsi que la baie périlleuse des Naufrageurs. Noir de coque et de rames et de voiles se faufile son cotre, la soute emplie d'oignons et de poisson salé. Piètre cargaison, certes, mais suffisante pour survivre jusqu'à l'arrivée du libérateur, Eddard Stark.

Pour sa peine, Davos reçoit de Stannis, outre des terres de premier choix dans le cap de l'Ire, un petit fort et les honneurs de la chevalerie…, la récompense méritée par des années de contrebande : l'amputation de quatre phalanges de la main gauche. À quoi il consent, sous réserve toutefois que Sa Seigneurie maniera le fer en personne, nul autre qu'elle n'étant digne de le punir. À cet effet, Stannis utilise un hachoir de boucher, seul instrument susceptible d'opérer propre et net, puis Davos se baptise Mervault et, pour blason de sa maison, choisit, sur champ gris perle, un navire noir – aux voiles frappées d'un oignon. Et il répète volontiers, depuis, qu'en lui donnant quatre ongles de moins à tailler et curer lord Stannis l'a gratifié d'une faveur insigne.

Non, se dit Cressen, un homme de cette trempe ne donnait pas de faux espoirs, il assenait crûment la rude vérité. «Breuvage amer que la vérité, ser Davos, même pour un lord Stannis. Son idée fixe est de regagner Port-Réal en possession de toute sa puissance, de tailler en pièces ses ennemis et de réclamer son dû légitime. Or, à présent…

— S'il s'y rend avec ces trois milliers d'hommes, ce ne sera que pour mourir. Il n'a pas l'avantage du nombre. Je me suis acharné à l'en avertir, mais vous connaissez son orgueil.» Davos brandit sa main gantée. «Les doigts me repousseront avant qu'il ne fléchisse devant l'évidence.»

Le vieillard soupira. «Vous avez fait votre possible. À moi, maintenant, de joindre ma voix à la vôtre.» D'un pas lourd, il reprit son ascension.

Le repaire de lord Stannis Baratheon était une vaste pièce ronde aux murs de pierre noire et nue que perçaient quatre espèces de meurtrières orientées vers les points cardinaux. Au centre se dressait la grande table à laquelle il devait son nom : une énorme bille de bois ciselée sur ordre d'Aegon Targaryen avant la Conquête. Longue de plus de cinquante pieds, large de quelque vingt-cinq dans sa plus grande largeur, elle n'en avait pas quatre en son point le plus étroit. Les ébénistes du roi l'avaient en effet façonnée d'après la carte de Westeros, y découpant si précisément chaque golfe, chaque péninsule qu'elle ne comportait en définitive aucune ligne droite. Quant au plateau, noirci par près de trois siècles de vernis, les peintres y avaient représenté les Sept Couronnes dans leur état d'alors, avec leurs fleuves et leurs montagnes, leurs villes, leurs châteaux, leurs lacs et leurs forêts.

Le seul siège que comportât la pièce se trouvait très précisément installé devant le point qu'au large des côtes de Westeros occupait Peyredragon, et on l'avait surélevé pour jouir d'une vue cavalière globale. S'y tenait, étroitement corseté de cuir et culotté de bure brune, un homme à qui l'irruption de mestre Cressen fit lever les yeux. «Je savais que *tu* viendrais, vieux, que je t'appelle ou non.» Nulle aménité dans sa voix. Une denrée rare en toute occurrence.

En dépit de sa large carrure et de ses membres musculeux, Stannis Baratheon, sire de Peyredragon et, par la grâce des dieux, légitime héritier du Trône de Fer des Sept Couronnes de Westeros, avait une rigidité de chair et de physionomie qui évoquait invinciblement les cuirs mégissés au soleil jusqu'à devenir coriaces comme acier. *Dur* était le qualificatif que lui appliquaient ses hommes, et dur il était. Bien qu'il n'eût pas trente-cinq ans révolus, seul lui demeurait un tour de fins cheveux noirs qui, derrière les oreilles, lui cerclait le crâne comme l'ombre d'une couronne. Son frère, le feu roi Robert, s'était laissé vers la fin de sa vie pousser une barbe dont, sans l'avoir jamais vue, Cressen savait par ouï-dire que c'était une rude chose, hirsute et drue. Comme en réplique, Stannis portait des favoris taillés strict et court qui, telle une ombre bleu-noir, barraient ses pommettes osseuses et sa mâchoire carrée. D'un bleu sombre comme mer nocturne, ses yeux vous faisaient, sous d'épais sourcils, l'effet de plaies ouvertes. Sa bouche avait de quoi désespérer le fou le plus comique; réduite à un fil exsangue et crispé, cette bouche taillée pour la menace, la réprobation, le laconisme et les ordres secs avait oublié le sourire et toujours ignoré le rire. Parfois, la nuit, lorsque l'univers redoublait de silence et de calme, mestre Cressen se figurait entendre lord Stannis, au cœur de la forteresse, grincer des dents.

«Autrefois, vous m'auriez fait éveiller, dit-il.

— Tu étais jeune, autrefois. Maintenant, te voilà vieux, cacochyme, et tu as besoin de sommeil.» Il n'avait jamais pu apprendre à mâcher ses mots, à dissimuler ni flatter; il disait sa pensée, et au diable qui n'appréciait pas. «Je savais que tu ne tarderais guère à connaître les propos de Davos. C'est ton habitude, non?

— Si ce ne l'était, je ne vous servirais à rien, répliqua Cressen. J'ai croisé Davos dans l'escalier.

— Et il t'a tout déballé, je présume? J'aurais dû lui raccourcir la langue, en plus des doigts.

— Riche émissaire que vous auriez eu là.

— Pauvre émissaire de toute façon. Les seigneurs de l'orage ne se soulèveront pas pour moi. Il semble qu'ils ne m'aiment point, et la justice de ma cause ne leur est de rien. Les pleutres demeureront tapis derrière leurs murs à guetter le sens du vent pour mieux rallier le vainqueur probable. Les téméraires se sont déclarés en faveur de Renly. De *Renly*!» Il cracha le nom comme s'il se fût agi d'un poison.

«Votre frère est sire d'Accalmie depuis treize ans. Ces derniers sont ses bannerets liges, et…

— *Ses*, coupa Stannis, quand ils devraient être les miens. Je n'ai jamais demandé Peyredragon. Je ne l'ai jamais désiré. Je m'en suis emparé parce que les ennemis de Robert s'y cramponnaient et qu'il m'a ordonné de les en extirper. J'ai armé sa flotte et fait sa besogne, en cadet respectueux de ses devoirs vis-à-vis de l'aîné – Renly me devrait la pareille –, et comment Robert me remercie-t-il? En me faisant sire de Peyredragon et en donnant Accalmie et ses revenus à *Renly*. Voilà trois siècles qu'Accalmie est l'apanage de notre maison; il me revenait de plein droit, quand Robert s'est adjugé le Trône de Fer.»

Un vieux grief, jamais digéré, et pour l'heure moins que jamais. La faiblesse actuelle de lord Stannis prenait en effet sa source dans le fait que, tout vénérable et fort qu'était Peyredragon, de son allégeance ne relevait qu'une poignée de noblaillons dont les possessions insulaires quasi désertes offraient plus de rocaille que de combattants. Stannis avait eu beau recruter des reîtres dans les cités libres de Myr et de Lys, l'armée qu'il faisait camper sous ses murs était beaucoup trop maigre pour abattre la puissance des Lannister.

« Robert vous a lésé, rétorqua posément mestre Cressen, mais pour des motifs judicieux. Peyredragon avait été longtemps le siège de la maison Targaryen. Il lui fallait là, comme gouverneur, un homme énergique, et Renly n'était qu'un gamin.

— Il est toujours un gamin, trancha Stannis avec une colère qui fit tonner la pièce vide, un gamin chapardeur qui n'aspire qu'à m'escamoter la couronne. De quels exploits peut-il se prévaloir pour briguer le trône ? Il siège au Conseil, blague avec Littlefinger et, dans les tournois, n'endosse sa superbe armure que pour s'offrir le luxe d'être démonté par meilleur que lui. Voilà sur quel bilan mon cher frère fonde ses prétentions à la royauté. Je te le demande, pourquoi les dieux m'ont-ils affligé de *deux* frères ?

— Je ne saurais répondre à la place des dieux.

— Tu me sembles fort à court de réponses, ces temps-ci. Qui sert donc de mestre à Renly ? je l'enverrais chercher, ses conseils me conviendraient mieux. Qu'a dit ce mestre, à ton avis, quand mon frère se mit en tête de me voler ma couronne ? Quel conseil ce collègue à toi donna-t-il à ce traître de mon sang à moi ?

— Je serais surpris que lord Renly demande conseil à quiconque, Sire. » Pour hardi que fût devenu le dernier des trois fils de lord Steffon, il agissait à l'étourdie, de manière plus impulsive que calculée. En quoi il ressemblait, comme à tant d'autres égards, à Robert et différait absolument de Stannis.

«*Sire*…, répéta ce dernier d'un ton aigre. C'est te ficher de moi que me régaler de ce style royal. Sur quoi régné-je? Peyredragon et quelques écueils du détroit, voilà mon royaume.» Dévalant de son siège, il vint se camper devant la table où son ombre barra l'embouchure de la Néra et les forêts peintes qu'avait supplantées Port-Réal. Et il couvait du regard, là, debout, le royaume qu'il entendait revendiquer, ce royaume à portée de main qui se trouvait au diable. «Ce soir, je dois souper avec mes bannerets – ce qui m'en tient lieu. Celtigar, Velaryon, Bar Emmon, enfin toute cette pitoyable clique. Du petit bétail, pour ne rien celer, les rogatons, bref, qu'ont daigné me laisser mes frères. Sladhor Saan, le pirate de Lys, m'y harcèlera de sa dernière ardoise, tandis que Morosh de Myr m'assommera en me chapitrant sur les tempêtes et les marées d'automne, et que ce cagot de lord Solverre me marmottera la volonté des Sept. Celtigar voudra savoir quels seigneurs de l'orage se joignent à nous. Velaryon menacera de plier armes et bagages si nous ne frappons tout de suite. Que leur répondre? Que faire, maintenant?

— Vos véritables ennemis sont les Lannister, messire, opina Cressen. Si vous et votre frère faisiez cause commune contre eux…

— Je ne traiterai pas avec Renly, rétorqua Stannis d'un ton à interdire toute discussion. Aussi longtemps qu'il usurpera le titre de roi.

— Pas de Renly, alors», concéda le mestre. Il le savait aussi têtu qu'orgueilleux et, une fois résolu, incapable de la moindre concession. «D'autres seraient aussi à même de vous seconder. Depuis qu'on l'a proclamé roi du Nord, le fils d'Eddard Stark dispose des forces conjointes de Winterfell et de Vivesaigues.

— Un godelureau, lâcha Stannis, et un faux roi de plus. Me faut-il accepter l'éclatement du royaume?

— Un demi-royaume vaut à coup sûr mieux qu'aucun, suggéra Cressen, et si vous aidez le garçon à venger le meurtre de son père…

— Pourquoi devrais-je venger Eddard Stark? Il ne m'était rien. Oh, certes, *Robert* l'aimait. L'aimait comme un frère, combien de fois l'ai-je entendue, cette rengaine? Son frère était *moi*, pas Ned Stark, mais qui l'eût cru, vu la manière dont il me traitait? Pendant que je tenais Accalmie pour lui et regardais mes braves crever de faim, Mace Tyrell et Paxter Redwyne se gobergeaient sous mon nez. M'en remercia-t-il? Nenni. C'est *Stark* qu'il remercia pour avoir fait lever le siège, alors que nous grignotions, nous, des racines et des rats. Sur les ordres de Robert, j'armai une flotte et, en son nom, m'emparai de Peyredragon. Me prit la main en disant: *Bravo, mon frère, que pourrais-je faire sans toi?* Nenni. Il me blâma de m'être laissé filouter Viserys et sa nouveau-née de sœur par Willem Darry – comme si j'avais pu l'en empêcher. J'ai siégé à son Conseil quinze ans durant, aidé Jon Arryn à gouverner le royaume pendant que Robert courait la pute et se soûlait, mon frère me nomma-t-il sa Main? Nenni. Il partit au triple galop retrouver son bien-aimé Ned Stark et lui en décerna l'honneur. Dont leur advint à tous deux grand bien.

— Soit, messire, convint Cressen par diplomatie. On vous a repu de couleuvres, mais poussière que le passé. Une alliance avec les Stark peut vous assurer l'avenir. Vous pourriez du reste en sonder d'autres. Lady Arryn, par exemple. Si la reine a assassiné son mari, sûrement brûle-t-elle d'en obtenir réparation. Elle a un fils, l'héritier du Val. Des fiançailles avec Shôren…

— Il est débile, égrotant, objecta Stannis. En me priant de le prendre pour pupille à Peyredragon, son père lui-même en était conscient. Le service de page aurait pu améliorer son état, la maudite Lannister a tout flanqué par terre en faisant empoisonner lord Arryn et, maintenant, la Lysa nous embusque le môme aux Eyrié. Jamais, je t'en fiche mon billet, jamais elle ne se séparera de lui.

— Dans ce cas, que ne lui expédiez-vous Shôren ? insista le mestre. Peyredragon est lugubre pour un enfant. Que son fou l'accompagne, ce visage familier lui adoucira le dépaysement.

— Familier et hideux. » L'effort de réflexion lui laboura le front. « Toutefois… Cela vaut peut-être la peine d'essayer…

— Hé quoi ! s'indigna une voix acerbe, le maître légitime des Sept Couronnes devrait mendier l'appui de veuves et d'usurpateurs ? »

Mestre Cressen se retourna, s'inclina. « Madame », dit-il, fort marri de ne l'avoir pas entendue entrer.

Lord Stannis s'était renfrogné. « Je ne mendie pas. Auprès de personne. Veille à t'en souvenir, femme.

— Je suis charmée de l'apprendre, messire. » Aussi grande que son mari, maigre de corps comme de visage, lady Selyse avait d'immenses oreilles et, sous son nez pointu, le spectre d'une moustache. Elle avait beau le plumer tous les jours en le maudissant, le poil s'obstinait à lui orner la lèvre dès le lendemain. Elle avait des yeux délavés, la bouche sévère, une voix de fouet qu'elle fit claquer derechef : « Lady Arryn te doit allégeance, ainsi que les Stark et ton frère et tous les autres. Toi seul es leur authentique souverain. Il serait messéant de chicaner, marchander avec eux quant à ce qui te revient légitimement par la grâce du dieu. »

Du, disait-elle, et non *des*. La femme rouge l'avait conquise, cœur et âme, détournée des dieux, tant nouveaux qu'anciens, révérés dans les Sept Couronnes, et convertie au culte de celui qu'on appelait le Maître de la Lumière.

«Point ne me chaut la grâce de ton dieu, répliqua Stannis, qui ne partageait pas les ferveurs nouvelles de sa moitié. Ce n'est pas de punaiseries que j'ai besoin, mais d'épées. Aurais-tu, quelque part, une armée secrète, à mon propre insu?» Le ton était tout sauf affectueux. Les femmes, y compris la sienne, avaient toujours mis Stannis mal à l'aise. Lorsque ses fonctions de conseiller l'avaient requis à Port-Réal, il s'était gardé d'emmener Selyse et Shôren. Là-dessus, peu de lettres et moins encore de visites; il accomplissait ses devoirs conjugaux une ou deux fois l'an, sans joie, et les fils qu'il en espérait n'avaient jamais vu le jour.

«Mes frères, mes oncles, mes cousins possèdent des armées, répliqua-t-elle. La maison Florent ralliera ta bannière.

— Ta maison Florent m'alignera deux mille hommes, au mieux.» Il passait pour connaître à la virgule près les forces respectives de chaque maison des Sept Couronnes. «Et tu accordes à tes frères et oncles infiniment plus de crédit que moi, dame. Les domaines Florent se trouvent beaucoup trop près de Hautjardin pour que le seigneur ton oncle ose affronter l'ire de Mace Tyrell.

— Il existe un autre moyen.» Elle se rapprocha. «Mettez-vous à votre fenêtre, messire. Vous verrez le ciel armorié du signe que vous attendiez. Rouge, d'un rouge de flamme, d'un rouge qui symbolise le cœur ardent du vrai dieu. C'est *sa* bannière – et la vôtre! Voyez comme elle flotte et se déploie dans le firmament, telle la brûlante haleine d'un dragon, quand vous êtes vous-même seigneur et maître de Peyredragon… Elle l'indique assez, votre heure est venue, Sire. Rien n'est plus certain. Vous êtes, à l'instar d'Aegon le Conquérant, jadis, appelé à appareiller de ce roc désolé et, comme lui, jadis, à tout balayer sur votre passage. Il vous suffit de prononcer le mot, embrassez l'omnipotence du Maître de la Lumière.

— Combien d'épées le Maître de la Lumière, insista Stannis, mettra-t-il à ma disposition ?

— Autant que nécessaire, promit-elle. D'abord celles d'Accalmie et de Hautjardin, plus toutes celles de leurs vassaux.

— Davos te dirait le contraire, objecta Stannis. Ces épées ont prêté serment à Renly. Le charme de mon jeune frère opère, on l'aime comme on aimait Robert…, et on ne m'a jamais aimé.

— Certes, admit-elle, mais que Renly meure… »

Comme les yeux rétrécis de Stannis la scrutaient longuement, Cressen n'y tint plus : « Il n'y faut pas songer. De quelques foucades que Renly se soit rendu coupable, Sire…

— *Foucades* ? J'appelle cela trahison. » Stannis revint à sa femme. « Outre sa force et sa jeunesse, mon frère a pour lui des troupes nombreuses, sans compter ses arcs-en-ciel de chevaliers.

— Dans les flammes, Mélisandre a lu sa mort. »

Le mestre balbutia, horrifié. « Un fratricide…, ceci est *mal*, messire, impensable…, écoutez-moi, je vous en conjure ! »

Lady Selyse le toisa. « Et que lui direz-vous, mestre ? Qu'il peut obtenir un demi-royaume en allant à deux genoux supplier les Stark et en vendant notre fille à lady Arryn ?

— Je connais ton opinion, Cressen, dit lord Stannis. À elle, maintenant, de m'exposer la sienne. Retire-toi. »

Le mestre ploya roidement un genou. Et les yeux de lady Selyse ne cessèrent de peser sur lui qu'il n'eût, à pas poussifs, achevé de se retirer. Tout juste était-il encore capable de se tenir droit lorsqu'il atteignit le bas de l'escalier. «Aide-moi», dit-il à Pylos.

Une fois de retour dans ses appartements, il le renvoya et, une fois de plus, boitilla jusqu'au balcon pour regarder les flots, debout entre ses gargouilles. L'un des vaisseaux de guerre de Sladhor Saan cinglait au large. Zébrée de couleurs gaies, sa coque fendait les lames gris-vert au rythme cadencé des rames. Un promontoire finit par le lui dérober. *Que n'est-il aussi facile à mes craintes de s'évanouir.* N'avait-il tant vécu que pour subir cela?

En prenant le collier, les mestres avaient beau renoncer à tout espoir de paternité, Cressen n'en connaissait pas moins les sentiments d'un père. Robert, Stannis, Renly… trois fils qu'il avait élevés lui-même, après la disparition de lord Steffon dans la mer rageuse. S'y était-il donc si mal pris qu'il lui fallût voir maintenant l'un d'entre eux assassiner l'autre? Impossible de le permettre, non, cela, il ne le *permettrait* pas.

À l'origine de cette infamie, la femme. Pas lady Selyse, *l'autre.* La femme rouge, comme l'appelaient les serviteurs, de peur de prononcer son nom. «Je le prononcerai, moi, dit-il au cerbère de pierre. Mélisandre. *Elle.*» Mélisandre d'Asshaï, sorcière et larve-noue, prêtresse de R'hllor, Maître de la Lumière, Cœur du Feu, dieu de la Flamme et de l'Ombre. Mélisandre et sa démence à qui il fallait interdire de se propager au-delà de Peyredragon.

Après l'éblouissement du matin, sombre et maussade lui sembla son cabinet. D'une main mal assurée, le vieillard alluma un bougeoir qu'il emporta sous l'escalier de la roukerie. Là reposaient, bien en ordre sur leurs étagères, ses onguents, potions, médicaments divers. Le rayonnage du bas recelait, derrière une rangée trapue de pots d'argile à baume, une fiole de verre indigo, pas plus haute que le petit doigt. À peine agitée, elle crépita. L'ayant dépoussiérée d'un souffle, Cressen l'emporta jusqu'à sa table et, s'affaissant dans son fauteuil, la déboucha et en répandit le contenu. Une douzaine de cristaux, pas plus gros que des graines, et qui roulèrent en cliquetant sur le grimoire qu'il étudiait. La lueur de la bougie les faisait scintiller comme des joyaux, mais dans un ton si violacé que le mestre se prit à penser qu'il le voyait vraiment pour la première fois.

Autour de sa gorge, la chaîne devenait extrêmement pesante. Du bout de son petit doigt, il effleura l'un des cristaux. *Le pouvoir de vie et de mort dans ce volume infinitésimal.* La plante qui servait à les fabriquer ne poussait que dans les îles de la mer de Jade, à mi-distance de l'antipode. Après avoir laissé vieillir les feuilles, on les mettait à mariner dans un bain de limons, d'eau sucrée, d'épices rares en provenance des îles d'Été ; on pouvait ensuite les jeter, mais il fallait encore ajouter des cendres pour épaissir la décoction et lui permettre de cristalliser. Un processus lent, malaisé, qui réclamait des ingrédients coûteux et difficiles à se procurer. Les alchimistes de Lys en savaient le secret, cependant, tout comme les Sans-Visage de Braavos…, ainsi que les mestres de son propre ordre, encore que ce sujet de conversation-là demeurât réservé à l'enclos de la Citadelle. Le monde entier savait que l'anneau d'argent de leur chaîne symbolisait l'art de guérir – mais le monde aimait mieux ignorer que savoir guérir implique aussi savoir tuer.

Cressen ne se rappelait plus quel nom les gens d'Asshai donnaient à la feuille ni les empoisonneurs de Lys au cristal. À Villevieille, on disait simplement : *l'étrangleur*, parce que, dissous dans le vin, il resserrait les muscles de la gorge en un tel étau qu'il devenait absolument impossible de respirer. On disait que la face de la victime s'en violaçait du même ton que le cristal mortel, mais il suffisait, après tout, de s'étouffer par gloutonnerie pour s'offrir cette carnation.

Or, il se trouvait que, ce soir même, lord Stannis allait festoyer ses bannerets, son épouse…, ainsi que la femme rouge, Mélisandre d'Asshai.

Il faut me reposer, se dit mestre Cressen. *Il me faudra toute mon énergie, quand viendra la nuit. Il ne faut pas que ma main tremble, ni que me défaille le cœur. Ce que je vais faire est abominable, mais je le dois. Les dieux, s'il en est, ne manqueront pas de me pardonner.* Il avait si peu, si mal dormi ces derniers temps. Un brin de somme le revigorerait pour affronter l'épreuve. Cahin-caha, il se traîna jusqu'à son lit. Et cependant, à peine eut-il fermé les yeux que la comète lui apparut, brillante et rouge et féroce et formidablement vivante au sein des rêves ténébreux. *Peut-être est-ce ma comète*, songea-t-il dans un demi-sommeil avant de sombrer définitivement. *Un présage de sang, la prédiction d'un meurtre…, oui…*

À son réveil, il faisait nuit noire, la chambre était plongée dans les ténèbres, chacune de ses articulations le faisait souffrir. Il se dressa vaille que vaille, la tête lourde d'élancements, rattrapa sa canne, finit par se jucher sur ses pieds. *Si tard*, pensa-t-il. *Ils ne m'ont pas fait appeler.* On le conviait toujours aux festins. Sa place était près du ser, aux côtés de lord Stannis. Devant ses yeux flotta l'image de ce dernier, non point de l'homme qu'il était mais du garçonnet d'autrefois, froid comme l'ombre où il campait, tandis que le soleil nimbait son aîné. En toutes choses, Robert se montrait plus prompt, mieux doué. Pauvre gosse… – allons, vite, vite, il y allait de *son* salut.

Les cristaux gisaient toujours sur le grimoire, il les y rafla. À défaut de bague à chaton truqué comme celles qu'à en croire la rumeur utilisaient de préférence les empoisonneurs de Lys, le mestre avait des quantités de poches grandes et petites cousues dans ses vastes manches. Il faufila dans l'une d'elles les graines d'étrangleur, ouvrit sa porte, appela: «Pylos? Tu es là?» et, n'obtenant pas de réponse, haussa le ton: «Pylos, viens m'aider!» Silence. Un silence d'autant plus bizarre que la cellule du jeune homme se trouvait à portée de voix, quelques marches à peine plus bas.

À la fin, Cressen dut héler ses domestiques. «Hâtez-vous, leur dit-il. Je me suis oublié à dormir et, maintenant, le festin seracommencé…, les libations… On aurait dû me réveiller.» Qu'était-il advenu de mestre Pylos? En vérité, son absence était inconcevable…

Il dut à nouveau longer la galerie. La brise nocturne y murmurait, de baie en baie, d'aigres murmures à goût de mer. Sur les remparts de Peyredragon vacillaient des torches et, dessous, dans le camp, se discernaient, telle une moisson d'étoiles jonchant la terre, des centaines et des centaines de foyers. Là-dessus flamboyait, rouge et maléfique, la comète. *Je suis trop vieux, trop avisé pour m'effrayer de telles choses*, se morigéna le mestre.

Les portes de la grand-salle s'engonçaient dans la gueule d'un dragon de pierre. Cressen congédia ses gens. Mieux valait entrer seul pour dissimuler sa faiblesse. Pesamment appuyé sur sa canne, il gravit sans secours les dernières marches et, clopin-clopant, s'inséra sous le porche en forme de crocs. Deux gardes poussèrent à son intention les lourds battants rouges, et sur lui déferlèrent d'un coup tapageet lumières. Un pas de plus, et il se retrouva dans les entrailles du dragon.

Par-dessus le fracas des plats, des couteaux que soustendait la rumeur sourde des conversations lui parvint le refrain de Bariol: «… *danse, messire, messire danse*», ponctué par son carillon discordant. Toujours l'horrible chanson du matin. «*Les ombres entendent s'installer, messire, s'installer messire, s'installer messire.*» Le bas bout de la salle était bondé de chevaliers, d'archers, de capitaines mercenaires qui dépeçaient des miches de pain noir afin de saucer leur ragoût de poisson. Ici, point de ces rires gras, point de ces cris rauques qui gâtaient ailleurs la dignité de tous les banquets, lord Stannis ne lé tolérait pas.

Cressen s'avança vers l'estrade réservée aux lords et au roi. Pour l'atteindre, il lui fallait d'abord contourner Bariol qui, tout occupé par ses entrechats et assourdi par ses clarines, ne le vit ni ne l'entendit approcher. Tant et si bien qu'en embardant d'un pied sur l'autre le fou finit par heurter la canne du mestre, laquelle se déroba sous lui, et tous deux allèrent, jambes et bras mêlés, s'aplatir parmi la jonchée, tandis que, tout autour, fusait un formidable éclat de rire. Un spectacle, assurément, comique...

À demi vautré sur Cressen, Bariol lui plaquait quasiment au nez sa face bigarrée. Envolés, le heaume d'étain, les clarines et les andouillers. «Dans la mer, on tombe vers le haut, déclara-t-il, oh, je sais je sais, holà. » Avec un gloussement, il se laissa rouler de côté, rebondit sur ses pieds et exécuta quelques galipettes.

Dans un effort de bonne contenance, le mestre s'arracha un demi-sourire et entreprit de se relever, mais sa hanche protesta de manière si véhémente qu'il la craignait de nouveau en miettes quand de fortes mains l'empoignèrent aux aisselles et le replacèrent debout. « Merci, ser, souffla-t-il tout en se tournant pour voir quel chevalier l'avait secouru.

— Mestre, dit dame Mélisandre, dont le timbre grave semblait comme parfumé par l'accent mélodieux de la mer de Jade. Vous devriez être plus prudent. » Elle était, comme à l'accoutumée, vêtue de rouge de pied en cap. À sa longue robe flottante de soie vaporeuse s'ajustaient des manches et un corsage dont les crevés laissaient entrevoir une doublure cramoisie. Plus étroit qu'aucune chaîne de mestre lui ceignait le col un torque d'or rouge agrémenté d'un gros solitaire en rubis. Sa chevelure avait non pas la nuance orange ou fraise commune aux rouquins mais un ton de cuivre bruni que les torches faisaient miroiter. Rouges étaient également ses yeux…, mais elle avait une peau blanche et lisse, onctueuse et immaculée comme de la crème. Svelte elle était, ronde de sein, fine de taille et, quoique plus grande que la plupart des chevaliers, gracieuse, visage en cœur. Le regard des hommes, fussent-ils mestres, ne la lâchait plus, dès lors qu'il s'était posé sur elle. D'aucuns la prétendaient belle. Belle, elle ne l'était pas, non, mais rouge – et terrifiante – rouge.

«Je…, je vous remercie, dame.

— Un homme de votre âge doit regarder où il met les pieds, reprit-elle d'un ton poli. La nuit est noire et pleine de terreurs.»

Il connaissait la phrase, extraite de quelque prière de sa religion à elle. *N'importe, j'ai ma religion à moi.* «Seuls les enfants ont peur du noir», répondit-il, malgré Bariol qui, simultanément, reprenait sa scie lancinante : «*Les ombres entrent dans la danse, messire, danse messire, messire danse.*»

«Et voici une énigme, reprit Mélisandre. Un fou perspicace et un sage qui extravague.» Elle se baissa pour ramasser le heaume de Bariol puis en coiffa Cressen. Au fur et à mesure que la cuvette glissait par-dessus ses oreilles, il percevait le doux tintement des clarines. «Une couronne assortie à votre chaîne, seigneur mestre», commenta-t-elle. Les hommes riaient, tout autour.

Serrant les dents, Cressen lutta pour dominer sa rage. Elle le croyait débile, désarmé, elle en jugerait autrement d'ici que la nuit s'achève. Si vieux qu'il pût être, il demeurait lui-même : un mestre de la Citadelle. «C'est de vérité que j'ai cure, non de couronne, dit-il en se débarrassant du couvrechef.

— Il est, en ce monde, des vérités que l'on n'enseigne pas à Villevieille.» Se détournant de lui dans un tourbillon de soie rouge, Mélisandre se dirigea vers la haute table que présidaient le roi et la reine. Cressen rendit à Bariol la bassine aux andouillers et s'apprêta à gagner sa place.

Mestre Pylos l'occupait.

Éberlué, le vieillard s'immobilisa. « Mestre Pylos, balbutiat-il enfin, vous… vous ne m'avez pas réveillé.

— Sa Majesté m'a commandé de vous laisser reposer. » Pylos eut toutefois la bonne grâce de rougir. « Elle m'a dit que votre présence n'était pas nécessaire ici. »

Cressen parcourut des yeux les chevaliers, capitaines et lords assis là et qui se taisaient. Ce vieux revêche de lord Celtigar portait une cape brodée de crabes en grenats. Ce bellâtre de lord Velaryon avait opté pour des soieries vert d'eau, et l'hippocampe d'or blanc qui lui ornait la gorge mettait en valeur sa blondeur. Ce gamin bouffi de lord Bar Emmon avait boudiné ses quatorze printemps frappés au phoque blanc de velours violet, ser Axell Florent demeurait quelconque, en dépit de ses tons feuille-morte et de ses renards, le pieux lord Solverre s'était constellé la gorge, le poignet, l'annulaire de pierres de lune, et le capitaine de Lys, Sladhor Saan, n'était qu'écarlates, ors, pierreries, satins. Ser Davos seul s'était habillé simplement, doublet brun, cape de laine verte, et seul ser Davos, non sans compassion, lui rendit son regard.

« Vous êtes trop malade et trop âgé pour m'être d'une quelconque utilité. » Le timbre ressemblait étonnamment à celui de Stannis, mais cela ne se pouvait, ne se pouvait. « Pylos me conseillera, dorénavant. Il s'occupe déjà des corbeaux, puisque votre état vous interdit l'accès de la roukerie. Vous vous tueriez à mon service, je ne le veux point. »

L'incrédulité fit papilloter mestre Cressen. *Stannis, mon seigneur, mon pauvre petit garçon maussade, tu ne peux faire cela, toi, le fils que je n'ai pas eu, ne sais-tu pas de quels soins je t'ai entouré, combien j'ai vécu pour toi, de quel cœur je t'ai aimé, en dépit de tout ? Oui, aimé, mieux aimé même que Robert ou Renly, parce que, toi, personne ne t'aimait, que tu étais le seul à avoir tant besoin de moi.* Il se contenta néanmoins de dire : « Ainsi soit-il donc, messire, mais… mais j'ai faim. Ne saurais-je m'asseoir à votre table ? » *À tes côtés, ma place est à tes côtés…*

Ser Davos se leva. « Ce serait un honneur pour moi, Sire, que d'avoir le mestre pour voisin.

— Soit. » Lord Stannis se détourna pour chuchoter quelque chose à Mélisandre qui occupait, à sa droite, la place la plus honorifique, tandis qu'à sa gauche lady Selyse arborait un sourire aussi clinquant et grêle que ses bijoux.

Trop loin, se désola Cressen. La moitié des bannerets séparaient Davos du haut bout. *Il me faut être plus près d'elle pour glisser l'étrangleur dans sa coupe, mais le moyen ?*

Pendant qu'à pas lents le mestre contournait la table pour aller s'asseoir auprès de Mervault, Bariol reprit ses gambades désordonnées. « Ici, nous mangeons du poisson, s'extasia-t-il en agitant le sceptre d'une morue. Dans la mer, le poisson nous mange. Oh, je sais je sais, holà. »

Ser Davos se décala sur le banc. « Nous devrions tous porter la livrée de bouffon, ce soir, grommela-t-il comme le mestre s'asseyait, car nous sommes en veine de bouffonnerie. La femme rouge a lu victoire dans ses flammes, aussi Stannis brûle-t-il d'en découdre, le rapport des forces, bah. D'ici là, je parie que nous aurons vu ce qu'a vu Bariol – le fond de la mer. »

Comme pour se réchauffer les mains, Cressen les fourra dans ses manches et palpa le menu durillon que formaient les cristaux sous la laine. « Lord Stannis ? »

Celui-ci se détourna de la femme rouge, mais c'est lady Selyse qui répondit. « *Votre Majesté*. Vous vous oubliez, mestre.

— L'âge, dame. Son esprit divague, commenta le roi d'un ton bourru. Qu'y a-t-il, Cressen ? Expliquez-vous.

— Puisque vous comptez appareiller, il est capital de faire cause commune avec lord Stark et lady Arryn, et…

— Je ne fais cause commune avec personne, coupa Stannis.

— Pas plus que la lumière ne fait cause commune avec les ténèbres », approuva lady Selyse en lui prenant la main.

Il hocha la tête. « Les Stark cherchent à me spolier de la moitié de mon royaume, tout comme les Lannister m'ont spolié de mon trône et mon doux frère des épées, des services et des places fortes qui m'appartiennent de plein droit. Ils sont tous des usurpateurs et mes ennemis, tous. »

Il est perdu pour moi, se désespéra Cressen. Que ne pouvait-il, de manière ou d'autre, approcher Mélisandre à l'insu de tous…, une seconde suffirait, moins d'une seconde… « Vous êtes l'héritier légitime de Robert, vrai suzerain des Sept Couronnes, et roi des Andals, de Rhoynar et des Premiers Hommes, insista-t-il désespérément, mais, sans alliés, vous ne sauriez faire valoir ces titres incontestables.

— Il a un allié, riposta lady Selyse. R'hllor, le Maître de la Lumière, Cœur du Feu, dieu de la Flamme et de l'Ombre.

— Des plus incertaine est l'alliance des dieux, dame, objecta-t-il, et *celui-là* n'a pas de pouvoir, ici.

— Ah bon ? » Au mouvement que fit Mélisandre, son rubis capta la lumière et, en un éclair, brilla du même éclat que la comète. « Pour proférer pareille sottise, mestre, vous devriez remettre votre couronne.

— Oui, abonda lady Selyse. Le heaume de Bariol. Il vous sied, vieil homme. Recoiffez-le, je vous l'ordonne.

— Dans la mer, intervint le fou, personne ne porte de couvre-chef. Oh, je sais je sais, holà. »

Sous leurs épais sourcils, les yeux de lord Stannis faisaient deux puits d'ombre et, sous sa bouche encore étrécie, ses mâchoires travaillaient, muettes. Toujours il grinçait des dents quand le submergeait la colère. «Fou, grogna-t-il enfin, ma dame commande. Donne ton heaume à Cressen.»

Non, pensa le vieux mestre, non, *ce n'est pas toi, pas toi, ces façons, toujours tu t'es montré juste, dur toujours mais jamais méchant, jamais, tu ne concevais pas la dérision, pas plus que tu ne concevais le rire.*

Cependant, Bariol approchait en dansant, dans un tapage de clarines, *ding ding dong drelin drelin din din dong.* Sans un mot, Cressen se laissa coiffer par le fou, le poids du baquet lui fit courber la tête, les cloches tintèrent. «S'il nous chantait ses avis maintenant? suggéra lady Selyse.

— Tu vas trop loin, femme, intervint lord Stannis. C'est un vieil homme, et il m'a bien servi.»

Et il achèvera de te servir, mon doux seigneur, mon fils, mon pauvre enfant seul, se dit Cressen, car il venait tout à coup de trouver le biais. La coupe de ser Davos se trouvait devant lui, pleine à demi d'âpre vin rouge. De sa manche, il retira l'un des cristaux et, le pouce et l'index étroitement serrés, tendit la main. *Pas de gestes brusques, de l'adresse et, surtout, surtout, ne pas trembloter,* s'enjoignit-il en guise de prière, et les dieux l'exaucèrent. En un clin d'œil, ses doigts se retrouvèrent vides. Des années qu'il ne les avait eus si fermes ni si fluides, tant s'en fallait. Davos vit tout, mais personne d'autre, sûr et certain. Coupe en main, il se hissa sur ses pieds. «Il se peut, au fond, que je me sois montré sot. Accepteriez-vous, dame Mélisandre, de partager une coupe avec moi? Une coupe en l'honneur de votre dieu, le Maître de la Lumière? Une coupe pour célébrer sa puissance?»

La femme rouge le lorgna. «Si vous le souhaitez.»

Il sentait tous les regards attachés sur lui. Comme il quittait le banc, la main mutilée de Davos le retint par la manche. «Que faites-vous là? chuchota-t-il.

— Ce qu'il faut faire à tout prix, répondit le mestre, pour le salut du royaume et de l'âme de mon seigneur. » En se dégageant, il renversa sur la jonchée une goutte de vin.

La femme vint le retrouver au bas de l'estrade, en vue de toute l'assistance. Cressen ne vit qu'elle. Soies rouges et prunelles rouges, rubis rouge à son col, lèvres rouges ourlées d'un demi-sourire, comme elle posait la main sur la sienne autour de la coupe. Une main chaude, on eût dit fiévreuse. « Il est encore temps de jeter ce vin, mestre.

— Non, souffla-t-il d'une voix rauque, non.

— À votre aise. » Mélisandre d'Asshaï lui prit la coupe des mains et but une longue, longue lampée. À peine restait-il au fond de la coupe une demi-gorgée de vin quand elle la lui rendit. « À vous, maintenant. »

Les mains tremblantes, il se contraignit au courage. Un mestre de la Citadelle devait ignorer la peur. Le vin était âpre. Ses doigts laissèrent échapper la coupe, qui alla s'écraser au sol. « Son pouvoir s'exerce ici, messire, dit la femme. Et le feu purifie. » À sa gorge rutilait le rubis.

Cressen voulut répliquer, mais les mots s'étranglèrent dans la sienne. L'épouvante le prit, tous ses efforts pour respirer échouaient sur un imperceptible sifflement, des doigts de fer lui enserraient le cou. Mais lors même qu'il s'effondra sur les genoux, il persistait à secouer la tête en signe de dénégation, la récusant, elle, et lui récusant ses pouvoirs, récusant sa magie, récusant son dieu. Et les clarines de ses andouillers tintaient en lui épelant *sot, sot, sot*, sous le regard apitoyé de la femme rouge dans les yeux de qui dansait la flamme des bougies, des yeux rouges rouges rouges…

ARYA

En s'entendant affubler du sobriquet d'«Arya-Ganache», à Winterfell, jadis, elle en avait souffert comme de la pire injure, mais ce petit salaud de Lommy Mains-vertes avait trouvé mieux en la surnommant «Tête-à-cloques». Du coup, pour peu que d'aventure elle y touchât, elle *se sentait* la tête cloquée.

Une fois coincée sous le porche, elle s'était vue perdue, Yoren allait la tuer; il l'avait seulement tenue ferme et, avec son poignard, sévèrement débroussaillée. Elle revoyait la brise folâtrer parmi de pleines poignées de tignasse brune et s'en jouer sur le pavé, les emporter, là-bas, vers le septuaire où Père venait de périr. «J'emmène d'ici qu' les hommes et les garçons, grommela le vieux, lorsque l'acier crissa sur la peau du crâne. Tiens-toi peinard, main'nant, mon *gars*.» Du chaume, des chardons, tout ce qui restait.

De Port-Réal jusqu'à Winterfell, dit-il ensuite, elle serait Arry l'orphelin. «D'vrait pas êt' trop dur, sortir, mais la route…, aut'ment coton. Va t' falloir la faire, et longue! en sale compagnie. J'en ramène trente, c' coup-ci, des mioches et des adultes. Tout ça pou' l' Mur. Et t' figur' pas qu'y sont des comme ton bâtard d' frangin.» Il la secoua. «Lord Eddard m'a donné racler les culs-d'-bass'-foss', et j'y ai pas trouvé des damoiseaux. Dans c'te clique, la moitié te r'fourguerait à la reine, eul temps d' cracher, contre un pardon, rien qu' quèqu' sous même, p't-êt'. L'aut', pareil, mais t' viol'raient d'abord. Aussi, fais gaffe, va pisser qu' seule, et dans les bois. Ça qui va êt' l' vrai tintouin, pisser. F'dra mieux boire qu' l'indispensab'. »

Comme annoncé, quitter Port-Réal fut aisé. Les gardes Lannister arrêtaient tout le monde, mais Yoren en appela un par son nom, et on leur fit signe de passer. Pas un regard n'effleura Arya. On n'avait d'yeux que pour retrouver une demoiselle de haut parage, fille de la Main du Roi, pas pour un gamin maigrichon ras tondu. Elle ne jeta pas, quant à elle, le moindre coup d'œil en arrière. Elle ne désirait qu'une chose, que la Néra déborde et emporte la ville entière, Culpucier comme le Donjon Rouge et le Grand Septuaire, emporte *tout*, tout et *tous*, tous, à commencer par le prince Joffrey et sa mère. Un désir qui ne se réaliserait pas, hélas. D'ailleurs, Sansa se trouvait encore en ville, et elle aurait été emportée aussi. À cette seule idée, Arya préféra concentrer son désir sur Winterfell.

Pour ce qui était de pisser, Yoren se trompait, en revanche. Là n'était pas le plus dur ; le plus dur, c'étaient Lommy Mains-vertes et Tourte-chaude. Deux des orphelins recrutés par Yoren : certains dans les rues, par la promesse que leurs ventres auraient de quoi s'emplir, leurs pieds de quoi se chausser, les autres en prison. « La Garde a besoin d'hommes de cœur, leur avait-il dit au moment de partir, et le cœur, vous tous… ! »

Des cachots provenaient également des hommes faits, braconniers, voleurs, violeurs et consorts. Les pires étaient les trois dénichés dans les oubliettes, et dont Yoren lui-même devait avoir peur car, non content de les tenir enchaînés, pieds et mains, à l'arrière d'un fourgon, il jurait ses grands dieux qu'ils le resteraient en permanence jusqu'au Mur. L'un n'avait plus, à la place du nez, qu'un trou ;

et les yeux de cette brute grasse et chauve aux joues purulentes, aux dents acérées, n'avaient rien d'humain.

Au sortir de Port-Réal, le convoi comprenait cinq fourgons chargés de fournitures destinées au Mur : ballots de peaux et de tissus, barres de fer brut, plus une cage de corbeaux, des livres, du papier, de l'encre, une balle de surelle en feuilles, des jarres d'huile, des coffrets d'épices, de médicaments. Des chevaux de labour y étaient attelés, et Yoren avait acheté, outre deux coursiers, une demi-douzaine d'ânes pour les gamins. Arya aurait préféré monter un vrai cheval, mais mieux valait toujours un âne que les fourgons.

Si les hommes ne lui prêtaient aucune attention, elle avait moins de chance avec les garçons. Indépendamment du fait qu'elle était plus petite et menue, qu'elle avait deux ans de moins que leur benjamin, Tourte-chaude et Mains-vertes ne manquaient pas d'attribuer son mutisme à la panique, la bêtise ou la surdité. « Vise un peu l'épée qu'y s'est dégotée, Tête-à-cloques », dit le second, un beau matin que l'on cheminait entre vergers et champs de blé. Il avait les bras verts jusqu'au coude car, avant de se faire pincer à voler, il était apprenti chez un teinturier. Il ne riait pas, il brayait comme les baudets du convoi. « D'où qu'un rat d'égout comme Tête-à-cloques peut avoir une épée ? »

Sans broncher, Arya se mâchouilla la lèvre. Le manteau noir délavé de Yoren s'apercevait, là-bas devant, mais l'appeler à la rescousse, elle s'y refusait.

« S'rait pas un 'tit écuyer, des fois ? » suggéra Tourte-chaude. Sa mère avait, jusqu'à son dernier souffle, poussé dans les rues une carriole de boulange au cri de *Tourtes ! tourtes chaudes !* « 'tit écuyer d' quèq' grand grand seigneur…, 't êt' ça.

— Écuyer, tu parles ! vis' putôt… Doit même pas être une vraie, s'n épée. Juste un joujou d' fer-blanc, j' parie. »

Qu'ils plaisantent Aiguille lui fut odieux. «Feriez mieux de la fermer! jappa-t-elle en se tournant sur sa selle pour les toiser, c'est de l'acier château, corniauds!»

Des huées lui répondirent. «D'où qu' t'aurais dégoté c'te lame, alors, Face-à-cloques?» Tourte-chaude brûlait de curiosité.

«*Tête*-à-cloques, rectifia Lommy. L' ra volée…

— Je ne l'ai *pas* volée!» glapit-elle. Aiguille, elle la tenait de Jon Snow. Elle pouvait à la rigueur tolérer de s'entendre appeler Tête-à-cloques, mais pour rien au monde qu'on la calomnie.

«Mais s'y l'a volée, dis…, pourrait l'y piquer, nous? reprit Tourte chaude. 'll est pas à lui, d' tout' façon. 'n' épée com' ça, moi, chaurais quoi en faire.

— Ben, vas-y, l'encouragea Lommy. Piques-y. J' te permets.»

L'autre talonna son âne pour se rapprocher. «Hé, Tête-à-cloques, file-me-la.» Sous sa tignasse jaune paille, sa trogne cuite de soleil pelait. «Sais pas t'en servir.»

Si, je sais, rétorqua-t-elle à part elle. *J'ai tué un type, un gros malin comme toi. Je lui ai crevé la bedaine, et il est mort. Et, si tu ne me fiches pas la paix, je te tuerai aussi.* Seulement, elle n'osa le dire. Yoren n'était pas au courant, pour le garçon d'écurie, mais, s'il l'apprenait… Elle avait peur de sa réaction. Des tueurs, bon, il y en avait un certain nombre dans la troupe, à commencer par les trois aux fers, ça, aucun doute, mais ce n'est pas *eux* que cherchait la reine, là était la différence.

«Vise-me-le…, se mit à braire Lommy Mains-vertes, y va chialer, j' parie! Hein, Tête-à-cloques, qu' t'as envie d' chialer?»

Elle avait tant pleuré durant son sommeil, la nuit précédente, en rêvant de Père, que, si rouges qu'ils fussent au matin, ses yeux n'auraient pu, dût sa vie en dépendre, verser une larme de plus.

« Va s' tremper les chausses…, insinua Tourte-chaude.

— Laissez-le tranquille », intervint le garçon qui, derrière eux, se distinguait par un maquis de cheveux noirs. Eu égard au heaume à cornes qu'il passait son temps à fourbir sans jamais le coiffer, Lommy l'avait surnommé Taureau. Moins gamin qu'eux et grand pour son âge, il avait un torse très développé et des bras impressionnants.

« F'rais mieux d'y filer l'épée, Arry, poursuivit nonobstant Mains-vertes. C't un dur, Tourte. À mort qu'il a battu un gars. Te f'ra pareil, j' parie.

— J' l'ai flanqué par terre et pis j'y ai botté les couilles et botté les couilles jusqu'à temps qu'y meure, fanfaronna l'autre. D' la bouillie qu' j'y ai fait, d' ses couilles. T' les avait tout' dehors, écrabouillées, saignantes, et pis la queue noire. Faudrait mieux m' la filer, l'épée. »

Arya tira de sa ceinture la latte d'entraînement. « Je peux te donner celle-ci », dit-elle, afin d'éviter l'empoignade.

« C' qu'un bâton. » Se rapprochant encore, il essaya d'attraper Aiguille.

Le bâton siffla, s'abattit sur l'arrière-train de l'âne que montait Tourte. La bête renâcla, bondit, désarçonnant son cavalier, tandis qu'Arya, bondissant à bas de la sienne, empêchait celui-ci de se relever en piquant aux tripes, puis comme, avec un grognement, il retombait sur son séant, lui cingla si violemment la face que son nez fit *crac*, telle une branche qui se brise. Alors, comme Tourte, les narines tout ensanglantées, se mettait à geindre, elle virevolta vers l'autre, abasourdi sur son âne. « T'en veux autant ? » vociféra-t-elle, mais, loin d'être tenté, il s'enfouit la face dans ses mains vertes et lui piaula de se tirer.

« Derrière ! » cria Taureau, et elle pivota. Tourte, agenouillé, serrait dans son poing une grosse pierre anguleuse qu'elle le laissa lancer, se contentant de baisser la tête pour l'éviter, puis elle vola sur lui, frappa la main qu'il levait, frappa sa joue, frappa son genou. Il voulut l'agripper, elle dansa de côté et lui assena sa latte sur la nuque. Il tomba, se releva, tituba vers elle, sa face rouge toute barbouillée de poussière et de sang, mais Arya se coulissa pour l'attendre en posture fluide de danseur d'eau et, lorsqu'il se fut suffisamment avancé, lui porta, juste entre les jambes, une botte si rude que, munie d'une pointe, l'épée de bois n'eût pas manqué de lui ressortir par le fondement.

Lorsque Yoren vint s'interposer, Tourte gisait à terre, hurlant, recroquevillé, les chausses embourbées de puanteur brune, pendant qu'Arya continuait à le rosser partout partout partout. « *Suffit !* tonitrua-t-il en rabattant la latte de vive force, tu veux tuer cet imbécile ? » Et comme Mains-vertes et quelques autres se mettaient à braire, le vieux leur rabattit aussi sec le caquet : « Vos gueules !... ou je vous les ferme, moi. Un mot d' pus, j' vous attache aux fourgons, tous, et j' vous *traîne* jusqu'au Mur. » Il cracha. « Et ça vaut doub', Arry, pour toi. Tu viens avec moi, mon gars. *Zou.* »

Tous les regards étaient sur elle, même ceux des trois types aux fers dans le fourgon. Le gros alla jusqu'à claquer de ses dents pointues et *siffler*, mais elle l'ignora.

Sans cesser de maugréer, jurer, le frère noir l'entraîna fort à l'écart de la route dans un fouillis d'arbres. « J' rais eu qu'une once d' bon sens, j' te laissais à Port-Réal. M'entends, mon *gars* ? » Toujours il grondait ce terme en y mettant tant de mordant qu'elle ne risquait pas la surdité. « Défais ton froc et baiss'-moi-le. Allez, y a personne pour voir. Allez. » Elle s'exécuta, maussade. « Là, cont' eul chêne. Ouais, com' ça. » Elle enveloppa le tronc de ses bras, pressa sa figure contre la rude écorce. « Main'nant, t' vas gueuler. Gueuler fort. »

Pas question, se promit-elle, mais, lorsque la volée de bois cingla l'arrière de ses cuisses nues, le cri jaillit d'elle, malgré qu'elle en eût. « Douloureux ? dit-il, tâte d' çui-ci. » Le bâton s'abattit en sifflant. Sur un nouveau cri, Arya s'agrippa à l'arbre de peur de tomber. « 'core un. » Elle resserra l'étreinte et, tout en se mâchouillant la lèvre, défaillit en entendant venir le coup. Lequel la fit bondir et hurler. *Je ne pleurerai pas*, se jura-t-elle, *je ne pleurerai pas. Je suis une Stark de Winterfell, notre emblème est le loup-garou, les loups-garous ne pleurent pas.* Elle sentait un ruisselet de sang dégouliner le long de sa jambe gauche. La douleur embrasait ses cuisses et ses joues. « F'ras p't'-êt' gaff', main'nant, conclut-il. La prochaine qu' tu touches un d' tes frères, s'ra deux fois pus qu' t'auras donné, t'entends ? Rhabill'-toi, main'nant. »

Ils ne sont pas mes frères, contesta-t-elle en son for tout en se penchant pour remonter ses braies, mais elle se garda de le dire. Ses mains s'empêtraient dans les attaches et la ceinture.

Yoren la regardait. « T'as mal ? »

Calme comme l'eau qui dort, se dit-elle, conformément aux leçons de Syrio Forel. « Un peu. »

Il cracha. « Moins qu' l'aut' tourte. C' pas lui qu'a tué ton père, p'tite, et c' voleur d' Lommy non pus. Te l' rendra pas, z'y cogner d'ssus.

— Je sais, dit-elle avec chagrin.

— Y a un truc qu' tu sais pas. Ça d'vait pas s' passer com' ça. J'allais partir, tout réglé, les fourgons chargés, et un homme m'amène un gosse, et un' bourse, 'vec du pognon d'dans, et un message qu'on s' fout d' qui ? "Lord Eddard va prend' l' noir, qu'y m' dit, t'attends, y t'accompagn'ra." Pourquoi tu crois qu' j'étais là, sinon ? Seul'ment, quèqu'chose a foiré, dans l' truc.

— *Joffrey*, souffla-t-elle. On devrait le *tuer* !

— Quelqu'un le f'ra, mais ça s'ra pas moi, ni toi. » Il lui lança l'épée de bois. « Prends d' la surell' dans les fourgons, conseilla-t-il comme ils retournaient vers la route. T'en mâcheras, c'est bon cont' les cuissons. »

Effectivement, la surelle apaisait. Un peu. Mais le goût en était infect, et vous crachiez rouge comme du sang. Force lui fut cependant de marcher jusqu'au soir, ce jour-là et le jour d'après et le jour d'après, parce qu'elle était trop à vif pour remonter en selle. Autrement pire était l'état de Tourte ; Yoren dut déplacer des barriques pour lui permettre de s'allonger sur des sacs d'orge à l'arrière d'un fourgon, et le moindre cahot le faisait gémir. Quoiqu'intact, lui, Lommy Mains-vertes se tenait le plus loin possible d'Arya. « Il tique dès que ton regard le frôle », dit Taureau, comme elle marchait à côté de lui. Elle ne répondit pas. Il était apparemment plus sûr de n'adresser la parole à personne.

Couchée à la dure, cette nuit-là, sous sa mince couverture, elle observa la grande comète rouge. Elle la trouvait tout à la fois splendide et terrifiante. Taureau la nommait « l'Épée Rouge », eu égard, jurait-il, à sa ressemblance avec une lame encore incandescente. Mais lorsque Arya eut suffisamment louché dessus pour y voir aussi une épée, ce n'est pas une épée nouvelle qu'elle vit là, mais Glace, la grande épée de Père, toute d'acier valyrien moiré, Glace rougie de sang, après que ser Ilyn, la Justice du roi, l'avait utilisée pour perpétrer le meurtre. Yoren avait eu beau l'obliger à regarder ailleurs au moment de l'exécution, Arya ne pouvait s'en défendre, Glace avait dû, après, ressembler à cette comète.

Elle finit par s'endormir et, aussitôt, rêva de *la maison*. Avant de se poursuivre jusqu'au Mur, la route royale passait par Winterfell. Yoren avait promis de l'y laisser, sans que quiconque eût la moindre idée de sa véritable identité. Elle aspirait à revoir Mère, et Robb, et Bran, et Rickon…, mais c'était à Jon qu'elle pensait le plus. Quel bonheur ce serait que d'atteindre le Mur *avant* Winterfell et de s'y faire ébouriffer par Snow, de l'entendre murmurer : « Sœurette » ! Elle lui dirait : « Tu m'as manqué », et il le dirait au même moment, selon leur habitude de toujours dire les choses d'une seule voix. Un si grand bonheur, hélas, que cela. Un bonheur préférable à n'importe quel autre.

SANSA

Le jour anniversaire de Joffrey, l'aube parut dans tout son éclat, le vent faisait fuir tout en haut du ciel quelques nuages au travers desquels se discernait la longue queue de la grande comète. De la fenêtre de sa tour, Sansa observait celle-ci quand se présenta ser Arys du Rouvre, qui devait l'escorter jusqu'aux lices. « Que signifie-t-elle, à votre avis ? lui demanda-t-elle.

— Gloire à votre fiancé, répondit-il du tac au tac. À voir comme elle flamboie aujourd'hui, on dirait que les dieux eux-mêmes ont brandi leur étendard en l'honneur de Sa Majesté. Le petit peuple ne l'appelle que "la comète du roi Joffrey". »

La version des flagorneurs, sans doute. Sansa demeurait sceptique. « J'ai entendu les servantes la nommer "la Queue du dragon".

— Le roi Joffrey occupe maintenant, dans le palais que construisit le fils de celui-ci, le trône qu'occupa jadis Aegon le Dragon. Il est l'héritier du dragon et, autre signe, l'écarlate est la couleur de la maison Lannister. À n'en point douter, cette comète nous est envoyée pour proclamer, tel un héraut, l'intronisation de Joffrey. Elle signifie qu'il triomphera de ses ennemis. »

Vraiment ? se demanda-t-elle. *Les dieux seraient-ils si cruels ?* Mère, à présent, faisait partie des ennemis de

Joffrey, et Robb aussi. Père avait péri sur ordre du roi. Mère et Robb devaient-ils périr à leur tour ? La comète était rouge, sans conteste, mais Joffrey était autant Baratheon que Lannister, et l'emblème de ses pères était un cerf noir sur champ d'or. Les dieux n'auraient-ils pas dû, dès lors, lui expédier une comète d'or ?

Les battants refermés, Sansa se détourna vivement de la fenêtre. « Vous me semblez fort en beauté, madame, aujourd'hui, dit ser Arys.

— Merci, ser. » S'attendant que son roi l'obligerait à assister au tournoi qu'il se donnait, elle avait consacré les soins les plus minutieux à sa parure et à sa toilette. Elle portait la résille de pierres de lune qu'il lui avait offerte et une robe de soie mauve dont les longues manches dissimulaient les ecchymoses de ses bras – autant de présents de Joffrey… En apprenant qu'on avait proclamé Robb roi du Nord, il était entré dans une fureur noire et avait dépêché ser Boros la rosser.

« Prête ? » Ser Arys lui offrit son bras, et elle se laissa emmener. Puisqu'elle devait toujours avoir un garde attaché à ses pas, plutôt celui-ci qu'un autre. Ser Boros était violent, ser Meryn glacial, les étranges yeux morts de ser Mandon la mettaient mal à l'aise, ser Preston la traitait en arriérée mentale. Ser Arys du Rouvre, lui, se montrait courtois et cordial de ton. Il avait même, une fois, protesté lorsque Joffrey lui ordonnait de la frapper. Il avait certes fini par *obtempérer*, mais pas aussi fort que l'eussent fait ser Meryn ou ser Boros, et du moins non sans avoir d'abord tenté de discuter. Les autres obéissaient aveuglément, tous… excepté le Limier, mais Joff ne chargeait jamais le Limier de la punir. Les cinq autres lui servaient à ça.

Ni les traits ni les cheveux châtain clair de ser Arys n'étaient d'un commerce désagréable. Il avait même plutôt bonne mine, aujourd'hui, dans son manteau de soie blanche agrafé à l'épaule par une feuille d'or, avec sa tunique sur la poitrine de laquelle étincelaient les vastes frondaisons d'un chêne brodé en fil d'or. «Qui remportera la palme, aujourd'hui, selon vous? lui demanda-t-elle comme elle descendait l'escalier, toujours à son bras.

— Moi, sourit-il. Mais ce triomphe n'aura guère de saveur, je crains, faute d'espace et de rivaux sérieux. À peine si deux vingtaines entreront en lice, écuyers et francs-coureurs inclus. Piètre honneur que de démonter des bleus.»

Quelle différence avec le tournoi précédent..., songea Sansa. Le roi Robert l'avait donné en l'honneur de Père. Grands seigneurs et fabuleux champions étaient accourus des quatre coins du royaume pour y prendre part, et la ville entière pour y assister. Elle s'en rappelait toutes les splendeurs: les pavillons, le long de la rivière, et, à la porte de chacun, l'écu d'un chevalier, les longues rangées soyeuses d'oriflammes flottant au vent, le miroitement du soleil sur l'acier poli, l'or des éperons, le jour fracassé par les sonneries de trompettes, le martèlement des sabots, les nuits enchantées de fêtes et de chansons. Elle s'en souvenait comme des heures les plus magiques de son existence, mais tout cela semblait dater d'un autre âge, à présent. Robert Baratheon était mort, mort, Père, aussi, décapité comme traître sur le parvis du Grand Septuaire de Baelor. À présent, le royaume avait trois rois, la guerre faisait rage au-delà du Trident, la ville était bondée de gens au désespoir. Rien d'étonnant si Joffrey devait s'offrir son chétif tournoi derrière les murs formidables du Donjon Rouge...

«Vous croyez que la reine y assistera?» Sansa se sentait toujours moins menacée lorsque Cersei se trouvait là pour refréner son fils.

«Je crains que non, madame. Le Conseil est en séance. Quelque affaire urgente.» Il baissa la voix. «Lord Tywin est parti se terrer à Harrenhal au lieu de ramener ici son armée comme le lui ordonnait la reine. Sa Grâce est furieuse. » Sur ce, il se tut : vêtue de manteaux écarlates et coiffée du heaume à mufle de lion passait une colonne de gardes Lannister. Si ser Arys adorait cancaner, il ne s'abandonnait à son penchant que lorsqu'il était certain que ne traînaient point d'oreilles indiscrètes.

Ils découvrirent sur la courtine extérieure la lice et la tribune édifiée par les charpentiers. Quelque chose de bien mesquin, vraiment. Et à peine la moitié des places était-elle occupée. Et la plupart des spectateurs portaient au surplus l'écarlate Lannister ou l'or du Guet. En fait de seigneurs et de dames, il n'y avait là que la pauvre poignée demeurée à la cour. Le grisâtre lord Gyles Rosby suffoquait dans un mouchoir de soie rose. Ses filles, Lollys la bovine et Fallys la vipère, servaient de parenthèses à lady Tanda. L'exilé Jalabhar Xho n'exhibait là sa peau d'ébène qu'à défaut de meilleur refuge. Quant à lady Ermesande – juste un bambin dans le giron de sa nourrice –, le bruit courait qu'elle allait bientôt épouser l'un des cousins de la reine et, par là, permettre aux Lannister de s'approprier ses terres.

Une jambe négligemment jetée par-dessus le bras tarabiscoté de son fauteuil, le roi prenait l'ombre sous un dais d'écarlate, ses frère et sœur Tommen et Myrcella assis derrière lui. Au fond de la loge royale, Sandor Clegane montait sa faction, les pouces passés dans sa ceinture. Une broche de pierreries retenait sur ses larges épaules le blanc manteau de la Garde dont l'étoffe neigeuse jurait quelque peu avec la bure brune de la tunique et le cuir clouté du justaucorps. « Lady Sansa », annonça-t-il d'un ton sec en la voyant. Son timbre avait le moelleux de la scie dans le bois. Non contentes de le défigurer, ses cicatrices calcinées lui tordaient un côté de la bouche quand il parlait.

Au nom de Sansa, la princesse Myrcella se contenta d'incliner timidement la tête en signe de bienvenue, mais son embonpoint n'empêcha pas le prince Tommen de se lever d'un bond fougueux. « Savez-vous, Sansa ? je vais courir des lances, aujourd'hui ! Mère m'a donné la permission. » Avec ses huit ans tout juste sonnés, il rappelait Bran, son contemporain, désormais infirme mais en vie, là-bas, à Winterfell. Que n'eût-elle donné pour se trouver auprès de lui… !

« Je crains pour les jours de votre adversaire, dit-elle pompeusement.

— Son adversaire sera bourré de paille », dit Joff en se levant. Le lion rugissant gravé sur son corselet de plates doré semblait trahir ce qu'il attendait de la guerre : engouffrer tôt ou tard un chacun. Grand pour les treize ans qu'il fêtait en ce jour, il avait la blondeur et les prunelles vertes des Lannister.

« Sire », dit-elle en lui plongeant une révérence.

Ser Arys s'inclina. « Que Votre Majesté daigne me pardonner, je dois aller m'équiper. »

D'un geste bref, Joff le congédia, tout en étudiant Sansa des pieds à la tête. « Il me plaît que vous portiez mes pierres. »

Il avait donc décidé de jouer les galants, aujourd'hui. Elle répondit, soulagée : « Soyez remercié pour elles… et pour ces mots affectueux. Je souhaite un heureux anniversaire à Votre Majesté.

— Assise, commanda-t-il en désignant le siège vide à ses côtés. Savez-vous la nouvelle ? Le roi Gueux est mort.

— Qui donc ? » Une seconde, elle craignit qu'il ne s'agît de Robb.

« Viserys. Le dernier fils d'Aerys le Fol. Je n'étais pas né qu'il vagabondait déjà par les cités libres en s'intitulant roi. Mère dit que les Dothrakis l'ont finalement couronné. D'or en fusion. » Il s'esclaffa. « C'est comique, non ? Leur emblème était le dragon. Un peu comme si quelque loup tuait votre félon de frère. Peut-être en nourrirai-je des loups quand je l'aurai attrapé. À propos, vous ai-je dit que je compte le défier en combat singulier?

— Je serais heureuse de voir cela, Sire.» *Plus que tu ne crois.* Malgré le ton froidement poli qu'elle avait adopté, les yeux de Joffrey s'étrécirent – se moquait-elle? «Prendrez-vous part au tournoi?» demanda-t-elle précipitamment.

Il se renfrogna. «Madame ma mère le déclare inconvenant, dans la mesure où il se donne en mon honneur. Sans quoi j'aurais raflé le prix. N'est-ce pas, Chien?»

La bouche du Limier se tordit. «Contre cette racaille? Pourquoi non?»

Lui avait remporté le tournoi de Père, se souvint Sansa. «Jouterez-vous, messire? s'enquit-elle.

— Vaut même pas la peine de m'armer, grommela-t-il avec un souverain mépris. Combat de moustiques.»

Le roi éclata de rire. «Farouche aboiement que celui de mon chien! Peut-être devrais-je lui commander d'affronter le champion du jour. Un duel à mort…» C'était une friandise, pour Joff, que d'obliger les gens à se battre à mort.

«Mais tu ferais là piètre figure de chevalier.» Le Limier s'était toujours refusé à prononcer les vœux de chevalerie. Par haine de son frère qui l'avait fait, lui.

Une sonnerie de trompes éclata là-dessus. Le roi s'adossa confortablement et saisit la main de Sansa. Un geste qui, naguère encore, l'aurait chavirée, mais, depuis qu'au lieu de la grâce de Père il lui avait offert sa tête, il lui inspirait, sans qu'elle en montrât rien, la dernière des répugnances. Elle se contraignit à feindre une parfaite tranquillité.

«*Ser Meryn Trant, de la Garde*», appela le héraut.

Revêtu de plate blanche guillochée d'or, ser Meryn se présenta par le côté ouest de la cour. Il montait un destrier laiteux à longue crinière grise, et son manteau flottait derrière lui comme un champ de neige. Il portait une lance de douze pieds.

«*Ser Hobber Redwyne, de La Treille*», entonna le héraut. Ser Hobber entra au trot par l'est sur un étalon noir caparaçonné de bleu et de lie-de-vin. Sa lance était rayée des mêmes couleurs, et sur son écu se voyait le pampre de sa maison. Lui et son frère jumeau étaient, comme Sansa, les hôtes forcés de la reine. Aussi semblait-il peu probable que la fantaisie de prendre part au tournoi de Joffrey leur fût venue spontanément.

Au signal que donna le maître des cérémonies, les combattants couchèrent leurs lances en éperonnant leurs montures. Des acclamations clairsemées montèrent de l'assistance. Dans un grand fracas de bois et d'acier, la rencontre eut lieu au centre de l'arène. Les deux lances explosèrent simultanément en une volée d'échardes, et si le choc le fit chanceler, Redwyne parvint néanmoins à demeurer en selle. Retournant chacun à son point de départ, les deux chevaliers jetèrent leurs lances rompues et en reçurent de nouvelles des mains de leurs écuyers. Ser Horas Redwyne encouragea son frère à grands cris.

Ser Meryn n'en trouva pas moins le moyen, lors de la seconde passe, d'atteindre ser Hobber en pleine poitrine et de l'envoyer, bruyamment cabossé, mordre la poussière. Avec un juron, ser Horas se rua pour aider son frère à quitter la place.

«Piètre joute», décréta le roi.

«*Ser Balon Swann de Pierheaume, de la garde Rouge*», hélait déjà le héraut. De larges ailes blanches ornaient le casque de ser Balon, et sur son écu s'affrontaient des cygnes noirs et blancs. «*Morros Slynt, fils aîné de lord Janos de Harrenhal.*»

«Regardez-moi ce parvenu godiche!» brocarda Joff assez haut pour que la moitié de l'assistance l'entendît. En vulgaire écuyer tout juste promu écuyer, pour ne rien gâter, Morros éprouvait quelque peine à se dépêtrer de sa lance et de son écu. Des armes nobles, apprécia Sansa, entre des mains de vilain, mais qui donc avait lordifié, nommé membre du Conseil et fieffé de Harrenhal Janos Slynt, jusque-là simple commandant du Guet, sinon Joff lui-même ?

Sur une armure noire niellée d'or, Morros arborait un manteau à carreaux noir et or, et son écu portait la pertuisane ensanglantée dont le père avait blasonné leur fraîche maison. Mais, au moment de pousser son cheval, il ignorait apparemment si fort à quoi servait un bouclier qu'un instant plus tard la pointe de ser Balon y donna de plein fouet. Morros en lâcha sa lance, gigota pour garder l'équilibre, le perdit, se prit un pied dans l'étrier durant sa chute, et sa monture emballée le traîna jusqu'en bout de lice, tête bondissant au sol, sous les huées narquoises de Joffrey. Épouvantée quant à elle, Sansa se demandait si les dieux n'exauçaient pas là ses prières vindicatives. Mais, lorsqu'on l'eut enfin dégagé, le garçon, tout sanglant qu'il était, vivait. « Nous nous sommes trompés d'adversaire pour toi, Tommen, commenta le roi. Le chevalier de paille joute mieux que celui-ci. »

Vint alors le tour de ser Horas Redwyne. Il s'en tira mieux que son frère, en l'emportant sur un chevalier chenu dont la monture était tapissée de griffons d'argent sur champ strié de bleu et blanc, mais que ces dehors superbes ne préservèrent pas d'une insigne médiocrité. La lèvre de Joff s'ourla de dégoût. « Pitoyable.

— Je vous avais prévenu, dit le Limier. Moustiques. »

Avec l'ennui croissant du roi croissait l'anxiété de Sansa. Baissant les yeux, elle décida de ne souffler mot, quoi qu'il advînt. Quand s'assombrissait l'humeur de Joffrey Baratheon, le moindre mot hasardeux risquait de déclencher sa rage.

«*Lothor Brune, franc-coureur au service de lord Baelish*, cria le héraut. *Ser Dontos Hollard le Rouge.*»

Petit homme armé de plate bosselée unie, le premier se présenta bien mais, du second, point trace. À la fin, toutefois, parut au trot un étalon bai brun juponné de soies cramoisies et écarlates, mais ser Dontos ne le montait pas, qui survint au bout d'un moment, jurant, titubant, sans autre appareil qu'un corselet de plates et un heaume à plumes. Il avait des jambes maigres et blêmes, et sa virilité ballotta de manière obscène quand il se jeta aux trousses de son cheval, parmi les injures et les rugissements de l'assistance. Le chevalier finit toutefois par empoigner la bride, mais lorsqu'il tenta d'enfourcher la bête, il était si ivre et elle dansait si bien que jamais son pied nu ne trouvait l'étrier.

Désormais, tout hurlait de rire…, tout sauf le roi. Dans ses yeux luisait une expression que Sansa se rappelait trop bien, celle-là même qui s'y lisait, devant le Grand Septuaire de Baelor, au moment de la condamnation de lord Eddard Stark. Finalement, ser Dontos le Rouge renonça, s'assit carrément par terre, retira son heaume et glapit : «J'ai perdu ! Qu'on m'apporte du vin !»

Le roi se dressa. «Un foudre des caves ! ordonna-t-il. Je veux l'y voir noyer.»

Sansa s'entendit hoqueter : «*Non*, vous ne pouvez…»

Il se tourna vers elle : «Qu'avez-vous dit ?»

Elle ne pouvait y croire, elle avait parlé. Était-elle folle ? Oser lui dire *non* devant la moitié de la cour ? Elle n'avait pas voulu dire quoi que ce fût, seulement… Ser Dontos était soûl, stupide, bon à rien, mais il n'y entendait pas malice.

«Vous avez dit que *je ne peux pas* ? C'est bien ça ?

— S'il vous plaît, je… je voulais simplement…, cela vous porterait malchance, Sire, de… de tuer un homme le jour de votre anniversaire.

— Vous mentez! gronda-t-il. Je devrais vous faire noyer ensemble, puisque vous lui portez tant d'intérêt.

— Je ne lui en porte aucun, Sire.» Elle s'embrouillait désespérément. «Noyez-le ou décapitez-le, seulement… tuez-le demain, s'il vous agrée, mais, je vous en prie…, pas aujourd'hui, pas le jour de votre anniversaire. Il me serait odieux que vous… vous portiez malchance…, malheur, même pour les rois, des malheurs terribles, tous les chanteurs le disent…»

Il la regardait de travers. Il n'était pas dupe, elle le voyait. Et il s'en vengerait de façon sanglante.

«La petite dit vrai, intervint le Limier de sa voix râpeuse. Ce qu'on sème à son anniversaire, on le moissonne toute l'année.» Il parlait d'un ton neutre, comme s'il n'avait cure d'être cru ou non. Se pouvait-il pourtant qu'elle eût dit *vrai*? Sans le savoir, alors, car elle avait parlé au hasard, comme ça, dans le fol espoir de s'épargner les représailles.

D'un air dépité, Joffrey se tortilla sur son siège puis, claquant des doigts vers ser Dontos : «Emmenez-moi ce bouffon. Je le ferai tuer demain.

— Un bouffon, oui, confirma Sansa. Vous seul pouviez trouver ce qualificatif. Bouffon lui va tellement mieux que chevalier, n'est-ce pas? Que ne lui donnez-vous la livrée bigarrée, il vous divertirait par ses pitreries. Il ne mérite pas la miséricorde d'une mort si prompte.»

Le roi l'observa un moment. «Peut-être n'êtes-vous pas si niaise, au fond, que le prétend Mère.» Il haussa le ton. «As-tu entendu ma dame, Dontos? À dater de ce jour, tu seras mon fou. Je te permets d'en prendre le costume et de dormir avec Lunarion.»

Dégrisé par le vent de la mort, ser Dontos tomba sur ses genoux. «Soyez remercié, Sire. Et à vous, madame, merci.»

Tandis que l'emmenaient deux gardes Lannister, le maître des cérémonies s'approcha de la loge. «Sire, dit-il, faut-il convoquer un nouvel adversaire pour Brune ou bien passer à la joute suivante ?

— Aucun des deux. J'ai des moustiques où j'attendais des chevaliers. N'était mon anniversaire, je les ferais tous exécuter. Le tournoi est fini. Hors de ma vue, tous. »

Si l'homme s'inclina, le prince Tommen se montra, lui, moins docile. « Je suis censé courir au mannequin.

— Pas aujourd'hui.

— Mais je veux jouter !

— Je me fiche de ce que tu veux.

— Mère a *dit* que je pouvais jouter.

— Elle l'a dit, confirma la princesse Myrcella.

— Mère a *dit* ! les railla le roi. Assez d'enfantillages.

— Étant des enfants, riposta Myrcella d'un ton altier, nous sommes *censés* nous montrer enfantins. »

Le Limier se mit à rire. « Elle vous a eu ! »

Joffrey dut s'avouer battu. « Fort bien. Mon frère lui-même ne risque pas de jouter plus mal que les précédents. Maître, faites installer la quintaine. Tommen veut faire le moustique. »

Avec un cri de joie, le petit courut à toutes jambes dodues se faire équiper. « Bonne chance », lui souhaita Sansa.

Pendant qu'un palefrenier sellait le poney du prince, on dressa la quintaine à l'extrémité de la lice. Elle consistait en un guerrier miniature de cuir bourré de paille et monté sur pivot, dont un bras portait bouclier, l'autre une masse capitonnée. Quelqu'un l'avait couronnée d'andouillers semblables à ceux, se souvint Sansa, qui ornaient le heaume du roi Robert… tout comme celui de son frère Renly, déclaré félon depuis lors pour s'être proclamé roi.

Deux écuyers bouclèrent Tommen dans son armure d'argent rehaussée d'écarlate. Un gros bouquet de plumes rouges lui faîtait le heaume, et sur son écu folâtraient le lion Lannister et le cerf couronné Baratheon. Après que ses servants l'eurent aidé à se mettre en selle, le petit reçut des propres mains du maître d'armes du Donjon Rouge, ser Aron Santagar, une épée d'argent assortie à sa taille et dont la lame foliacée se terminait par un bout rond.

Après avoir brandi celle-ci, le prince, tout en criant d'une voix puérile : « Castral Roc ! », talonna sa monture dont les sabots firent durement retentir la terre battue. Les voix grêles de lady Tanda et lord Gyles ayant entrepris de l'ovationner, celle de Sansa tenta de les étoffer. Le roi ruminait en silence.

Pressant le trot du poney, Tommen fit vigoureusement tournoyer son arme et, parvenu à la hauteur du mannequin, assena un grand coup sur le bouclier, mais la quintaine pivota, et la masse vint à la volée lui administrer une si fameuse claque derrière la tête qu'il vida la selle et qu'en heurtant le sol son armure neuve quincailla comme une batterie de cuisine qui se décroche, tandis que, dans un hourvari de rires que dominaient ceux de Joffrey, son épée fusait vers le ciel, et que son cheval détalait au triple galop.

« Oh ! » s'écria la princesse Myrcella, avant de quitter la loge pour se précipiter vers son petit frère.

Un accès d'étrange témérité submergea Sansa. « Vous devriez l'accompagner, dit-elle au roi. Votre frère est peut-être blessé. »

Il haussa les épaules. « Et le serait-il ?

— Vous devriez l'aider à se relever et le féliciter chaleureusement. » Elle ne parvenait plus à s'arrêter.

« Il s'est fait désarçonner et jeter à terre, observa Joffrey. Ce n'est pas brillant.

— Regardez, intervint le Limier. Il a du courage. Il va retenter sa chance. »

On aidait en effet Tommen à se remettre en selle. *Que n'est-il l'aîné*, songea Sansa, *je ne serais pas fâchée de l'épouser, lui.*

Le tapage en provenance de la conciergerie les prit tous au dépourvu. La herse se relevait à grand grincement de chaînes, et les portes craquaient en couinant sur leurs gonds. « Qui a donné l'ordre d'ouvrir ? » s'insurgea Joffrey. Eu égard au désordre qui régnait en ville, le Donjon Rouge était, depuis des jours et des jours, demeuré hermétiquement clos.

De sous le porche émergea, clinquante d'acier piaffant, une colonne de cavaliers. La main à l'épée, Clegane vint se placer auprès du roi. Mais, tout dépenaillés, crasseux, cabossés qu'ils étaient, les intrus marchaient bel et bien sous l'étendard Lannister, lion d'or sur champ d'écarlate. Quelques-uns portaient même le manteau rouge et la maille des hommes d'armes Lannister, mais l'armure et l'armement hétéroclites de nombre d'autres, hérissés de fer, trahissaient des reîtres et des francs-coureurs…, le restant n'étant qu'une horde d'affreux sauvages issus tout droit de ceux des contes de Vieille Nan que Bran aimait par-dessus tout, les plus effroyables. Tout cheveu, tout poil farouches, ils étaient accoutrés de pelures sordides et de cuir bouilli. Certains avaient la tête ou les mains emmaillotées de chiffons sanglants, tels n'avaient qu'un œil, tels un doigt sur deux, d'autres plus d'oreilles.

Au milieu d'eux, juché sur un grand bai rouge dont l'étrange selle le berçait d'arrière en avant, Tyrion le nabot, frère de la reine, dit le Lutin. Il s'était laissé pousser la barbe, et son museau camus disparaissait dans un fouillis jaune et noir aussi soyeux que paille de fer. Dans son dos flottait une pelisse de lynx noire flammée de blanc. Il tenait les rênes de la main gauche, ayant le bras droit maintenu par une écharpe de soie blanche, mais, à cela près, demeurait tout aussi grotesque qu'à Winterfell. Et Sansa conclut que son front saillant, ses yeux vairons achevaient de lui assurer la palme de la laideur.

Cela n'empêcha pas Tommen d'éperonner son poney et de le lancer au galop dans la cour en poussant des cris d'allégresse. L'un des sauvages, un colosse aux airs lambins et tellement chevelu, velu qu'on ne discernait même pas ses traits, l'enleva de selle comme un fétu pour le déposer, tout armé, auprès de son oncle. Et, tandis que les murailles se renvoyaient le rire éperdu du gamin dont Tyrion claquait la dossière, Sansa s'ébahit qu'ils fussent de la même taille. Myrcella accourut à son tour, le nain la saisit par la taille et la fit toupiller, gloussante, avant de la reposer à terre et de lui effleurer le front d'un petit baiser.

Après quoi il tangua vers Joffrey. Le talonnaient deux de ses hommes, un reître à prunelles et cheveux de jais dont la démarche évoquait celle d'un chat à l'affût, et un adolescent borgne et décharné. Dans leur sillage, les deux petits princes.

Le nain ploya un genou devant le roi. « Sire.

— Toi ? répondit Joffrey.

— Moi, confirma Tyrion, qui pouvais m'attendre, en qualité d'oncle et d'aîné, à une réception plus courtoise.

— On vous disait mort », intervint Clegane.

Le petit homme toisa le géant. Verte était l'une de ses prunelles, noire l'autre, froides toutes deux. « Je m'adressais au roi, pas à son roquet.

— *Moi*, je suis contente que tu sois vivant, dit Myrcella.

— Nous en sommes d'accord, ma douce. » Tyrion se tourna vers Sansa. « Navré de vos pertes, madame. Les dieux sont cruels, à la vérité. »

Elle demeura muette, incapable de trouver un mot. Comment pouvait-il déplorer ses pertes ? Se moquait-il ? La cruauté des dieux n'était que celle de Joffrey.

« Navré aussi de la tienne, Joffrey, reprit le nain.

— Laquelle ?

— Ton royal père. Un grand gaillard à barbe noire. Fais un effort, et tu te souviendras de lui. Il t'a précédé sur le trône.

— Oh, *lui*. Oui, c'est très triste, un sanglier l'a tué.

— Est-ce là ce que "on" dit, Sire ? »

Joffrey fronça le sourcil. Sansa se sentait tenue de dire quelque chose. Que répétait donc septa Mordane ? ah oui…, *l'armure des dames est la courtoisie.* Elle endossa donc son armure et susurra : « Je suis navrée, messire, que madame ma mère vous ait retenu en captivité.

— Quantité de gens le déplorent aussi, répliqua-t-il, et, d'ici que j'en aie fini, certains pourraient s'en repentir bien davantage…, mais je vous remercie de m'en exprimer le regret. Joffrey, où pourrais-je trouver ta mère ?

— Elle préside mon Conseil, répondit le roi. Ton frère Jaime nous fait perdre bataille après bataille. » Il jeta un coup d'œil colère à Sansa, comme si elle en portait la responsabilité. « Il s'est fait prendre par les Stark, nous avons perdu Vivesaigues et, maintenant, voilà que son benêt de frère se proclame roi. »

Le nain lui faufila un sourire crochu. « Toutes sortes de gens suivent cette mode, depuis quelque temps. »

Sans trop savoir comment prendre l'insinuation, Joffrey redoubla de maussaderie soupçonneuse. « Oui. Bon. Je me réjouis que vous ne soyez pas mort, mon oncle. M'avez-vous apporté un cadeau pour mon anniversaire ?

— Oui. Ma perspicacité.

— J'aurais préféré la tête de Robb Stark, maugréa Joffrey, non sans un regard en dessous du côté de Sansa. Tommen, Myrcella ? Venez. »

Sandor Clegane s'attarda le temps d'un avertissement : « Vous feriez bien de tenir votre langue, nabot », puis il s'élança sur les traces du roi.

Laissée seule avec le nain Lannister et ses monstres, Sansa s'évertuait à trouver quelque autre chose à dire. « Vous vous êtes blessé le bras, lâcha-t-elle enfin.

— Un de vos gens du nord qui m'a frappé de sa plommée, durant la bataille de la Verfurque. Je n'ai dû la vie qu'à une chute de cheval. » Son sourire grinçant s'adoucit quand il la regarda. « C'est le deuil de votre père qui vous donne cet air si triste ?

— Père était un traître, répondit-elle du tac au tac. Tout comme le sont madame ma mère et mon frère. » Un réflexe si vite appris. « Ma loyauté est tout acquise à mon bien-aimé Joffrey.

— Sans doute. La loyauté du daim cerné par des loups.

— Des lions », murmura-t-elle à l'étourdie. Elle jeta un regard éperdu autour d'elle, mais personne ne se trouvait assez près pour avoir entendu.

Tyrion lui prit la main, la pressa. « Je ne suis qu'un petit lion, enfant, et, je te le jure, tu n'as pas de morsure à craindre de moi. » Là-dessus, il s'inclina. « Daignez m'excuser, maintenant, des affaires urgentes m'appellent auprès de la reine et du Conseil. »

Elle le regarda s'éloigner. Chacun de ses pas le faisait rouler pesamment de bâbord à tribord, tellement grotesque... *Il me parle plus gentiment que Joffrey*, se dit-elle, *mais la reine aussi me parlait gentiment. C'est bel et bien un Lannister, le frère de Cersei, l'oncle de Joffrey, tout sauf un ami.* Elle avait aimé de tout son cœur le prince Joffrey, naguère, naguère elle avait admiré et cru sur parole la reine sa mère. Et cet amour, cette confiance, ils l'en avaient récompensée par la tête de Père. Jamais, jamais plus Sansa ne commettrait pareille erreur.

TYRION

Dans le réfrigérant arroi blanc de la Garde, ser Mandon Moore avait tout d'un cadavre dans son linceul. «Sa Grâce a formellement interdit de laisser déranger le Conseil.

— Je ne serai qu'un tout petit dérangement, ser.» De sa manche, Tyrion retira un parchemin. «J'apporte une lettre de mon père, lord Tywin Lannister, Main du roi. Voyez le sceau…

— Sa Grâce entend n'être pas dérangée», répéta l'autre, articulant syllabe après syllabe comme s'il s'adressait à un cancre incapable de comprendre dès le premier coup.

À en croire Jaime, Moore était – après lui-même, naturellement – l'homme le plus dangereux de la Garde en ceci que jamais son visage ne trahissait ce qu'allait être sa réaction. Le moindre indice eût contenté Tyrion. Certes, si l'on en venait à tirer l'épée, Bronn et Timett auraient probablement raison du chevalier, mais débuter en tuant l'un des protecteurs de Joffrey présagerait plutôt mal de la suite. Pouvait-il toutefois se laisser éconduire sans compromettre son autorité? Il se contraignit à sourire. «Vous ne connaissez pas mes compagnons, ser Mandon. Timett, fils de Timett, main rouge des Faces Brûlées. Bronn. Peut-être vous rappelez-vous ser Vardis Egen, capitaine de la garde personnelle de lord Arryn?

— Je le connais.» Ser Mandon avait des prunelles gris pâle, étrangement neutres et sans vie.

«Vous l'*avez connu*», rectifia Bronn avec un demi-sourire.

Ser Mandon dédaigna montrer qu'il eût entendu.

«Advienne que pourra, commenta Tyrion d'un air guilleret. Je dois vraiment voir ma sœur, ser, et lui remettre cette lettre. Seriez-vous assez aimable pour nous ouvrir cette porte?»

Faute de réponse, il allait se résoudre à tenter le passage en force quand le chevalier blanc s'écarta, tout à coup: «Vous pouvez entrer. Pas eux.»

Menue victoire, songea-t-il, *mais douce*. Il venait de réussir la première épreuve. Et c'est presque grand qu'il franchit le seuil. Les cinq membres du Conseil restreint suspendirent instantanément leur discussion. «Toi? s'exclama Cersei d'un ton où entraient à parts égales la répugnance et l'incrédulité.

— Je vois d'où Joffrey tient ses bonnes manières.» Avec un air d'insouciance des mieux affecté, il s'accorda le loisir d'admirer les sphinx valyriens qui flanquaient l'entrée. Il savait sa Cersei aussi bien douée pour flairer la faiblesse qu'un chien la peur.

«Que viens-tu faire ici?» Les ravissants yeux verts de sa sœur le scrutaient sans la moindre espèce d'affection.

«Délivrer une lettre de notre seigneur père.» Il sautilla jusqu'à la table et y déposa le rouleau.

Varys l'eunuque y porta ses doigts poudrés et le tourna, retourna délicatement. «Trop aimable à lord Tywin. Et exquise, sa cire à cacheter, ce ton doré…» Il inspecta minutieusement le sceau. «Authentique, selon toute apparence.

— Évidemment qu'il est authentique.» Cersei lui arracha la lettre, rompit le sceau, déroula la feuille et se mit à lire.

Tyrion l'observait, cependant. Et comme elle s'était adjugé le siège du roi – d'où il conclut que Joffrey ne devait pas plus se soucier que Robert d'assister aux séances –, il escalada celui de la Main, qui lui semblait le seul adéquat.

«Absurde! dit enfin la reine. Le seigneur mon père envoie mon frère le suppléer au Conseil. Il nous enjoint d'accepter Tyrion comme Main du roi jusqu'à ce qu'il soit lui-même en mesure de se joindre à nous.»

Avec des hochements sentencieux, le Grand Mestre Pycelle tripota sa longue barbe blanche. «Entériner paraîtrait dans l'ordre.

— Effectivement.» Suffisance, bajoues, calvitie, Janos Slynt avait tout d'un batracien, d'un batracien parvenu plus qu'au-delà de ses mérites. «Nous avons un pressant besoin de vous, messire. Des rebelles de tous côtés, dans le ciel, ce signe sinistre, des émeutes en ville…

— À qui la faute, lord Janos? décocha Cersei. Il appartient à vos manteaux d'or de maintenir l'ordre. Quant à toi, Tyrion, tu nous serais plus utile sur le champ de bataille.»

Il s'esclaffa. «Non pas, j'en ai ma claque, des champs de bataille, merci bien. Je me tiens mieux dans un fauteuil qu'en selle, et j'ai plus tôt fait de brandir une coupe de vin qu'une hache. Quant au tonnerre des tambours, à l'éclat des armures au soleil, à la splendeur des destriers piaffants, renâclants, pardon! les tambours m'ont flanqué la migraine, l'éclat du soleil sur mon armure m'a rôti comme une oie le jour de la moisson, et les splendides destriers, misère…, ça chie *partout*. Non que je me plaigne. À côté de l'hospitalité dont j'ai joui au Val d'Arryn, les tambours, le crottin, les mouches et leurs piqûres sont mes délices de prédilection.»

Littlefinger se mit à rire. «Bien parlé, Lannister. En homme selon mon cœur.»

En souvenir de certain poignard à lame d'acier valyrien et manche en os de dragon, Tyrion lui sourit. *Il nous faut en causer, et vite.* Ce sujet-là divertirait-il autant lord Petyr Baelish ? « S'il vous plaît, dit-il à la ronde, permettez-moi de me rendre utile, si *petits* que soient mes moyens. »

Cersei relut la lettre. « Combien d'hommes as-tu amenés ?

— Quelques centaines. Mes propres gens, pour l'essentiel. Père répugnait à se défaire d'aucun des siens. Il est en train de faire la guerre, après tout, *lui.*

— Et de quoi nous serviront tes quelques centaines d'hommes, si Renly marche sur la ville, ou si Stannis appareille de Peyredragon ? Je réclame une armée, et mon père m'expédie un nain. C'est le *roi* qui nomme la Main. Et Joffrey avait, avec le consentement du Conseil, nommé notre seigneur père.

— Et notre seigneur père m'a nommé.

— Il ne peut faire cela. Pas sans l'aval de Joffrey.

— S'il vous convient d'en débattre avec lord Tywin, riposta poliment Tyrion, vous le trouverez à Harrenhal avec son armée. Verriez-vous un inconvénient, messires, à ce que nous ayons, ma sœur et moi, un entretien privé ? »

De la manière onctueuse qui n'appartenait qu'à lui, Varys se laissa glisser sur ses pieds avec un sourire. « Combien vous avez dû vous languir, messire, de Sa Grâce et de sa douce voix… Accordons-leur, messeigneurs, je vous prie, quelques instants d'intimité. Les malheurs du royaume nous attendront bien. »

Tour à tour se levèrent, non sans hésiter, Janos Slynt et, non sans pesanteur, le Grand Mestre Pycelle, mais tous deux finirent par se lever. Bon dernier s'exécuta Littlefinger. « Avertirai-je l'intendant de vous préparer des appartements dans la citadelle de Maegor ?

— Je vous remercie, lord Petyr, mais je prendrai ceux qu'occupait lord Stark dans la tour de la Main. »

Littlefinger se remit à rire. «Vous êtes plus brave que moi, Lannister. Vous connaissez pourtant le triste sort de nos deux dernières Mains?

— Deux? Pourquoi ne pas dire quatre, si vous entendez m'effrayer?

— Quatre?» Littlefinger haussa un sourcil. «Les prédécesseurs de lord Arryn y auraient-ils tragiquement péri? Il faut croire, alors, que j'étais trop jeune pour m'intéresser à eux.

— La dernière Main d'Aerys Targaryen fut tué lors du sac de Port-Réal. Comme il n'exerça ses fonctions qu'une quinzaine de jours, il n'eut probablement pas le temps de s'installer dans la tour. Son prédécesseur immédiat avait été brûlé vif. Quant aux deux précédents, ils s'estimèrent trop chanceux de mourir en exil, indigents et dépossédés de leurs terres. Je pense que la dernière Main à quitter Port-Réal intact et avec ses nom, domaines et tout le reste fut le seigneur mon père.

— Fascinant, s'extasia Littlefinger. Et raison de plus pour que j'y préfère la paille humide des cachots!»

Tu pourrais bien être exaucé, pensa Tyrion, quitte à dire: «Courage et folie sont cousins, du moins le prétend-on. Mais quelque malédiction qui pèse sur la tour de la Main, j'espère être assez petit pour y échapper.»

Janos Slynt éclata de rire, Littlefinger sourit, le Grand Mestre se contenta d'une grave révérence avant de les suivre vers la sortie.

«J'espère que Père ne t'a pas envoyé de si loin nous assommer de leçons d'histoire, dit Cersei, dès qu'ils furent seuls.

— Combien je me suis langui de ta douce voix…, lui soupira-t-il.

— Et combien je me suis languie, moi, de faire arracher la langue de cet eunuque avec des pincettes rougies!

riposta-t-elle. Père a-t-il perdu la tête, ou est-ce toi qui as fabriqué cette lettre ? » Tandis qu'elle la relisait, son mécontentement ne cessait de croître. « Pourquoi est-ce *toi* qu'il m'inflige ? Je voulais qu'il vienne en personne. »

Elle froissa la lettre avec fureur. « J'exerce la régence au nom de Joffrey. Je lui avais envoyé un *ordre* royal !

— Et il t'a ignorée, commenta Tyrion. Il peut se le permettre, il possède une grande armée. Et il n'est pas le premier. Si ? »

La bouche de Cersei se serra. Son teint s'empourprait. « Si je dénonce un faux dans cette lettre et te fais jeter dans quelque oubliette, personne ne l'*ignorera*. Crois-moi sur parole. »

Il était pleinement conscient de marcher désormais sur la glace pourrie. Un faux pas, ce serait le plongeon. « Personne, convint-il de bonne grâce, et notre père moins que quiconque. Lui qui a l'armée. Mais pourquoi voudrais-tu me jeter dans quelque oubliette, ma douce sœur, alors que j'ai fait tout ce long voyage uniquement pour t'aider ?

— Je n'ai que faire de *ton* aide. C'est la présence de notre père que j'ai exigée.

— Oui, dit-il d'un ton paisible, mais c'est Jaime que tu veux. »

Elle avait beau se croire maligne, il la connaissait depuis sa naissance. Le visage de sa sœur, il pouvait le lire aussi facilement qu'un de ses livres favoris, et il y lisait à présent la rage et la peur et le désespoir. « Jaime…

— … n'est pas moins mon frère que le tien, coupa-t-il. Accorde-moi ton soutien, et je te promets que nous obtiendrons sa libération et son retour sain et sauf parmi nous.

— Comment ? demanda-t-elle. Le petit Stark et sa mère ne sont pas gens à oublier que nous avons raccourci lord Eddard.

— Exact, admit-il, mais tu détiens toujours ses filles, non ? J'ai vu l'aînée dehors, dans la cour, avec Joffrey.

— Sansa, dit-elle. J'ai fait accroire que j'avais aussi la cadette, c'est un mensonge. J'avais envoyé Meryn Trant se saisir d'elle au moment de la mort de Robert, mais son maudit maître à danser s'est interposé, et elle s'est enfuie. Plus personne ne l'a revue. Elle est probablement morte. Tant de gens ont péri, ce jour-là… »

Bien qu'il eût compté sur les deux petites Stark, Tyrion présuma qu'une seule ferait encore l'affaire. « Parle-moi de nos bons amis du Conseil. »

Elle regarda du côté de la porte. « À savoir ?

— Père semble les avoir pris en grippe. Il se demandait, quand je l'ai quitté, quel effet feraient leurs têtes sur le rempart, à côté de celle de lord Stark. » Il se pencha par-dessus la table. « Es-tu certaine de leur loyauté ? As-tu confiance en eux ?

— Confiance en aucun, mordit-elle. J'ai besoin d'eux. Père pense qu'ils nous doublent ?

— Les en soupçonne, plutôt.

— Pourquoi ? Que sait-il ? »

Tyrion haussa les épaules. « Que le court règne de ton fils n'a été jusqu'ici qu'une longue kyrielle d'extravagances désastreuse. De là à croire que quelqu'un donne à Joffrey des conseils exécrables… »

Elle le scruta d'un air inquisiteur. « Joff n'a nullement manqué de bons conseils. Mais il est l'opiniâtreté même. Maintenant qu'il règne, il s'imagine devoir agir à sa guise et non comme on le lui commande.

— Les couronnes produisent des effets bizarres sur les têtes qu'elles coiffent, acquiesça-t-il. Cette histoire d'Eddard Stark…, l'œuvre de Joffrey ? »

La reine grimaça. « Il avait pour consigne de faire grâce à Stark en lui permettant de prendre le noir. Cette solution nous débarrassait de ce gêneur et nous permettait de faire la paix avec son fils, mais Joff a pris de son propre chef l'initiative d'offrir à la populace un spectacle plus excitant. Que pouvais-je faire ? Il s'est prononcé pour la mort devant la moitié de la ville. Et Janos Slynt et ser Ilyn y ont mis tant d'allégresse que la chose était faite avant que j'aie pu prononcer un mot ! » Elle serra le poing. « Le Grand Septon crie partout que nous avons profané le septuaire de Baelor en y versant le sang et que nous l'avions trompé sur nos intentions.

— L'argument ne manque pas de poids, confessa Tyrion. Ainsi, ce *lord* Slynt, il était de la fête, n'est-ce pas ? Dis-moi, qui a eu la riche idée de le fieffer de Harrenhal et de le nommer au Conseil ?

— Littlefinger. Il avait tout arrangé. Nous avions besoin des manteaux d'or de Slynt. Eddard Stark complotait avec Renly, et il avait écrit à Stannis pour lui offrir le trône. Nous risquions de tout perdre. Il s'en est fallu d'un cheveu, d'ailleurs. Si Sansa n'était venue me trouver pour me révéler tous les plans de son père… »

Tyrion fut abasourdi. « Vraiment ? Sa propre fille ? » Elle lui avait toujours paru si douce, si tendre, si bien élevée…

« Moite d'amour, elle était. Prête à *n'importe quoi* pour Joffrey, jusqu'à ce qu'il ose appeler grâce l'exécution du père et gâche tout.

— Façon singulière, en effet, de conquérir le cœur de ses sujets, commenta Tyrion avec un rictus. Et le renvoi de ser Barristan Selmy, encore une de ses lubies ? »

Cersei soupira. « Il désirait imputer la mort de Robert à quelqu'un. Varys suggéra ser Barristan. Pourquoi pas ? Ce biais assurait à Jaime le commandement de la Garde et un siège au Conseil restreint, tout en permettant à Joffrey de jeter un os à son chien. Il a un gros faible pour Sandor Clegane. Nous étions tout prêts à doter Selmy d'un bout de terre et d'un manoir. L'incapacité du vieux fou n'en méritait pas tant.

— Si je ne m'abuse, le vieux fou incapable a tout de même trucidé les deux manteaux d'or qui prétendaient l'arrêter, porte de la Gadoue. »

Cersei ne déguisa pas son irritation. « Janos aurait dû envoyer davantage d'hommes. Il n'a pas la compétence escomptée.

— Ser Barristan était lord commandant de la Garde de Robert Baratheon, rappela Tyrion sans ambages, et, avec Jaime, le seul survivant des sept d'Aerys Targaryen. Les petites gens le mettent aussi haut que Serwyn Bouclier-Miroir et que le prince Aemon Chevalier-Dragon. Que penseront-ils, selon toi, quand ils le verront chevaucher aux côtés de Robb Stark ou de Stannis Baratheon ? »

Elle détourna son regard. « Je n'avais pas envisagé les choses sous cet angle.

— Père, si, dit-il. Et c'est pour *cela* qu'il m'a envoyé. Pour mettre un terme à ces turlupinades et ton fils au pas.

— Joff ne se montrera pas plus docile avec toi qu'avec moi.

— Voire.

— Et pourquoi le ferait-il ?

— Il sait que pour rien au monde tu ne le châtierais, *toi*. »

Les yeux de Cersei s'étrécirent. « Si tu te figures que je te laisserai lui faire le moindre mal, tu délires. »

Il soupira. Elle mettait à côté de la plaque, une fois de plus. « Il ne court pas plus de risque avec moi qu'avec toi, la rassura-t-il, mais, dans la mesure où il se *sentira* menacé, il sera plus enclin à écouter. » Il lui prit la main. « Je *suis* ton frère, tu sais. Que tu daignes l'admettre ou non, tu as besoin de moi. Et ton fils a besoin de moi, s'il tient à conserver le moindre espoir de conserver ce hideux Trône de Fer. »

Elle était manifestement choquée qu'il osât la toucher. « Toujours aussi madré…

— À ma petite petite manière, s'épanouit-il.

— Autant essayer…, mais ne t'y méprends pas, Tyrion. Si je consens, tu seras Main du roi de nom mais de fait *la mienne*. Tu m'exposeras tous tes plans, toutes tes intentions avant d'agir, et tu ne feras rien sans mon consentement. Compris ?

— Oh oui.

— Tu en es d'accord ?

— Absolument, mentit-il. Je te suis tout acquis, ma sœur. » *Aussi longtemps du moins que de besoin.* « Ainsi, plus de cachotteries entre nous, puisque nous voici d'intelligence. Si je résume tes propos, c'est Joffrey qui a fait tuer lord Eddard, Varys démettre ser Barristan et Littlefinger qui nous a gratifiés de Slynt. Qui est l'assassin de Jon Arryn ? »

Cersei dégagea vivement sa main. « Comment le saurais-je ?

— La veuve éplorée des Eyrié semble croire à ma culpabilité. D'où lui est venue cette idée farfelue ?

— Ça, je l'ignore ! Cet imbécile d'Eddard Stark m'en accusait aussi. Il insinuait que lord Arryn soupçonnait ou…, bref, se figurait…

— … que tu baisais avec notre cher Jaime ? »

Elle le gifla.

« Me croyais-tu aussi aveugle que Père ? » Il se frotta la joue. « Peu m'importe avec qui tu couches…, encore qu'il y ait quelque injustice à ouvrir tes cuisses pour l'un de tes frères et pas pour l'autre. »

Elle le gifla.

« Sois gentille, Cersei, je blague, voilà tout. Parce que, pour parler franc, je préfère une bonne pute. Je n'ai jamais compris ce que Jaime te trouvait, son propre reflet mis à part. »

Elle le gifla.

Les joues lui cuisaient, mais il sourit. « Si tu continues, je finirai par me mettre en colère. »

La main demeura en suspens. « Pourquoi devrais-je m'en soucier ?

— J'ai quelques nouveaux amis, confessa-t-il. Et qui ne te plairont pas du tout. Comment t'y es-tu prise pour tuer Robert ?

— Il s'en est chargé lui-même. Nous l'y avons seulement aidé. Quand Lancel le vit prêt à s'élancer sur les traces du sanglier, il lui donna du vin. Son rouge favori, l'âpre, mais renforcé, trois fois plus corsé que l'habituel. Et il a tellement aimé, ce grand couillon puant, qu'au lieu d'arrêter d'en boire à tout bout de champ, bernique, il a sifflé la première gourde et en a réclamé une autre. Le sanglier fit le reste. Que n'étais-tu du banquet, Tyrion ! jamais on ne mangea de sanglier si délicieux… Mitonné aux pommes et aux champignons, une merveille de saveur.

— En vérité, ma sœur, tu étais née pour le veuvage. » Tout bravache et godiche qu'il le trouvait, Tyrion l'aimait assez, le grand Robert Baratheon…, et d'autant mieux que sa sœur, elle, l'abominait. « À présent, si tu as fini de me gifler, je vais me retirer. » Il fit pivoter ses courtes pattes et dégringola gauchement de son siège.

Cersei fronça le sourcil. « Je ne t'ai pas donné l'autorisation. Je veux savoir comment tu comptes délivrer Jaime.

— Je t'en aviserai dès que je saurai. Les projets sont comme les fruits, il faut leur laisser le temps de mûrir. Pour l'heure, je me propose de parcourir les rues afin de prendre la température de la ville. » Parvenu à la porte, il posa la main sur la tête d'un sphinx. « Une requête, avant de partir. Assure-toi gracieusement qu'on ne maltraite pas Sansa Stark. Perdre les *deux* petites n'avancerait pas nos affaires. »

Après avoir simplement salué d'un signe ser Mandon dans l'antichambre, il enfila, flanqué de Bronn, la longue salle voûtée. De Timett, fils de Timett, pas trace. «Où est passé notre main rouge? s'enquit-il.

— Un besoin urgent d'explorer les lieux. Les types de son espèce n'étaient pas faits pour poireauter.

— Espérons qu'il ne tuera personne d'important.» À leur manière pour le moins sauvage, les gens des clans qu'il avait débauchés de leurs forteresses dans les montagnes de la Lune se montraient loyaux, mais il se défiait de leur vanité sourcilleuse et de leur propension à laver dans le sang toute insulte réelle ou imaginaire. «Tâche de me le trouver. Et, tant que tu y es, veille que les autres aient été logés et nourris. Je veux qu'on leur attribue les baraquements situés sous la tour de la Main, mais ne laisse pas l'intendant mettre côte à côte Sélénites et Freux; tu l'avertiras aussi de réserver toute une salle aux seules Faces Brûlées.

— Où serez-vous?

— Je retourne à *L'Enclume brisée*.»

Bronn lui élargit un sourire impudent. «Besoin d'un coup de main? Paraît que c'est pas du gâteau, les rues.

— Je vais convoquer le capitaine de la garde personnelle de ma sœur et lui rappeler que je ne suis pas moins Lannister qu'elle. Il faut lui rafraîchir la mémoire. Son serment l'engage vis-à-vis de Castral Roc et non de Cersei ou Joffrey.»

Une heure après, Tyrion quittait le Donjon Rouge en compagnie d'une douzaine de manteaux rouges coiffés d'armets au lion. Au moment de franchir la herse, il aperçut les têtes empalées aux créneaux. Noircies de bitume et de putréfaction, elles étaient depuis longtemps méconnaissables. «Capitaine Vylar? appela-t-il. Je ne veux plus voir ça demain. Vous les ferez remettre aux sœurs du Silence pour la toilette.» Une gageure, sûrement, que de les assortir chacune à son corps, mais cela devait être fait. Il fallait observer, même en temps de guerre, certaines convenances.

Vylar tenta de tergiverser. « Le vœu formel de Sa Majesté est que les têtes des traîtres demeurent sur la muraille jusqu'à ce que les trois dernières piques, là-bas au bout, aient reçu leurs destinataires.

— Laissez-moi deviner. Une pour Robb Stark, les autres pour les lords Stannis et Renly. Juste ?

— Juste, messire.

— Mon neveu a treize ans aujourd'hui même, Vylar. Tâchez de vous en souvenir. Que je revoie ces têtes là-haut, demain, et l'une des piques vacantes changera de destinataire. M'avez-vous bien entendu, capitaine ?

— Je m'occuperai personnellement de les faire enlever, messire.

— Bien. » Là-dessus il éperonna sa monture et partit au trot, sans autrement s'inquiéter de ses gardes.

En annonçant à Cersei qu'il comptait prendre la température de la ville, il n'avait menti qu'à demi. Ce qu'il vit ne l'enchanta guère. Au lieu de grouiller comme à l'ordinaire de vie, de bruit, de cris rauques, les rues de Port-Réal puaient le traquenard à un point littéralement inconnu de lui. Près de la rue des Tisserands, des chiens sauvages se disputaient un cadavre qui gisait nu dans le caniveau, et personne n'en avait cure. Deux par deux, manteau d'or et haubert de maille noire, matraque de fer toujours à portée de main, les sergents du guet faisaient des rondes ostentatoires par les venelles. Les marchés foisonnaient de gens déguenillés qui tentaient de vendre à n'importe quel prix leurs effets personnels… mais, à l'évidence, plus un fermier n'y proposait de victuailles, et le peu de marchandises qu'il aperçut coûtait dix fois plus cher que l'année précédente. Brandissant des brochettes de rats rôtis, un camelot graillonnait : « *Rats frais !* » d'une voix de stentor, « *Rats frais !* » Et s'il ne faisait aucun doute que mieux valait des rats frais que de vieux rats pourris, le pire était que lesdits rats semblaient trop souvent plus appétissants que la barbaque à l'étal des bouchers. Dans la rue aux Farines, Tyrion vit des vigiles en faction toutes les deux boutiques. C'était, réfléchit-il, qu'en période de vaches maigres les boulangers eux-mêmes trouvaient les spadassins meilleur marché que le pain.

« Il n'entre pas de vivres, n'est-ce pas ? demanda-t-il à Vylar.

— Guère, admit celui-ci. Les routes sont coupées à l'est comme à l'ouest, vu la guerre dans le Conflans et la rébellion fomentée par lord Renly à Hautjardin.

— Et quelles mesures a prises ma bonne sœur ?

— Elle est en train de restaurer la paix du roi, assura Vylar. Lord Slynt a triplé les effectifs du Guet, et la reine affecté un millier d'ouvriers aux travaux de défense. Les tailleurs de pierre renforcent les murs, les charpentiers construisent des centaines de catapultes et de scorpions, les fléchiers et les forgerons fabriquent d'arrache-pied lames et flèches, et la guilde des Alchimistes s'est engagée à fournir dix mille pots de feu grégeois. »

Tyrion se tortilla sur sa selle. Que Cersei ne fût pas restée inactive le charmait, mais rien de si traître que le feu grégeois ; dix mille pots ! il n'en fallait pas tant pour réduire Port-Réal en cendres… « Et d'où ma sœur a-t-elle tiré les fonds pour payer le tout ? » Il était de notoriété publique que Robert avait prodigieusement endetté la Couronne et qu'il ne fallait point trop compter sur l'altruisme des alchimistes.

« Lord Littlefinger n'est jamais à court d'expédients, messire. En l'occurrence, il a frappé d'une taxe tous les gens désireux d'entrer dans la ville.

— Mmouais, ça devrait marcher… », dit Tyrion, songeur. *Malin. Malin et cruel.* Des dizaines de milliers de pauvres hères fuyaient la zone des combats pour la sécurité présumée de Port-Réal. Il avait dépassé sur la route royale des cohues de mères, d'enfants, de pères angoissés qui lorgnaient avec convoitise ses chevaux, ses fourgons. Une fois parvenus aux portes de la cité, ces malheureux ne manqueraient sans doute pas de payer plus qu'ils ne possédaient pour mettre entre la guerre et eux ces remparts si réconfortants. Y réfléchiraient à deux fois s'ils se doutaient du feu grégeois…

L'auberge à l'enseigne de l'enclume brisée se dressait précisément au bas de ces mêmes remparts, près de la porte des Dieux franchie le matin. Dès qu'ils entrèrent dans la cour, un garçon se précipita pour aider Tyrion à démonter. «Ramenez vos hommes au château, je passe la nuit ici.»

Vylar ouvrit de grands yeux. «Y serez-vous en sécurité, messire?

— Ça… Lorsque j'ai quitté l'auberge, ce matin, elle était pleine d'Oreilles Noires. Et on n'est jamais tout à fait en sécurité quand Chella, fille de Cheyk, rôde dans les parages.» Sur ce, il se dandina vers la porte, laissant Vylar ruminer ces paroles incompréhensibles.

Une ambiance joyeuse le cueillit à son entrée dans la salle commune, où il démêla les gargouillis de Chella et le rire plus mélodieux de Shae. Assise à une table ronde auprès de l'âtre, la jeune femme sirotait du vin avec les trois Oreilles Noires qu'il avait préposés à sa garde et un homme rondouillard dont il ne voyait que le dos. L'aubergiste, supposa-t-il…, mais lorsque Shae le héla: «Tyrion!», l'inconnu se leva. «Mon bon seigneur, je suis *si* content de vous voir…» s'énamoura-t-il avec un souris suave de toute sa face poudrée.

Tyrion broncha. «Lord Varys. Si je m'attendais à vous trouver ici.» *Les Autres l'emportent! Comment nous a-t-il si vite découverts?*

«Pardonnez mon intrusion, dit l'eunuque. Je me suis brusquement laissé emporter par le désir fou de rencontrer votre jeune dame.

— Jeune dame…, répéta Shae, savourant les mots. Vous dites à d'mi vrai, m'sire. J' suis jeune.»

Dix-huit ans, songea Tyrion. *Dix-huit et putain, mais vive d'esprit, preste comme une chatte entre les draps, de grands yeux noirs, de beaux cheveux noirs et une bouche petite et douce et pulpeuse et vorace… et mienne! Maudit soit l'eunuque!* «Je crains fort que l'intrus soit moi, lord Varys, dit-il d'un ton de courtoisie forcé. Mon entrée a interrompu vos divertissements.

— M'sire Varys complimentait Chella sur ses oreilles et disait qu'elle avait dû tuer pas mal d'hommes pour avoir un si joli collier», expliqua Shae. L'entendre appeler Varys *m'sire*, et du ton qu'elle employait avec lui durant leurs ébats, écorcha Tyrion. «Et Chella lui a dit que seuls les lâches tuaient les vaincus.

— Plus brave, laisser la vie à l'homme et une chance de laver sa honte en regagnant son oreille», commenta Chella, petit bout de femme noiraud dont le collier macabre ne comportait pas moins de quarante-six oreilles desséchées, ridées. Un jour, Tyrion les avait comptées. «Seulement comme ça que vous pouvez prouver qu'il vous fait pas peur, l'ennemi.»

Shae se mit à hennir. «Et là, m'sire a dit que s'il était Oreille Noire y dormirait jamais, cause des rêves d'hommes qu'en ont qu'une!

— Un problème qui ne se posera jamais à moi, intervint Tyrion. Comme mes ennemis me terrifient, je les tue tous systématiquement.»

Varys se trémoussa. «Prendrez-vous un doigt de vin avec nous, messire?

— Je prendrai un doigt de vin. » Tyrion s'assit aux côtés de Shae. Si ni celle-ci ni Chella ne comprenaient ce qui se passait, lui si. Varys transmettait un message. En disant : *Je me suis brusquement laissé emporter par le désir fou de rencontrer votre jeune dame*, il insinuait : *Vous vouliez la cacher, mais je savais où elle était, qui elle était, et me voici.* Mais qui s'était chargé de la délation ? L'aubergiste, le garçon d'écurie, un garde de la porte…, ou l'un de ses propres hommes ?

« Ç'a toujours été mon plaisir que de rentrer dans la cité par la porte des Dieux, dit Varys à Shae tout en emplissant les coupes. Les bas-reliefs de la poterne sont d'une telle délicatesse, j'en pleure chaque fois. Les yeux…, tellement expressifs, ne trouvez-vous pas ? On jurerait qu'ils vous suivent, pendant que vous vous engagez sous la herse.

— J'ai jamais remarqué, m'sire, avoua-t-elle. Je regarderai mieux demain, pour vous complaire. »

T'en fais pas, mignonne, songea Tyrion, les yeux attachés sur le tournoiement de son vin. *Se fout éperdument des bas-reliefs. Les yeux dont il jacte sont les siens propres. Il veut simplement dire qu'il regardait, qu'il nous a sus ici dès l'instant où nous en franchissions le seuil.*

« Soyez prudente, petite, appuya Varys. Port-Réal n'est pas très sûr, ces temps-ci. J'ai beau en connaître les rues par cœur, je tremblais presque, aujourd'hui, de venir comme cela, seul et sans armes. Cette sombre époque fait pulluler les gens de sac et de corde, oh oui. Des gens à l'acier moins glacial que le cœur. » *Soit, en termes clairs : où je puis me rendre seul et sans armes, d'autres peuvent le faire l'épée au poing.*

Shae se contenta de rire. « Qu'ils essaient de me chercher noise, et Chella les allégera d'une oreille ! »

Le mot fit hurler Varys comme s'il n'avait jamais rien entendu de si drôle, mais ses yeux ne riaient pas lorsqu'ils se reportèrent sur Tyrion. «Votre jeune dame a une grâce singulière. Je prendrais le plus grand soin d'elle, si j'étais vous.

— J'en ai bien l'intention. Quiconque oserait me la taquiner… – bref, je suis trop petit pour me comporter en Oreille Noire, et je ne me pique pas de bravoure.» *Vu ? Je parle la même langue que toi, eunuque. Touche à elle, et j'aurai ta tête.*

«Je vous laisse.» Varys se leva. «Vous devez être vannés. Je désirais seulement vous souhaiter la bienvenue, messire, et vous dire à quel point je me réjouissais de votre arrivée. Nous avons cruellement besoin de vous au Conseil. Vous avez vu la comète?

— Je suis court, pas aveugle», répliqua Tyrion. Vue de la route, elle occupait la moitié du ciel et éclipsait par son éclat le croissant de lune.

«Le vulgaire l'a surnommée "le Messager rouge", reprit Varys. Elle viendrait annoncer, tel un héraut royal, carnage et incendie.» Ses mains poudrées s'entre-pétrirent. «M'est-il permis de prendre congé sur un bout d'énigme, lord Tyrion?» Il n'attendit pas la réponse. «Dans une pièce sont assis trois grands personnages, un roi, un prêtre et un type archicousu d'or. Entre eux se dresse un reître, un petit homme du commun et d'intelligence ordinaire. Chacun des trois autres lui enjoint de tuer ses compères. "Obéis-moi, dit le roi, je suis légalement ton chef." "Obéis-moi, dit le prêtre, je te l'ordonne au nom des dieux." "Obéis-moi, dit le riche, et tout cet or t'appartiendra." Qui survit, qui meurt, selon vous?» Et, sur une profonde révérence, l'eunuque s'empressa de quitter la salle commune à pas feutrés.

À peine eut-il disparu que Chella renifla galamment, tandis que Shae fripait son joli minois: «C'est le riche qui survit, n'est-ce pas?»

D'un air songeur, Tyrion sirota son vin. « Peut-être. Ou pas. Tout dépendrait du reître, apparemment. » Il vida sa coupe. « Viens, montons. »

Elle dut l'attendre en haut de l'escalier, car autant elle avait la jambe alerte et longue, autant il l'avait, lui, douloureuse et torse et courtaude. Mais elle souriait quand il la rejoignit enfin. « T'ai-je manqué ? taquina-t-elle en lui prenant la main.

— Atrocement », confessa-t-il. Bien qu'elle n'eût guère plus de cinq pieds de haut, il devait se tordre le col pour la contempler… mais, avec elle, s'aperçut-il, cela lui était égal. Elle était douce à regarder d'en bas.

« Je te manquerai tout le temps, dans ton Donjon Rouge, dit-elle en se laissant mener vers sa chambre. Tout seul dans ton lit froid de ta tour de la Main…

— Trop vrai. » Il l'aurait volontiers gardée avec lui, mais Père l'avait interdit. *Tu n'emmènes pas ta pute à la cour.* Tyrion ne pouvait pousser le défi plus loin que de l'avoir amenée quand même à Port-Réal. Il ne tenait son autorité que de lord Tywin, la petite devait le comprendre. « Tu ne seras pas loin, promit-il. Tu auras une maison, des gardes et des serviteurs, et je viendrai te voir le plus souvent possible. »

D'un coup de pied, elle ferma la porte. Les vitres glauques de l'étroite fenêtre laissaient deviner le Grand Septuaire de Baelor, tout en haut de la colline de Visenya, mais Tyrion n'avait d'yeux que pour autre chose : Shae se courbait pour empoigner le bas de sa robe, la retirait par-dessus sa tête, la jetait de côté. Elle dédaignait les sous-vêtements. « Pourras jamais te reposer…, prévint-elle, campée toute nue, rose, adorable, la main sur la hanche, devant lui. Tu penseras si fort à moi, chaque fois que tu te coucheras, que tu te mettras à bander, et tu n'auras personne pour te secourir, et il te sera impossible de t'endormir, à moins que tu… » Elle eut le damné sourire qu'il aimait tant. « C'est pour *ça* qu'on l'appelle la tour de la Main, m'sire ?

— Tais-toi et m'embrasse », commanda-t-il.

Ses lèvres avaient la saveur du vin, ses petits seins une fermeté délicieuse contre lui, ses doigts n'aspiraient qu'à le délacer. « Mon lion, souffla-t-elle lorsqu'il se dégagea pour se dévêtir. Mon doux seigneur, mon géant Lannister. » Il la poussa vers le lit. Et, quand il la pénétra, elle poussa un cri capable de réveiller le bienheureux Baelor dans sa tombe, tandis que ses ongles lui labouraient cruellement le dos. Et jamais douleur n'avait procuré à Tyrion tant de jouissance.

Fou, se dit-il après, comme ils gisaient tous deux au creux de la paillasse défoncée, parmi le saccage des draps. *N'apprendras-tu jamais rien, nain ? Une putain, maudit sois-tu, qui n'aime que ton argent, pas ta queue. Te souviens, Tysha ?* Et pourtant, lorsque ses doigts effleurèrent un téton, celui-ci s'érigea bientôt, le sein portait la marque d'une morsure passionnée.

« Et que vas-tu faire, m'sire, dis, main'nant que t'es la Main du roi ? demanda Shae, comme il posait sa main en coupe sur la douce chair tiède.

— Quelque chose à quoi Cersei est loin de s'attendre, lui murmura-t-il au tendre du cou – rendre… justice. »

BRAN

Au douillet de son matelas de plumes et des couvertures il préférait la banquette de pierre dans l'embrasure de la fenêtre et sa dureté. S'il demeurait au lit, les murs resserraient leur étreinte, et la pesanteur du plafond l'oppressait ; s'il demeurait au lit, sa chambre était une cellule, et Winterfell une prison. Tandis que la fenêtre ouvrait toujours sur les appels du vaste monde.

Certes, il ne pouvait plus ni marcher ni grimper ni chasser ni manier une épée de bois, mais il pouvait encore *regarder*. Il aimait voir s'éclairer une à une, ici d'une bougie, là d'un rougeoiement d'âtre, les vitres en pointes de diamant des tours et des salles de Winterfell, et il adorait écouter les loups-garous donner sérénade aux étoiles.

Depuis quelque temps, il rêvait souvent de loups. *Ils s'adressent à moi, fraternellement*, se dit-il quand les loups-garous commencèrent à hurler. Il pouvait presque les comprendre…, pas tout à fait, pas vraiment, mais *presque*…, comme s'ils chantaient dans une langue autrefois connue de lui et quelque peu oubliée. Libre aux deux Walder d'en avoir peur, les Stark avaient, eux, du sang de loup, Vieille Nan l'affirmait, non sans préciser qu'il n'avait pas «la même force dans leurs veines à tous».

Longs et tristes, lourds de deuil et de nostalgie étaient les hurlements d'Été, plus sauvages ceux de Broussaille. Mais leurs voix conjointes éveillaient tant d'échos dans les cours et les salles que tout le château finit par résonner, comme hanté par une meute et non par deux loups-garous seulement…, les deux seuls restants des six d'autrefois. *Leurs frères et sœurs leur manquent-ils, à eux aussi ?* se demandait Bran. *Réclament-ils Vent Gris, Fantôme et Nymeria, évoquent-ils l'ombre de Lady ? Souhaitent-ils leur retour pour reformer la meute ?*

« Va donc savoir ce qui se passe dans la tête d'un loup », répondit ser Rodrik lorsqu'il l'interrogea. En l'absence de Mère, ses tâches de gouverneur ne lui laissaient guère de loisir pour les questions oiseuses.

« C'est à leur liberté qu'ils en ont, déclara Farlen, le maître piqueux, qui partageait l'aversion de ses chiens pour eux. Ils n'aiment pas être emmurés, et qui les en blâmerait ? Sauvages, il sont faits pour vivre en pleine sauvagerie et non dans un château.

— Ils brûlent de chasser, confirma le cuisinier Gage, tout en jetant de gros cubes de graisse dans une marmite à ragoût. Ils ont plus de flair qu'aucun homme. Probable qu'ils ont repéré du gibier. »

Mestre Luwin fut d'un autre avis. « Les loups hurlent volontiers à la lune. Ceux-ci hurlent à la comète. Tu vois comme elle brille, Bran ? Peut-être la prennent-ils pour la lune… »

Cette explication-là fit ensuite s'esclaffer Osha. « Tes loups ont plus de jugeote que ton mestre, dit la sauvageonne. Ils savent des vérités dont l'homme gris ne se souvient plus. » Bran frissonna du ton qu'elle y mettait, et ce fut bien pis lorsque, interrogée sur ce que signifiait la comète, elle répondit : « Sang et feu, mon gars, tout sauf des douceurs. »

90

Il questionna de même septon Chayle, tout en l'aidant à inventorier les rares manuscrits arrachés à l'incendie de la bibliothèque. « Elle est l'épée meurtrière de la saison », tranch-t-il. Et comme, peu après, survint le corbeau blanc grâce auquel Villevieille annonçait l'automne, sans doute avait-il raison.

Or Vieille Nan s'inscrivit en faux, qui avait vécu beaucoup plus d'années que quiconque. « Dragons », dit-elle en humant, nez en l'air. Quoique sa quasi-cécité l'empêchât de voir la comète, elle affirmait qu'elle la *sentait*, répéta : « Dragons, mon petit. »

Quant à Hodor, il se contenta comme à l'accoutumée d'éructer : « Hodor ! »

Et, cependant, les loups hurlaient toujours, au grand dam des sentinelles qui, sur le rempart, grommelaient des imprécations, des limiers qui, dans les chenils, aboyaient furieusement, des chevaux qui ruaient dans leurs stalles, des deux Walder qui grelottaient contre leur feu, et même de mestre Luwin qui se plaignait de ne plus fermer l'œil. Seul Bran n'en était pas indisposé. Et bien que ser Rodrik eût relégué les loups dans le bois sacré depuis que Broussaille avait mordu Petit Walder, les pierres de Winterfell se jouaient si malignement du son qu'ils semblaient parfois se trouver dans la cour, juste en dessous de la croisée de Bran, et parfois arpenter le chemin de ronde, là-haut là-haut. Que ne pouvait-il les voir, hélas, comme…

…comme il *pouvait* voir la comète, en suspens par-dessus le beffroi, la salle des gardes, incendier par-delà la silhouette ronde et trapue de l'ancien donjon et en découper les gargouilles, noir sur violacé. Il avait, jadis, connu la moindre pierre, dehors et dedans, de ces édifices, il les avait tous escaladés, gravissant leurs murs avec autant d'aisance que les autres gamins dévalent des volées de marches, il avait eu pour secret repaire le faîte des toits, pour amis intimes les corneilles de la tour tronquée.

Et puis – et puis il était tombé.

Il ne se souvenait pas de sa chute mais, comme on affirmait qu'il était tombé, cela devait être vrai. Il avait failli mourir. Rien qu'à regarder les gargouilles rongées par les siècles de l'ancien donjon – ça s'était passé là… –, quelque chose en lui se serrait. Et voilà qu'il ne pouvait plus grimper ni courir ni marcher ni faire de passes d'armes, et tous ses rêves de chevalerie tournaient à l'aigre dans sa cervelle.

À en croire Robb, Été n'avait cessé de hurler le jour de sa chute et, bien après, tandis qu'il gisait, rompu, dans le coma, Été n'avait, tout du long, cessé de mener grand deuil de lui, bientôt rejoint par Broussaille et Vent Gris. Et ils avaient su aussi, le soir où le corbeau sanglant avait apporté la nouvelle de la mort de Père chez mestre Luwin…

De qui mènent-ils grand deuil, à présent? Quelque ennemi aurait-il tué le roi du Nord qu'était entre-temps devenu Robb? Jon le bâtard serait-il tombé du Mur? Mère serait-elle morte, ou l'une de leurs sœurs? Ou bien s'agissait-il de tout autre chose, ainsi que semblaient le croire et Vieille Nan et le mestre et le septon?

Si j'étais véritablement un loup-garou, je comprendrais leur chant, se dépita-t-il. Dans ses rêves de loup, il gravissait au triple galop le flanc des montagnes, des pics de glace déchiquetés plus hauts que la plus haute tour et, à leur sommet, se dressait sous la pleine lune, dominant le monde entier comme par le passé.

«*Ooooo*», cria-t-il en guise d'essai. Il arrondit les mains autour de sa bouche et, la tête levée vers la comète, «*Ooooooooooooo, ahooooooooooooo*», hurla-t-il. Cela sonnait stupide, pointu, creux, chevrotant – un hurlement non de loup mais de garçonnet. Et pourtant, Été répondit, couvrant de sa voix profonde la voix si ténue de Bran, et Broussaille fit chorus. «*Haroooooo*», refit l'enfant, et ils hurlèrent tous ensemble, derniers chacun de leur portée.

Le tapage alerta l'un des gardes en faction devant sa porte, Bille-de-foin. Il aventura dans l'entrebail la loupe qui ornait son nez et, voyant Bran hurler par la fenêtre, demanda : «Qu'y a-t-il, mon prince ?»

Qu'on l'appelât prince faisait toujours à Bran un drôle d'effet, tout héritier de Robb qu'il était, et tout roi du Nord qu'était à présent Robb. Il se tourna vers l'intrus et lui hurla : «*Oooooooo. Oo-oo-oooooo.*»

La face de Bille-de-foin se ferma. «Arrêtez-moi ça tout de suite.

— *Ooo-ooo-ooooo. Ooo-ooo-oooooooooooooo.*»

Le garde battit en retraite mais, quand il revint, mestre Luwin l'accompagnait. «Bran, ces bêtes font suffisamment de boucan sans que tu les aides.» Il traversa la pièce, lui posa la main sur le front. «Il se fait tard, tu devrais dormir depuis longtemps.

— Je parle aux loups.» Il repoussa la main du mestre.

«Me faut-il dire à Bille-de-foin de te porter au lit ?

— Je peux me coucher moi-même.» Mikken avait fixé aux murs des tas de pitons de fer pour lui permettre de se déplacer dans la pièce à la force des bras. Un moyen de locomotion lent, difficile et qui lui meurtrissait les épaules, mais il détestait se laisser porter. «D'ailleurs, je ne suis pas obligé de dormir si je ne le veux pas.

— Tous les hommes doivent dormir, Bran. Même les princes.

— Quand je dors, je me change en loup.» Il détourna son visage et contempla de nouveau la nuit. «Les loups rêvent-ils ?

— Toutes les créatures rêvent, je pense, mais pas à la manière humaine.

— Et les morts, ils rêvent ? » Il pensait à Père dont, au fin fond des cryptes sombres de Winterfell, un tailleur de pierre était en train de sculpter l'effigie dans le granit.

« Certains auteurs disent oui, d'autres non. Les morts eux-mêmes gardent le silence sur ce sujet.

— Et les arbres, ils rêvent ?

— Les arbres ? Non…

— Si fait, démentit Bran avec une certitude subite. Ils rêvent des rêves d'arbres. Il m'arrive de rêver d'un arbre. D'un barral, comme celui du bois sacré. Il m'appelle. Les rêves de loup sont mieux. Je sens des choses et peux même, parfois, goûter la saveur du sang. »

Le mestre tripota nerveusement sa chaîne. « Si seulement tu consentais à vivre davantage avec les autres enfants…

— Je les déteste ! » s'écria-t-il. Il pensait aux Walder. « Ne vous ai-je pas donné l'ordre de les renvoyer ? »

Luwin prit un air sévère. « Les Frey sont les pupilles de dame ta mère. Nous avons reçu d'elle des ordres exprès. Il ne t'appartient pas de les exclure, et ce n'est pas gentil. Où iraient-ils, si nous les congédiions ?

— Chez eux. C'est par leur faute que vous me privez d'Été.

— Le petit n'a pas demandé à se faire agresser, plaida le mestre. Pas plus que moi.

— Par Broussaille. » Le gros loup noir de Rickon était si sauvage qu'il effrayait même Bran, par moments. « Été n'a jamais mordu personne, lui.

— Il a égorgé un homme ici même, l'oublierais-tu ? Force est d'en convenir, les charmants chiots que tes frères et toi aviez découverts dans la neige sont devenus des fauves dangereux. Les Frey n'en ont peur qu'à trop juste titre.

— C'est eux qu'il faut mettre dans le bois sacré. Ils y joueraient tout à leur aise à "seigneur du pont", pendant qu'Été reviendrait dormir avec moi. Si je suis le prince, ici, pourquoi ne tenez-vous aucun compte de mes désirs ? Je voulais monter Danseuse, et Panse-à-bière m'a interdit la sortie.

— Je m'en félicite. Le Bois-aux-Loups n'est plus sûr du tout, tu devrais le savoir depuis ta dernière équipée. Souhaiterais-tu te faire capturer par quelque bandit qui te vendrait aux Lannister ?

— Été me sauverait, s'obstina Bran. Et l'on devrait laisser les princes prendre à leur gré la mer, rompre des lances et chasser le sanglier.

— Bran, mon enfant, pourquoi te tourmenter de la sorte ? Il se peut que certains de tes vœux se réalisent un jour mais, pour l'instant, tu n'es qu'un gamin de huit ans.

— Plutôt être un loup. Je pourrais vivre dans les bois, dormir quand ça me chante et aller retrouver Arya et Sansa. Je *sentirais* où elles se trouvent, je les sauverais ; et, quand Robb partirait se battre, je combattrais à ses côtés comme Vent Gris. Je déchirerais à belles dents la gorge du Régicide, *hop*, et alors finie, la guerre, et chacun pourrait regagner Winterfell. Si j'étais un loup… » Il se mit à hurler. « *Ooo-ooo-oooooooooooo.* »

Luwin haussa le ton. « Un véritable prince aurait à cœur d'accueillir…

— *AAHOOOOOOO*, hurla Bran à pleins poumons, *OOOO-OOOO-OOOO.* »

Le mestre capitula. « À ta guise, mon petit. » Et, non sans un regard où le chagrin le disputait à la répugnance, il quitta la pièce.

Hurler perdit tout charme aussitôt que Bran se vit seul, et il se tut au bout d'un moment. *Je les ai accueillis*, se dit-il avec rancune, *je me suis conduit en sire de Winterfell, vérita-*

blement, il ne saurait le nier. Quand les Walder étaient arrivés des Jumeaux, c'est Rickon qui voulait leur départ, Rickon qui, du haut de ses quatre ans, criait qu'il voulait Mère et Père et Robb, pas ces étrangers. Et c'est lui-même qui s'était chargé d'amadouer son cadet, de l'obliger à faire bon visage aux Frey, lui qui leur avait offert si gracieusement le pain et le sel et une place au coin du feu que même Luwin s'en était déclaré charmé.

Seulement, ça, c'était avant le jeu.

Le jeu qui se jouait avec une bûche, un bâton, une pièce d'eau et force clameurs, l'élément essentiel étant l'eau, affirmèrent à Bran Walder et Walder. Une planche, voire une file de galets, pouvait suppléer la bûche, et une branche le bâton, crier n'était pas *obligatoire*, mais, sans eau, point de jeu. Et comme ser Rodrik et mestre Luwin n'étaient pas près de leur laisser courir les bois en quête d'un ruisseau, l'un des bassins fuligineux du bois sacré fit l'affaire. Sans avoir jamais vu jusque-là d'eau chaude sourdre du sol en bouillonnant, Walder et Walder tombèrent d'accord néanmoins que la partie n'en serait que meilleure.

Si les deux Frey s'appelaient Walder, Grand Walder précisa qu'il y avait aux Jumeaux des flopées d'autres Walder, tous baptisés ainsi pour complaire à Grand-Père, lord Walder Frey. À quoi Rickon répliqua hautement : « À Winterfell, nous avons tous notre *propre* nom. »

Leur jeu consistait à placer la bûche en travers de l'eau et à y jucher, bâton en main, l'un des participants, dit « le seigneur du pont », qui devait dire à quiconque approchait : « Je suis le seigneur du pont, qui va là ? » L'intrus devait alors improviser un discours sur son identité et sur les motifs justifiant qu'on lui accordât le passage. Le « seigneur » pouvait vous obliger à répondre sous serment. Vous n'étiez pas forcé de dire la vérité mais, à moins de les assortir d'« il se peut », les serments vous engageaient, de

sorte que le truc consistait à dire « il se peut » pour empêcher le « seigneur du pont » d'avoir barre sur vous. Alors,
vous pouviez essayer de le flanquer à l'eau, et *vous* preniez
sa place, mais uniquement si vous aviez dit « il se peut ».
Autrement, vous étiez hors jeu. Le « seigneur » pouvait à tout
moment vous flanquer à l'eau, et lui seul avait le droit d'utiliser un bâton.

Dans la pratique, le jeu se réduisait quasiment à pousser,
frapper, tomber dans l'eau, non sans mille disputes tapageuses pour établir si Untel avait bien dit « il se peut » ou
pas. Et Petit Walder ne cessait guère d'être « seigneur du
pont ».

On l'appelait Petit Walder, malgré sa taille, sa force, sa
bedaine ronde, son teint rougeaud, et bien que Grand Walder fût, avec un demi-pied de moins, maigrichon et pointu
de museau. « Comme il a cinquante-deux jours de plus que
moi, expliqua le premier, il était plus grand, au début, mais
j'ai poussé plus vite.

— Nous sommes cousins, pas frères, ajouta le second.
Moi, c'est Walder, fils de Jammos. Lord Walder avait eu mon
père de sa quatrième femme. Lui, c'est Walder, fils de Mer-
rett. Sa grand-mère était la troisième femme – une Crakehall – de lord Walder. Bien que je sois l'aîné, il me précède
en ligne de succession.

— L'aîné seulement de cinquante-deux jours, objecta le
cadet. Et aucun de nous deux n'aura jamais les Jumeaux,
bêta.

— Moi si, affirma Grand Walder. De toute façon, nous ne
sommes pas non plus les seuls Walder. Ser Stevron a un
petit-fils, Walder le Noir, qui vient quatrième en ligne de
succession, puis il y a Walder le Rouge, fils de ser Emmon,
et Walder le Bâtard, qui n'entre pas en ligne. On l'appelle
Walder Rivers, pas Walder Frey. Puis il y a des filles nom-
mées Walda.

— Et Tyr. Tu oublies toujours Tyr.

— Parce qu'il s'appelle Wal*tyr*, pas Wal*der*, rétorqua Grand Walder d'un ton désinvolte. Et comme il vient après nous, il ne compte pas. Je ne l'ai d'ailleurs jamais aimé. »

Ser Rodrik leur avait attribué l'ancienne chambre de Jon Snow, vu que celui-ci appartenait désormais à la Garde de Nuit et n'en reviendrait plus. Autre grief de Bran. Il avait l'impression que les Frey cherchaient à voler la place de Jon.

Durant leur fameux jeu, il devait en principe – ainsi en avaient décidé les Frey – servir d'arbitre et trancher si oui ou non les joueurs avaient dit «il se peut» mais, dès le début de la partie, tout le monde l'avait oublié, le condamnant à subir, non sans mélancolie, les querelles des deux Walder avec le marmiton Turneps et les filles de Joseth, Bendy et Syra.

Les cris, le tapage des éclaboussures ne tardèrent pas à attirer de nouveaux joueurs : la fille du chenil, Palla, le garçon de Cayn, Calon, Tom Aussi, fils du Gros Tom qui avait péri avec Père à Port-Réal, et il ne fallut guère pour que chacun d'eux fût trempé, crotté. De la mousse dans les cheveux, Palla, brune de la tête aux pieds, suffoquait de rire. Depuis le soir du corbeau sanglant, Bran n'avait pas entendu semblables éclats. *Si j'avais mes jambes, c'est moi qui les flanquerais tous à l'eau*, songea-t-il avec amertume, *moi et personne d'autre qui serais tout le temps le seigneur du pont*.

Finalement, Rickon survint en courant, Broussaille sur ses talons. Après avoir regardé Turneps affronter Petit Walder pour la possession du bâton, vaciller, perdre l'équilibre et, bras battants, faire un énorme plouf, il cria : «À moi ! à moi ! je veux jouer ! » Petit Walder l'y invita du geste, Broussaille prétendit suivre. «Non, lui interdit son maître, les loups ne peuvent pas jouer. Tu restes avec Bran. » Ce qu'il fit…

… fit jusqu'au moment où le bâton de Petit Walder cingla sans ménagements le ventre de Rickon. Bran n'eut pas le temps de ciller que le loup noir volait par-dessus la bûche, que l'eau rougissait de sang, que les Walder piaillaient au meurtre, qu'assis dans la boue Rickon se tordait de rire et qu'Hodor surgissait à pas lourds en tonitruant : « Hodor ! Hodor ! Hodor ! »

Après cela, bizarrement, Rickon décida qu'il *aimait bien* les Walder. Ils ne jouèrent plus à « seigneur du pont » mais à d'autres jeux – monstre-et-fillette, chats-et-rats, viens-dans-mon-castel…, plein de trucs. Escortés du petit, les Walder faisaient des razzias de tartes et de gâteaux de miel aux cuisines, des courses autour des remparts, jetaient des os aux chiots des chenils et s'entraînaient à l'épée de bois sous l'œil aigu de ser Rodrik. Rickon les initia même au noir dédale des souterrains où s'apprêtait le tombeau de Père. Un véritable sacrilège, aux yeux de Bran. « Tu n'avais pas le droit ! s'indigna-t-il en l'apprenant, ce sont *nos* cryptes, des cryptes *réservées* aux Stark ! » Mais Rickon n'en avait tenu aucun compte.

La porte de la chambre se rouvrit. Accompagné cette fois de Bille-de-foin et d'Osha, mestre Luwin brandit une fiole verte. « Je t'ai confectionné un somnifère. »

Osha enleva Bran comme une plume dans ses bras osseux et le déposa sur son lit. Elle était très grande pour une femme et puissamment bâtie.

« Ceci te procurera un sommeil sans rêves, promit le mestre en débouchant la fiole. Un sommeil doux et sans rêves.

— Vraiment ? » s'enquit Bran. Il ne demandait qu'à le croire.

« Oui. Bois. »

Il but. Tout épaisse et crayeuse qu'elle était, la potion contenait du miel qui facilita la descente.

« Demain matin, tu te sentiras mieux. » Avant de se retirer, Luwin le rassura d'un sourire et d'une petite tape.

Osha s'attarda un instant. « De nouveau tes rêves de loup ? »

Il acquiesça d'un signe.

« Ferais mieux de pas tant te battre, mon gars. Je te vois parler à l'arbre-cœur. Peut-être que les dieux essaient de te répondre.

— Les dieux ? » murmura-t-il. Il sombrait déjà. La figure d'Osha se fit grise et floue. *Un sommeil doux et sans rêves*, songea-t-il.

Mais quand les ténèbres se furent recloses sur lui, il se retrouva dans le bois sacré, se glissant sans bruit sous les branches aussi vieilles que le temps des vigiers gris-vert et des chênes noueux. *Je marche*, exulta-t-il. Quelque chose en lui savait que ce n'était qu'un rêve, mais même rêver de marcher valait mieux que la réalité de la chambre, des murs, du plafond, de la porte.

Il faisait sombre au milieu des arbres, mais la comète éclairait la marche, et il avançait d'un pied sûr. Il avait quatre *bonnes* jambes, vigoureuses, alertes, et il éprouvait sous ses pas les sensations du sol, le crissant soyeux des feuilles mortes et le dru des racines et le dur des pierres et le moelleux des couches d'humus. Des sensations exquises.

Et mille arômes lui emplissaient le cerveau, vivaces, enivrants : verts remugles bourbeux des bassins d'eau chaude, riches parfums de terre en décomposition, de chêne et d'écureuil. Le parfum d'écureuil lui évoqua si nettement le goût du sang chaud sur la langue et le craquement des os sous la dent que l'eau lui en vint à la bouche. Son dernier repas remontait à moins d'une demi-journée, mais la viande morte, fût-ce de cerf, ne recelait aucune joie. Au-dessus de sa tête, à l'abri des feuilles, les écureuils froufroutaient, jacassaient, mais ils se gardaient bien de s'aventurer là où lui-même et son frère étaient en maraude.

L'odeur de son frère, il la sentait également – une odeur familière, puissante et tellurienne, une odeur aussi noire que son manteau. Et son frère courait, fou de fureur, en rond tout le long des murs. Il tournait, tournait, jour et nuit et nuit et jour, infatigable, en quête… de proie, d'une issue, de sa mère, du reste de sa portée, de sa meute…, et cherchait, cherchait sans jamais trouver.

Derrière les arbres se dressaient, empilement mort de rochers humains surplombant de façon sinistre l'îlot de bois vif, les murs. Des murs maculés de mousse, mouchetés de gris, mais massifs, formidables et trop hauts pour qu'aucun loup pût se flatter de les sauter. Et les seules ouvertures dont ils étaient percés, du bois mort bardé de fer les fermait hermétiquement. Et son frère avait beau s'immobiliser devant chacune d'elles et dénuder rageusement ses crocs, toutes demeuraient closes.

Il s'était aussi comporté de la sorte, la première nuit, et rendu compte de son erreur. Gronder n'ouvrait rien, ici. Faire le tour des murs ne les repoussait pas. Et il ne suffisait pas non plus de lever la patte et de marquer les arbres pour tenir l'homme à distance. Le monde s'était rétréci autour d'eux, mais au-delà du bois muré subsistaient les immenses galeries grises de rocher humain. *Winterfell*, se rappela-t-il, et il entendit soudain. Par-delà les falaises humaines et hautes comme le ciel retentissait l'appel du monde véritable, et Bran sut qu'il fallait y répondre ou mourir.

ARYA

Ils voyageaient du point du jour au crépuscule parmi les bois, les vergers et les terres bien entretenues, traversaient de menues bourgades, des villes aux marchés bondés, longeaient les murs de manoirs trapus. La nuit venue, l'Épée rouge éclairait leur repas et leur campement. Les hommes prenaient le quart à tour de rôle. À travers les arbres, Arya discernait les feux d'autres voyageurs. Ils se faisaient chaque soir plus nombreux, et, le jour, la circulation s'intensifiait sur la grand-route.

Matin, midi, soir, cela déferlait, vieilles gens, bambins, grands diables et petits bonshommes, filles nu-pieds, femmes allaitant. Certains précédaient des charrettes, d'autres suivaient cahin-caha des chars à bœufs. Beaucoup étaient montés, qui sur des chevaux de trait, des poneys, des mules, qui sur des ânes, enfin sur tout ce qui pouvait marcher, courir, rouler. Une femme menait une vache laitière que chevauchait une fillette. À peine un forgeron fut-il passé, poussant une carriole pleine d'outils, marteaux, pincettes et même une enclume, qu'Arya vit survenir un individu dont la carriole, cette fois, ne contenait rien d'autre que deux nouveau-nés emmaillotés dans une couverture. Mais la plupart des gens allaient à pied, vannés, ployant sous leurs paquets de hardes, la peur et la défiance aux yeux. Tous descendaient vers le sud, vers la ville, vers Port-Réal, et c'est tout juste si un sur cent consentait un mot à Yoren et à ses « protégés » remontant vers le nord.

Beaucoup se montraient armés – de poignards et de coutelas, de haches et de faux, plus une épée par-ci par-là ; certains s'étaient fait un bâton de la première branche, d'autres carrément taillé un gourdin. Leurs doigts se crispaient sur ces armes, à l'approche du convoi, mais la trentaine d'hommes qui l'escortaient protégeait trop bien le contenu, quel qu'il fût, des fourgons, et l'on se croisait sans accrochage, finalement.

Regarde avec tes yeux, avait dit Syrio, *écoute avec tes oreilles.*

Du bord de la route, un jour, une espèce de démente leur cria : « Fous que vous êtes ! ils vous tueront, vous êtes fous ! » D'une maigreur d'épouvantail, elle avait l'œil creux et les pieds en sang.

Le matin suivant, un marchand gras à lard immobilisa sa jument grise à la hauteur de Yoren et se porta acquéreur des fourgons et de leur cargaison au quart de leur valeur. « C'est la guerre, ils se serviront à leur guise, tu ferais mieux de me les vendre à moi, l'ami. » Yoren détourna vivement sa bosse en crachant.

Le même jour, Arya repérait sa première tombe, un minuscule monticule sur le bas-côté : celle d'un enfant. On avait posé un cristal sur la terre meuble, et Lommy ne s'abstint de le faucher qu'après que Taureau lui eut conseillé de laisser les morts en paix. Quelques lieues plus loin, Praed signala toute une rangée de tombes fraîchement creusées. Et il ne s'écoula guère de jour, dès lors, que l'on n'en vît d'autres.

Une fois, Arya s'éveilla dans le noir, terrifiée sans savoir pourquoi, sous la comète qui, là-haut, disputait le ciel à quelques centaines d'étoiles. Mais elle avait beau percevoir les ronflements sourds de Yoren, le craquement des braises et même le frémissement feutré des ânes, la nuit lui parut singulièrement silencieuse. On eût dit que l'univers retenait son souffle, elle en frissonna. Et ne se rendormit qu'en étreignant Aiguille.

Lorsque, au matin, Praed ne se réveilla pas, elle comprit, c'était la toux du reître qui lui avait manqué. À leur tour, ils creusèrent une tombe à l'endroit même où il avait dormi. Avant qu'on ne le recouvrît de terre, Yoren le dépouilla de tout ce qui avait une valeur quelconque. L'un demanda ses bottes, l'autre sa dague, on fit deux lots de son haubert de mailles et de son heaume, et Taureau se vit attribuer sa rapière. «'vec des bras com' t'as, dit Yoren, 't-êt' sauras t' servir d' ça?» Un gamin du nom de Tarber jeta sur le cadavre une poignée de glands, dans l'espoir qu'un chêne vienne indiquer la sépulture.

Le soir venu, ils firent étape dans une auberge de village tapissée de lierre. Après avoir compté ce qui lui restait en bourse, Yoren déclara la somme suffisante pour un repas chaud. «Dormira dehors, com' t'jours, mais z'ont des bains, ici, cas qu'un d' vous s'rait tenté par d' l'eau chaude et un bout d' savon.»

Bien qu'elle puât aussi fort que lui, maintenant, aussi âcre et sur, Arya n'osa pas. Certaines des créatures qui habitaient ses vêtements s'étant montrées tout du long d'une irréprochable fidélité depuis Culpucier, les noyer n'eût pas été juste. Pendant que Tarber, Tourte et Taureau rejoignaient la queue des candidats au bain, que d'autres s'installaient face à la porte, le restant s'en fut peupler la salle commune. Yoren expédia même Lommy porter des chopes aux trois enchaînés du fourgon.

Propres et crasseux bénéficièrent du même menu: croustade de porc, pommes au four. L'aubergiste offrit sa tournée de bière. «J'avais un frère qu'a pris le noir, y a des années d' ça. Un gars serviable et malin, mais v'là-t-y pas qu'un jour y s' fait prendre à chiper du poivre à la tab' de m'sire? Le goût qui lui plaisait, v'là. Qu'une pincée d' poivre, mais ser Malcolm badinait pas. Z'avez du poivre, au Mur?» Yoren secoua la tête, l'homme soupira. «C' gâchis. 'l adorait l' poivre, Lyn…»

Arya ne buvait qu'à petites gorgées précautionneuses, entre deux cuillerées de croustade tiède. Père, se rappela-t-elle, leur permettait parfois de prendre une coupe de bière. Le goût de celle-ci faisait toujours grimacer Sansa, qui finissait invariablement par décréter le vin tellement plus délicat…, mais Arya ne détestait pas, elle. La pensée de Père et Sansa l'attrista.

L'auberge étant bondée de gens qui partaient vers le sud, Yoren souleva une tempête de réprobation en disant qu'il allait dans l'autre sens avec ses compagnons. «Vous ne tarderez pas à rebrousser chemin, affirma l'aubergiste. Impossible d'aller au nord. On a incendié la moitié des champs, et ce qu'il reste d'habitants s'est retranché derrière ses fortifications. Une poignée de cavaliers se risque dehors à l'aube, une autre montre son nez au crépuscule.

— Nous concerne pas, s'obstina Yoren. Lannister ou Tully, n'importe. La Garde ne prend pas parti.»

Lord Tully est mon grand-père, objecta Arya, in petto. Cela lui importait, mais elle garda le silence et se contenta d'écouter en se mâchouillant la lèvre.

«Y a plus que Lannister ou Tully, repartit l'homme. Y a des sauvages des montagnes de la Lune, et allez *leur* dire que vous prenez pas parti. Et les Stark y sont aussi, le jeune lord est descendu, le fils de feu la Main…»

Arya se crispa, tout oreilles. Voulait-il dire *Robb*?

«J'ai entendu qu'à la bataille y monte un loup, dit un type à cheveux jaunes, chope en main.

— Foutaises!» Yoren cracha.

«Çui qu' j'ai entendu, y l'a vu lui-même. Un loup gros comme un cheval, y jurait.

— Jurer prouve pas l' vrai, Hod, insinua l'aubergiste. Depuis qu' tu jures qu' tu vas m' payer, j'ai t'jours pas vu un sou.» La salle explosa de rire, et le type aux cheveux jaunes s'empourpra.

«Ç'a été une mauvaise année, question loups, intervint un homme olivâtre qui portait un manteau vert crotté. Autour de l'Œildieu, jamais qu'on a vu les meutes si hardies. Brebis, chiens, vaches, tout leur va, y tuent comme y veulent, et z'ont pas peur des hommes. Va dans ces bois la nuit, t'es mort.

— Ah, des contes des contes, et aussi farfelus qu' les aut'.

— Ma cousine m'a dit pareil, et a l'est pas du genre qui ment, insista une vieille. A' dit qu'y a c'te grande meute, des cent et des cent qu'y sont, tueurs d'hommes, même. C'est une louve qu'a' les conduit, une chienne du septième enfer.»

Une louve. De saisissement, Arya manqua renverser sa bière. L'Œildieu se trouvait-il dans les parages du Trident ? Elle aurait aimé consulter une carte. C'est près du Trident qu'elle avait laissé Nymeria. Elle s'y refusait, mais Jory avait dit qu'il fallait, que si la louve les accompagnait, on la tuerait pour avoir mordu Joffrey, même s'il ne l'avait pas volé. Ils avaient dû crier, l'injurier, lui lancer des cailloux, et surtout, surtout qu'un de ceux d'Arya l'atteigne pour qu'elle renonce enfin à les suivre. *Elle ne me reconnaîtrait probablement même plus*, songea-t-elle. *Ou bien ce serait pour me détester.*

L'homme au manteau vert reprit : «J'ai entendu que c'te chienne d'enfer est entrée dans un village, un jour…, un jour de marché, des gens partout, eh bien, elle entre, et peinarde, s'il vous plaît, et elle arrache un bébé des bras de sa mère. Quand c'te histoire est arrivée aux oreilles de lord Mouton, lui et ses fils ont juré d'en finir avec la bête. Y l'ont traquée jusque sa tanière avec une meute, et z'ont même pas sauvé la peau d' leurs molosses. Pas un qu'est revenu, pas un.

— Des blagues, ne put s'empêcher d'intervenir Arya. Les loups ne mangent pas de bébés.

— Et qu'est-ce t'en sais, mouflet? » demanda l'homme au manteau vert.

Elle n'eut même pas le temps d'imaginer une réponse que Yoren lui prenait le bras. « 'l est fin saoul, v'là c' qu'y a.

— Je ne le suis pas. Ils ne mangent *pas* de bébés.

— Dehors, mon *gars*…, et garde-toi de r'venir tant qu' tu sauras pas la fermer quand les hommes parlent. » Il la poussa sans ménagements vers la porte de côté qui donnait sur les écuries. « File, main'nant. Va voir qu'on a bien abreuvé nos ch'vaux. »

Arya sortit, roidie de rage. « Ils n'en mangent *pas*! » maugréa-t-elle en donnant un coup de pied dans un caillou qui, au terme de sa course, alla se nicher sous l'un des fourgons.

« Hep! appela une voix amicale, hep, mon mignon! »

C'était l'un des hommes aux fers. Elle s'approcha, la main prudemment posée sur la garde d'Aiguille.

Dans un cliquetis de chaînes, le captif brandit sa chope vide. « Un homme aurait volontiers du rabiot de bière. Un homme a soif, à porter ces lourds bracelets. » Mince et délicat de traits, toujours souriant, il était le plus jeune des trois. Rouges d'un côté, blancs de l'autre, ses cheveux étaient tout emmêlés par la crasse du voyage en cage. « Un homme prendrait aussi volontiers un bain, ajouta-t-il en voyant de quel air elle le dévisageait. Un garçon pourrait faire un ami.

— J'ai des amis, dit-elle.

— J' t'en vois pas», intervint celui qui n'avait plus de nez. Trapu, épais, il avait des mains énormes. Du poil noir lui couvrait les bras, les jambes et le torse. Il lui remémora la vignette représentant un singe des îles d'Été dans un livre qu'elle avait un jour feuilleté. Quant à le regarder longtemps au visage, c'était dur à cause du trou.

Le chauve, lui, entrouvrit les lèvres et émit un *sifflement* que n'aurait pas désavoué quelque colossal lézard blanc. Et comme Arya, suffoquée, reculait d'un pas mal assuré, il ouvrit largement la bouche et lui tira la langue, à ce détail près qu'il s'agissait moins d'une langue que d'un moignon. «Arrêtez! lâcha-t-elle.

— Un homme ne choisit pas ses compagnons d'oubliettes», repartit le beau gosse aux cheveux rouges et blancs. Quelque chose dans sa façon de parler rappelait Syrio; la même et pourtant différente. «Ces deux-là n'ont pas de manières. Un homme doit demander pardon. Tu t'appelles Arry, n'est-ce pas?

— Tête-à-cloques, dit celui qui n'avait plus de nez. Tête-à-cloques Face-à-cloques La Trique. Gaffe, Lorath, ou t'auras du bâton.

— Un homme doit avoir honte de sa compagnie, reprit le beau gosse. Cet homme a l'honneur d'être Jaqen H'ghar, jadis citoyen de la cité libre de Lorath. Puisse-t-il se trouver chez lui. Les grossiers compagnons de captivité de cet homme se nomment Rorge – la chope désigna le sans-nez – et Mordeur.» Mordeur *siffla* de nouveau vers elle en découvrant une pleine bouche de dents jaunies et pointues. «Un homme doit avoir tant bien que mal un nom, n'est-ce pas? Mordeur ne peut pas parler, Mordeur ne sait pas écrire, mais il a des dents tellement acérées qu'un homme l'appelle Mordeur, et ça le fait sourire. Es-tu sous le charme?»

Arya s'écarta du fourgon. « Non. » *Ils ne peuvent me faire de mal*, se dit-elle, *ils sont tous enchaînés.*

Le beau gosse retourna sa chope. « Un homme doit pleurer. »

Avec un juron, le sans-nez, Rorge, lança sa lourde chope d'étain et, malgré la gaucherie que lui imposaient ses menottes, eût atteint la petite en pleine tête si elle n'avait sauté de côté. « Tu vas nous chercher de la bière, pustule, oui ? *Main'nant !*

— Ta gueule ! » Qu'aurait fait Syrio, à sa place ? se demanda-t-elle. Elle tira sa latte de bois.

« Approche…, grogna Rorge, et j' te fous c' bâton dans l' cul, qu'y t'encule au sang ! »

La peur est plus tranchante qu'aucune épée. Arya se força d'approcher. Chaque pas devenait plus pénible que le précédent. *Intrépide comme une louve*, calme comme l'eau qui dort. Les mots chantaient dans sa tête. Syrio n'aurait pas eu peur. Elle était presque sur le point de toucher la roue du fourgon quand Mordeur bondit sur ses pieds et, dans un tapage assourdissant de ferraille, essaya de l'attraper. Les menottes arrêtèrent ses mains à un demi-pied du visage d'Arya. Il *siffla*.

Alors, elle le frappa. Violemment, juste entre ses petits yeux.

Une seconde, il battit l'air en gueulant puis, de tout son poids, se jeta de l'avant malgré ses chaînes. Leurs gros maillons de fer glissèrent en quincaillant sur le plancher du fourgon, s'emboîtèrent, se tendirent, le vieux bois sec dans lequel elles étaient scellées craqua, tandis qu'au bout d'énormes bras aux veines saillantes s'ouvraient sur Arya d'énormes mains blêmes, mais la rupture n'eut pas lieu, et Mordeur s'effondra à la renverse. Le sang dégoulinait le long de ses joues.

«Un garçon plus brave que sensé», commenta celui qui disait s'appeler Jaqen H'ghar.

À reculons, Arya s'éloignait du fourgon quand, sentant une main sur son épaule, elle pirouetta, sa latte à nouveau brandie, mais l'agresseur présumé n'était que Taureau. «Que me veux-tu?»

Il esquissa le geste de se protéger, paumes en avant. «Yoren l'a dit, faut pas s'approcher de ces trois.

— Ils ne me font pas peur, répliqua-t-elle.

— Alors, t'es idiot. Ils me font peur, à *moi*.» Sa droite retomba sur la poignée de son épée. Rorge se mit à rire. «Écartons-nous d'eux.»

Après avoir un instant raclé la terre du bout du pied, Arya se laissa néanmoins reconduire vers la façade de l'auberge. Le rire de Rorge et le sifflement de Mordeur les poursuivaient. «Veux te battre?» demanda-t-elle à Taureau. Elle avait envie de taper contre quelque chose.

Il cilla, médusé. Encore humides du bain, des mèches drues de cheveux noirs barraient son regard bleu sombre. «Je te ferais mal.

— Non.

— Tu ne te doutes pas de ma force.

— Tu ne te doutes pas de ma rapidité.

— Toi qui l'auras voulu, Arry.» Il dégaina la rapière de Praed. «C'est de l'acier médiocre, mais c'est une épée réelle.»

Elle tira Aiguille. «Elle est de bon acier, donc plus réelle que la tienne.»

Il secoua la tête. «Tu promets de pas pleurer si j'te coupe?

— Je promettrai si tu promets toi-même.» Elle se plaça de biais, en posture de danseur d'eau, mais Taureau ne bougea pas. Il regardait quelque chose derrière elle. «Qu'est-ce qui cloche?

— Manteaux d'or.» Sa physionomie se ferma.

Impossible, se dit Arya, mais un coup d'œil en arrière la convainquit du contraire. Ils étaient six à remonter la route royale, six vêtus de la maille noire et des manteaux d'or du Guet. Six dont un officier dont le pectoral de plates en émail noir était frappé de quatre disques d'or. Et ils venaient droit sur l'auberge. *Regarde avec tes yeux*, murmura la voix de Syrio, et ses yeux virent l'écume blanche sous les selles; les chevaux avaient fait une longue route et à vive allure. Aussi calme que l'eau qui dort, elle prit Taureau par le bras et l'entraîna derrière une grande haie en fleurs.

«Qu'est-ce qu'il y a? demanda-t-il. Qu'est-ce que tu fais? Laisse.

— *Silencieux comme une ombre*», chuchota-t-elle en le forçant à se baisser.

Attendant encore leur tour, certains des «protégés» de Yoren étaient assis devant les bains. «Hé, vous! leur gueula l'un des manteaux d'or, z'êtes ceux qu'on fait prendre le noir?

— S' pourrait, répondit quelqu'un prudemment.

— On préfér'rait s' joindre à vous, les gars, dit le vieux Reysen. Paraît qu' fait *froid*, su' c' Mur.»

L'officier mit pied à terre. «J'ai un mandat pour un gosse, un certain…»

Tripotant sa barbe noire embroussaillée, Yoren parut alors sur le seuil. «Qui c'est qui l' veut?»

Les autres manteaux d'or démontaient un à un et demeuraient debout près de leurs chevaux. «Pourquoi s' cacher? chuchota Taureau.

— Moi qu'ils veulent», chuchota-t-elle. Il sentait le savon. «Silence.

— C'est la reine qui le veut, l'ancêtre, c'est pas tes oignons, dit l'officier, tout en tirant un ruban de sa ceinture. Regarde, le sceau de Sa Grâce et le mandat.»

Derrière la haie, Taureau branla du chef d'un air sceptique. « Et pourquoi la reine *te* voudrait, Arry ? »

Elle lui frappa l'épaule. « *Chut !* »

Yoren manipula le ruban frappé de cire d'or. « Joli. » Il cracha. « L'ennui, c'est qu'eul gosse, il est dans la Garde de Nuit, main'nant. C' qu'il a pu faire en ville vaut pus un clou.

— Ton avis, l'ancêtre, la reine s'en moque, et moi aussi, dit l'officier. Me faut le gosse. »

Fuir ? Arya l'envisagea, mais elle n'irait pas loin sur son âne, alors que les manteaux d'or avaient des chevaux. Puis elle était si lasse de s'enfuir. Elle avait dû s'enfuir pour échapper à ser Meryn, dû s'enfuir à nouveau après la mort de Père. Que n'était-elle un authentique danseur d'eau, elle irait droit sur eux, là-bas, les tuerait tous avec Aiguille et plus jamais ne fuirait, jamais plus.

« Ni lui ni un autre, s'obstina Yoren. Y a des lois pour ces trucs. »

L'autre dégaina un braquemart. « La voilà, ta loi. »

Yoren contempla l'arme. « C' pas une loi. Rien qu'une épée. S' trouve qu' j'en ai une aussi. »

L'officier sourit. « Vieux fou. J'ai cinq hommes avec moi. »

Yoren cracha. « S' trouve qu' j'en ai trente. »

Un gros rire lui répliqua. « C'te racaille ? dit un grand rustre au nez cassé. Qui qu'en veut l' premier ? » cria-t-il en montrant l'acier.

D'une meule de foin, Tarber arracha une fourche. « Moi.

— Non, moi, réclama Cutjack, le tailleur de pierre rondouillard, en tirant son têtu du tablier de cuir qui ne le quittait jamais.

— Moi. » Kurz surgissait de terre, armé de son dépeçoir.

« Nous deux. » Koss bandait son arc.

« Nous tous », dit Reysen en agitant son grand bâton de marche en houx.

Ses vêtements en vrac dans les bras, Dobber sortit nu des bains, vit ce qui se passait, lâcha tout, sa dague exceptée. «Y a du barouf? demanda-t-il.

— Dirait… », répondit Tourte qui, à quatre pattes, cherchait une bonne pierre à lancer. Arya n'en croyait pas ses yeux. Alors qu'elle le *haïssait*, pourquoi prenait-il des risques pour elle?

L'homme au nez cassé continuait à trouver ça marrant. «Hé, fillettes! laissez tomber vos cannes et vos cailloux 'vant qu'y vous en cuit! Savez mêm' pas par qué bout ça s'tient, 'n' épée…

— *Si!* » Arya ne les laisserait pas mourir pour elle comme Syrio. Pas question. Aiguille au poing, elle se faufila à travers la haie et adopta la posture du danseur d'eau.

Nez-cassé s'esclaffa. L'officier la toisa de son haut. «Rengaine, petite, personne ne te veut de mal.

— Je suis *pas* une fille!» protesta-t-elle avec fureur. Mais qu'est-ce qu'ils avaient, aussi? Avoir fait tout ce chemin pour elle, l'avoir là, devant eux, et ne faire que ricaner… «Je suis celui que vous voulez.

— C'est *lui* que nous voulons. » L'officier pointait son braquemart vers Taureau qui, sa pauvre rapière à la main, avait suivi Arya pour se placer à ses côtés.

Mais c'était une gaffe que de cesser d'avoir Yoren à l'œil, fût-ce une seconde. Aussitôt, l'épée du frère noir lui piqua la saillie de la gorge. «Faut r'noncer à l'avoir non pus, ou j'vais tâter si ta pomme est mûre. Pis j'ai dix, quinze frères à moi d'pus dans c't'auberge, s'y t'en faut d'aut' pou' t'convainc'. Je s'rais toi, j'me tir'rais de c'coup'-gorge en m'écrasant les fesses su' c'canasson, et j'rentrerais daredare en ville.» Il cracha, puis poussa plus avant la pointe de l'épée. «Main'nant.»

Les doigts de l'officier se desserrèrent, son épée tomba.

«On gard'ra qu' ça, dit Yoren. Manqu' t'jours d' bon acier, su' l'Mur.

— Soit. Pour l'instant. Les gars?» Les manteaux d'or rengainèrent et se mirent en selle. «Feras bien de détaler jusqu'à ton Mur, l'ancêtre. Lambine pas. La prochaine fois que je t'attrape, je me charge d'assortir ta tête avec celle du petit bâtard.

— Des plus doués qu' toi l'avaient dit.» Du plat de l'épée, il lui claqua la croupe de sa monture et l'expédia ballotter sur la grand-route, suivi de ses hommes.

Après qu'ils eurent disparu, Tourte se mit à pousser des hourras, mais cela ne fit qu'exacerber la colère de Yoren. «Idiot! T' figures qu'on est tirés d'affaire? La prochaine fois, y s' content'ra pas d' trépigner et de m' montrer son maudit ruban. Allez, terminé, l' bain, zou, faut déménager. À ch'vaucher tout' la nuit, 't-êt' qu'on gard'ra un peu d'avance sur eux.» Il ramassa le braquemart de l'officier. «Qui l' veut?

— Moi! s'écria Tourte.

— T'en sers pas sur Arry.» Il lui tendit l'arme, garde en avant, et marcha sur Arya, mais c'est à Taureau qu'il s'adressa. «La reine t' veut du mal, mon gars.»

Arya n'y comprenait rien. «Mais pourquoi le voudrait-elle, *lui*?»

Taureau la regarda de travers. «Et pourquoi te voudrait-elle, *toi*? Tu n'es qu'un petit rat d'égout.

— Et toi qu'un bâtard, alors!» À moins qu'il ne *prétendît* l'être, tout simplement? «Quel est ton vrai nom?

— Gendry, répondit-il, mais comme s'il n'en était pas tout à fait certain.

— Vois pas l' pourquoi d' l'un l'aut', maugréa Yoren, mais v's auront t'jours pas gratis. Z'allez m' monter deux coursiers. Qu'on voye un manteau d'or, et vous filez au Mur com' si z'aviez un dragon s' la queue. Nous aut', on vaut pas un crachat pour eux.

— Vous, si, remarqua Arya. Ce type a dit qu'il aurait votre tête aussi.

— Quant à ça, répliqua Yoren, s'y peut m' la détacher d's épaules, hé ben, bon vent. »

JON

«Sam ?» appela Jon tout bas.

Ça sentait la paperasse, la poussière et la vétusté. Dans la pénombre se devinaient des rayonnages bourrés de volumes reliés en cuir et d'un fatras de rouleaux anciens. De derrière filtrait la vague lueur jaunâtre de quelque lampe invisible. Jon souffla la bougie qu'il portait. Mieux valait ne pas aventurer de flamme à découvert parmi cet invraisemblable amoncellement de vieux trucs secs. Se laissant dès lors guider par la lueur, il se faufila dans l'étroite faille qui sinuait sous les voûtes en plein cintre. Tout de noir vêtu, cheveux sombres et prunelles grises, il n'était qu'une ombre à longue figure parmi les ombres. Des gants de moleskine noire dissimulaient ses mains, la droite en raison de ses brûlures, la gauche parce qu'on se sent fichtrement godiche avec un seul gant.

Courbé sur sa table, Samwell Tarly était assis dans une niche creusée à même le mur. Le pas de Jon lui fit lever les yeux.

«Tu as passé toute la nuit ici ?

— Toute la nuit ?» Sam eut l'air éberlué.

«Tu n'es pas venu dîner avec nous, et ton lit n'est même pas défait.» Rast avait envisagé la désertion de Sam, Jon

117

pas une seconde. Déserter réclamait une espèce de courage que Sam ne possédait guère.

«C'est le matin? Pas moyen de s'en douter, ici.

— Quel doux dingue tu fais, Sam... Tu regretteras ton pieu, crois-moi, quand nous coucherons à la dure et dans le froid.»

Sam se mit à bâiller. «Mestre Aemon m'a demandé de chercher des cartes pour le Commandant. Si je m'attendais..., ces *livres*, as-tu jamais vu le pareil? il y en a des *milliers*!»

Jon le fixa. «La bibliothèque de Winterfell en possède plus d'une centaine. Tu as trouvé les cartes?

— Oh, oui.» Ses doigts boudinés désignèrent tout un amas de livres et de rouleaux épars devant lui. «Une douzaine, pour le moins.» Il déploya un parchemin carré. «Les couleurs ont passé, mais on distingue parfaitement les sites des villages sauvageons repérés par le cartographe, et un autre bouquin..., où l'ai-je fourré? je le lisais encore, voilà un instant.» Il repoussa quelques rouleaux, un volume apparut, relié de cuir poussiéreux, délabré. «*Celui-ci*, dit-il avec respect. Rédigé par un pionnier nommé Redwyn, il relate de bout en bout le voyage qui le mena depuis Tour Ombreuse jusqu'à Nonretour, au bord de la Grève glacée. Il n'est pas daté, mais sa mention d'un Dorren Stark comme roi du Nord le prouve antérieur à la Conquête. Tu te rends compte, Jon? ils affrontèrent des *géants*! Redwyn traita même avec les enfants de la forêt, tous les détails sont là.» Son doigt tournait page après page avec une extraordinaire délicatesse. «Il dressa également des cartes, vois...

— Tu pourrais bien être le chroniqueur de notre propre expédition, Sam.»

Le ton se voulait encourageant, mais c'était la dernière des choses à dire. Avec Sam, il ne fallait jamais évoquer les embûches du lendemain. Du coup, il s'empêtra fébrilement dans ses rouleaux. « Y a d'autres cartes. Si j'avais le temps de…, mais dans ce fouillis… Pourrais tout mettre en ordre, *moi*, quoique, oui, je pourrais, mais ça prendrait du temps…, bon, des *années*, en fait.

— Mormont les veut un peu plus tôt que ça. » Il préleva un rouleau dans le tas, en souffla la poussière, vaille que vaille. L'un des coins s'émietta sous ses doigts quand il le déroula. « Regarde-moi celui-ci, d'un friable…, dit-il, les sourcils froncés pour tenter d'en déchiffrer les caractères délavés.

— Doucement. » Sam contourna la table pour lui reprendre le rouleau. Il le manipulait comme un animal blessé. « On recopiait les manuscrits importants au fur et à mesure des besoins. Certains des plus anciens ont dû l'être une centaine de fois.

— Eh bien, ne t'embête pas à copier celui-ci. Vingt-trois barils de morue salée, dix-huit jarres d'huile de poisson, un tonneau de sel…

— Un inventaire, expliqua Sam, ou quelque facture.

— Qui ça peut intéresser, combien de morue salée mangeaient les gens d'il y a six siècles ? s'ébahit Jon.

— Moi. » Il remit soigneusement le rouleau dans son étui. « C'est tellement instructif, ce genre de registre, oui, tellement. Tu peux y apprendre combien d'hommes composaient à l'époque la Garde de Nuit, comment ils vivaient, ce qu'ils consommaient…

— De la nourriture, dit Jon. Et ils vivaient comme nous vivons.

— Tu serais suffoqué. Cette resserre est un trésor, Jon.

— Si tu le dis… » Pas convaincu du tout. Trésor signifiait or, argent, joyaux, pas poussière, araignées, cuir pourri.

« Je le dis », maintint le gosse adipeux. Bien qu'il fût plus âgé que Jon et adulte au regard de la loi, « gosse » était le seul terme que sa personne vous inspirât spontanément.

«J'ai découvert des dessins représentant les faces des arbres-cœur et un bouquin consacré à la langue des enfants de la forêt…, des ouvrages que ne possède pas même la Citadelle, des rouleaux de l'ancienne Valyria, des comptabilités de saisons tenues par des mestres morts depuis un millénaire et…

— Et ces livres seront toujours là quand nous reviendrons.

— *Si* nous revenons…

— Le Vieil Ours emmène deux cents hommes chevronnés dont les trois quarts sont des patrouilleurs. Qhorin Mimain va nous amener de Tour Ombreuse une centaine de frères supplémentaire. Tu seras aussi peinard que si tu étais rentré au château de ton père à Corcolline. »

Samwell Tarly s'extirpa un pauvre petit sourire. « Je n'ai jamais été très peinard non plus dans le château de Père. »

Les dieux jouent de cruelles farces, pensa Jon. Alors qu'ils étaient tout feu tout flammes à l'idée de participer à l'expédition, Pyp et Crapaud resteraient à Châteaunoir. Et c'était Sam, le pleutre avoué, l'obèse, le pusillanime, presque aussi nul à cheval qu'à l'épée, qui affronterait la Forêt hantée. Le Vieil Ours emportait deux cages de corbeaux pour maintenir en permanence le contact. Et comme sa cécité, sa santé pis que précaire empêchaient mestre Aemon de les accompagner, son assistant devait le suppléer. « Nous avons besoin de toi pour les oiseaux, Sam. Et quelqu'un doit m'aider à préserver l'humilité de Grenn. »

Les fanons de Sam tremblotèrent. « Tu pourrais t'occuper des corbeaux, ou Grenn, ou *n'importe qui*, protesta-t-il d'un ton où perçait une pointe de désespoir. Je pourrais te montrer la manière. Et comme tu sais aussi ton alphabet, tu pourrais rédiger les messages de lord Mormont aussi bien que moi.

— Je suis l'homme à tout faire du Vieil Ours. Il me faudra lui servir d'écuyer, panser son cheval, monter sa tente, je n'aurai pas le temps de soigner aussi les oiseaux. Sam, tu as prononcé tes vœux. Tu es frère de la Garde de Nuit, maintenant.

— Un frère de la Garde de Nuit ne devrait pas avoir si peur.

— Nous avons tous peur. N'avoir pas peur serait idiot. » Trop de pionniers avaient disparu depuis deux ans, Oncle Ben inclus. Quant à ceux de ses hommes qu'on avait retrouvés, la main droite de Jon en conservait un souvenir cuisant. Et les yeux bleus d'Othor, ses doigts noirs et glacés persistaient à hanter ses nuits, mais Sam n'avait que faire de la confidence... « La peur n'a rien de honteux, me disait mon père, seule compte la manière de l'affronter. Allons, je vais t'aider à rassembler les cartes. »

Sam acquiesça d'un signe désolé. L'espace entre les rayonnages était si étroit qu'ils durent sortir l'un derrière l'autre. La resserre débouchait sur l'un des tunnels que les frères comparaient à des trous de vers, tant ils sinuaient sous terre pour relier les différents bâtiments, tours et fortins de Châteaunoir. Hormis les rats et autres vermines, on les empruntait rarement l'été, mais d'autant plus volontiers l'hiver que, dehors, vous attendaient des quarante et cinquante pieds de neige, qu'ululait la bise glacée du nord et qu'eux seuls, d'ailleurs, maintenaient la cohésion de toutes les parties.

Bientôt, songea Jon tandis qu'ils remontaient vers la surface. Il avait vu l'émissaire expédié par la Citadelle à mestre Aemon présager la fin de l'été, un grand corbeau aussi blanc et silencieux que Fantôme. L'hiver, il en avait vu un, mais dans sa prime enfance, et très bref et clément, chacun en convenait. Celui-ci, il le sentait jusque dans ses moelles, s'annonçait tout autre.

Lorsqu'ils eurent fini de gravir l'escalier de pierre abrupt, Sam haletait comme un soufflet de forge. Un vent frisquet les accueillit, qui fit claquer, virevolter le manteau de Jon. Mollement étendu au bas du mur de torchis et de claies de la grange aux grains, Fantôme dormait, mais le retour de son maître le réveilla instantanément et, la queue dressée comme un panache blanc, il trottina vers lui.

Sam loucha vers le sommet du Mur qui, telle une falaise de glace, les surplombait de ses sept cents pieds. Jon était parfois tenté de lui attribuer une espèce de vie, des humeurs aussi changeantes que sa couleur selon la lumière et l'heure. Tantôt du bleu sombre des rivières prises et tantôt jaunâtre comme vieille neige ou, pour peu qu'un nuage occultât le soleil, d'un grisâtre moucheté de pierre, le Mur s'étendait à l'est comme à l'ouest à perte de vue, si colossal qu'il réduisait à rien le vaste château hérissé de tours de pierre et d'annexes à colombages. Il marquait bel et bien la limite du monde.

Et nous nous rendons au-delà.

De fins nuages gris zébraient l'aube et, cependant, la ligne rougeâtre était là, derrière. Sous couleur, mi-figue mi-raisin, que les dieux la destinaient à éclairer la marche à travers la forêt hantée, les frères noirs avaient surnommé la vagabonde «Torche de Mormont».

«Elle est devenue si brillante qu'on la distingue même de jour, à présent, observa Sam, levant ses livres en guise de visière.

— Les comètes, on s'en fout. Des cartes, que veut le Vieil Ours.»

Fantôme gambadait en avant. Les lieux semblaient déserts, ce matin-là, nombre de pionniers s'étant esbignés au bordel de La Mole, qui pour fouir au trésor, qui pour se saouler la gueule. Grenn était du nombre. Crapaud, Pyp et

Halder fêtaient sa première patrouille en lui payant sa première garce. Ils auraient volontiers emmené de même Jon et Sam, mais les putains terrifiaient autant celui-ci que la forêt hantée, et celui-là refusait par principe : « Libre à vous, mais je tiens mes vœux. »

À la hauteur du septuaire, il entendit s'élever des chants. *Avant la bataille, les uns recourent aux putes et les autres aux dieux.* Lesquels s'en portaient mieux ? se demanda-t-il. Pas plus que le bordel ne le tentait le septuaire ; les temples de ses propres dieux se trouvaient dans des lieux sauvages, sous les frondaisons des barrals livides et sanguinolents. *Les Sept n'ont aucun pouvoir au-delà du Mur*, se dit-il, *mais j'y suis attendu par mes dieux à moi.*

Dans la cour de l'armurerie, ser Endrew Torth dégrossissait quelques recrues arrivées la veille avec Conwy, l'un des corbeaux itinérants qui écumaient les Sept Couronnes en quête d'hommes pour le Mur. Le nouveau lot comprenait une barbe grise appuyée sur un bâton, deux blondinets semblait-il frères, un jeune fat en satin crasseux, un gueux pied-bot. Enfin un petit rigolard qui, s'étant pris pour un guerrier, voyait mises à mal toutes ses présomptions, car si ser Endrew se montrait un maître d'armes autrement plus aimable que ser Alliser, ses leçons n'en laissaient pas moins d'ecchymoses. Mais autant chaque coup faisait grimacer Sam, autant il avait d'intérêt pour Jon.

« Que t'en dit, Snow ? » Le torse nu sous son tablier de cuir, le moignon de son bras gauche à découvert pour une fois, Donal Noye se tenait sur le seuil de l'armurerie. Ni sa grosse panse de foudre ni son nez camus ni sa mâchoire hérissée de noir ne le rendaient joli joli, mais c'était un brave type et qui s'était révélé bon ami.

« Ils sentent l'été, répondit Jon, comme ser Endrew fonçait sur l'adversaire et l'envoyait bouler au sol. Où les a dénichés Conwy ?

« — Dans le cachot d'un lord des environs de Goëville. Un coupe-jarrets, un barbier, un mendiant, deux orphelins et un cul à vendre. Avec ça que nous défendons les royaumes humains.

— Feront l'affaire. » Jon gratifia Sam d'un sourire de connivence. « Comme nous. »

Noye le fit approcher. « Tu es au courant, pour ton frère ?

— Depuis hier soir. » Avec Conwy et ses protégés étaient arrivées les nouvelles, et il n'avait guère été question que d'elles dans la salle commune. Jon ne démêlait pas encore ce qu'elles lui inspiraient. Roi, Robb ? Roi, le frère avec qui il avait joué, fait des passes d'armes, partagé sa première coupe de vin ? *Mais pas le lait maternel, non. Ainsi donc, Robb sirotera désormais le vin d'été dans des gobelets rutilants de pierres, pendant qu'agenouillé au bord de quelque ruisseau je puiserai, moi, de l'eau de neige entre mes mains.* « Robb fera un bon roi, dit-il loyalement.

— Faut voir… » L'armurier le regarda bien en face. « Je l'espère, mon garçon, mais j'aurais dit pareil de Robert, autrefois.

— Vous aviez forgé sa masse d'armes, n'est-ce pas ?

— Ouais. J'ai été son homme, un homme des Baratheon, le forgeron et l'armurier d'Accalmie jusqu'à la perte de mon bras. Étant assez âgé pour garder un souvenir précis de feu lord Steffon et pour avoir vu naître chacun de ses fils, je puis témoigner : la couronne avait définitivement altéré Robert. Certains hommes sont comme les épées, faits pour le combat. Raccroche-les, ils se rouillent.

— Et ses frères ? »

Noye s'accorda un moment de réflexion. « Robert était l'acier fait homme. Stannis est de fer, noir et dur et solide, oui, mais cassant, tout comme le fer. Il se brisera plutôt que de plier. Quant à Renly, lui, c'est du cuivre, il brille, il luit, joli à regarder mais des clopinettes, tout compte fait. »

Et Robb, de quel métal, lui ? Jon s'abstint de poser la question. Appartenant au clan Baratheon, Noye devait considérer Joffrey comme le roi légitime et Robb comme un félon. Une espèce de convention tacite interdisait, au sein de la confrérie qu'était la Garde de Nuit, de s'appesantir sur de tels sujets. Originaires de tous les coins des Sept Couronnes, les hommes avaient eu beau jurer du contraire, ils n'oubliaient pas si facilement leurs amours et leurs loyautés antérieures…, Jon était mieux placé que quiconque pour le savoir. Et cela valait même pour Sam, rejeton d'une maison vassale de Hautjardin, c'est-à-dire de lord Tyrell qui soutenait le roi Renly. En telles matières, le meilleur était de se taire, par conséquent. La Garde de Nuit se voulait impartiale. « Lord Mormont nous attend, s'excusa-t-il.

— Alors, je ne te retiens pas. » Noye lui tapota l'épaule et sourit. « Les dieux soient avec vous demain, Snow. Vous nous ramènerez ton oncle, hein ?

— Entendu », promit Jon.

Il laissa Fantôme en compagnie des factionnaires au pied de la tour du Roi qu'habitait Mormont depuis l'incendie de la sienne. « Et encore des escaliers…, gémit Sam au moment de monter, je déteste les escaliers !

— Eh bien, voilà un désagrément que nous épargneront les bois. »

Le corbeau les repéra dès qu'ils pénétrèrent dans la loggia. « *Snow !* » cria-t-il. Mormont suspendit sa conversation avec Thoren Petibois. « Vous en ont pris du temps, ces cartes. » Il repoussa les vestiges de son déjeuner pour déblayer la table. « Posez-les ici. J'y jetterai un coup d'œil plus tard. »

Menton chiche et bouche plus chiche encore au fond d'une barbe chiche, Petibois gratifia les garçons d'un regard glacé. Ayant fait partie de la clique d'Alliser Thorne, ce patrouilleur tendineux les confondait dans une même antipathie. «La place du lord Commandant se trouve à Châteaunoir, reprit-il en les dédaignant. Pour gouverner et commander. Voilà mon sentiment à moi.»

Le corbeau battit de ses noires ailes. «*Moi, moi, moi.*»

«Libre à toi d'agir à ta guise si tu deviens jamais lord Commandant, répliqua Mormont, mais mon sentiment à *moi* est que je ne suis pas encore mort et que nos frères ne t'ont pas substitué à moi.

— De par la disparition de Ben Stark et la mort de ser Jaremy, je suis à présent Premier patrouilleur, s'entêta Thoren. Le commandement devrait m'échoir.»

Mormont ne l'entendait pas de cette oreille. «J'ai envoyé coup sur coup ser Waymar puis Ben Stark. Je n'ai aucune envie de t'envoyer à ton tour à leur recherche et de rester là, passif, à me demander au bout de quel délai je devrai te réputer disparu aussi.» Il brandit l'index. «Et Stark demeure Premier patrouilleur tant que nous n'avons pas la certitude de sa mort. Et dût-elle être acquise un jour, alors c'est à moi qu'il appartiendrait de nommer son successeur, pas à toi. Cesse donc de m'importuner avec ça, j'ai des affaires autrement urgentes. Oublierais-tu que nous partons au point du jour?»

Petibois se mit pesamment sur pied. «À vos ordres, messire.» Mais, tout en se dirigeant vers la sortie, il décocha à Jon un regard lourd d'incrimination.

«Premier patrouilleur!» Les yeux du Vieil Ours flambèrent en direction de Sam. «J'aimerais mieux *toi*, comme Premier patrouilleur… Oser me jeter à la tête que je suis trop vieux pour l'accompagner, l'impudent! Tu me trouves vieux, toi?» Tout le poil qui avait déserté son crâne tavelé semblait s'être regroupé dans le taillis de barbe grise qui lui couvrait presque le torse. Il se frappa la poitrine à coups redoublés. «J'ai l'air *fragile*?»

Sam ouvrit la bouche sans pouvoir émettre qu'un maigre couac. Le Vieil Ours le terrifiait. «Non, messire, intervint promptement Jon. Vous semblez aussi fort qu'un… qu'un…

— Pas de flagorneries, Snow, tu sais bien que ça ne prendrait pas. Ces cartes, plutôt.» Mormont se mit à les manipuler rudement, sans leur accorder qu'un coup d'œil à chacune et un grognement. «C'est tout ce que tu m'as trouvé?

— Je…, m-m-messire, bafouilla Sam, il y… y en a – avait d'autres, m-m-mais… le dé – le désordre…

— Elles datent», râla le Vieil Ours, et son oiseau lui fit aigrement écho: «*Datent! datent!*»

«Pour les emplacements des villages, concéda Jon, mais non pour ceux des collines et des cours d'eau.

— Pas faux. Tu as choisi tes corbeaux, Tarly?

— M-m-mestre Aemon c-c-compte les p-p-prendre ce soir, ap-p-près leur repas.

— Je suis tranquille, son surchoix. Futés et forts.»

«*Forts*, claironna le sien, f*orts, forts*.»

«Si nous devons tous nous faire massacrer, là-bas, je veux que mon successeur sache où et comment.»

La simple évocation d'un massacre éventuel mit Sam hors d'état de prononcer un mot. Mormont se pencha vers lui. «Quand j'avais la moitié de ton âge, Tarly, madame ma mère me prévint que si je restais bouche bée, une belette risquait de la prendre pour son trou et de dévaler dans ma gorge. Si tu as quelque chose à dire, dis-le. Sinon, méfie-toi des belettes.» Il le congédia d'un geste brusque. «Du vent, maintenant. Trop débordé pour ces niaiseries. Le mestre a sûrement du travail pour toi.»

Sam avala sa salive, recula, puis décampa si vite qu'à peine semblait-il toucher la jonchée.

«Est-il aussi bête qu'il le paraît?» s'enquit le Vieil Ours dès qu'il eut disparu. «*Bête*», geignit le corbeau. Sans attendre la réponse, Mormont reprit : « Comme le seigneur son père occupe une place importante dans les conseils du roi Renly, j'avais presque envie de le dépêcher…, mais non, mieux vaut pas. Renly n'est pas homme à tenir compte d'un petit trembleur adipeux. J'enverrai ser Arnell. Il est nettement plus ferme, et il avait pour mère une Fossovoie pomme-verte.

— Sauf votre respect, messire, que souhaiteriez-vous obtenir du roi Renly ?

— Exactement ce que je souhaiterais obtenir de ses pareils, mon gars. Des hommes, des chevaux, des épées, des armures, du grain, du fromage, du vin, de la laine, des clous… La Garde de Nuit n'a pas de vanité, nous prenons ce que l'on nous offre. » Ses doigts tambourinèrent sur le bois grossier de la table. « Si les vents se sont montrés gracieux, ser Alliser devrait atteindre Port-Réal au changement de lune, mais quant à savoir si ce marmouset de Joffrey lui prêtera la moindre attention, ça… La maison Lannister n'a jamais eu de sympathie pour nous.

— Thorne dispose d'un argument de choc. » Une horrible chose livide dont les doigts noirs persistaient, comme doués de vie, à gigoter dans le vinaigre.

« Que n'avons-nous une autre main pour Renly…

— On trouve de tout, selon Diwen, au-delà du Mur.

— Mmouais, selon Diwen… Qui prétend avoir vu, lors de sa dernière patrouille, un ours haut de quinze pieds. » Mormont renifla. « On prétend que ma sœur a pris un ours pour amant. J'aurais moins de mal à gober *ça* que les quinze pieds. Encore que, dans un monde où les morts viennent se balader… – bah, toutes choses égales, il faut s'en tenir au témoignage de ses propres yeux. J'ai vu les morts marcher, je n'ai pas vu d'ours géants. » Il posa sur Jon un long regard scrutateur. « À propos de mains, comment va la tienne ?

— Mieux.» Il se déganta pour montrer. Sans avoir encore récupéré son élasticité, la chair rosâtre et boursouflée demeurait sensible, mais elle était en bonne voie de cicatrisation. «Démange quand même. Bon signe, d'après mestre Aemon. Il m'a donné un baume à emporter.

— Tu peux néanmoins manier Grand-Griffe?

— Pas trop mal.» Il ploya les doigts, ouvrit et referma le poing. «Le mestre m'a montré comment travailler la souplesse, jour après jour.

— Tout aveugle qu'il est, il sait de quoi il parle. Puissent les dieux nous le garder vingt ans de plus. Tu sais qu'il aurait pu régner?»

La remarque prit Jon au dépourvu. «Il m'a dit que son père était roi, mais pas… Je le supposais puîné.

— Il l'était effectivement. Il a eu pour grand-père le Daeron II Targaryen qui intégra Dorne au royaume et, conformément à l'une des clauses du traité, en épousa une princesse. Elle lui donna quatre fils. Du dernier de ceux-ci, Maekar, Aemon n'est lui-même que le *troisième* fils. Note que tout ça se passa bien avant ma naissance, si décrépit que Petibois veuille me faire croire.

— Le mestre fut nommé d'après le Chevalier-Dragon.

— Oui. D'aucuns attribuent la paternité du roi Daeron non pas à Aegon l'Indigne mais au prince Aemon. Quoi qu'il en soit, le caractère martial de ce dernier ne distinguait pas notre Aemon. Il se plaît à dire qu'il avait l'esprit aussi vif que lente l'épée. Rien d'étonnant dès lors si son grand-père l'expédia à la Citadelle. Il avait dans les huit ou neuf ans… et ne venait également que huitième ou neuvième en ligne de succession.»

Gageure que d'imaginer dans la peau d'un petit garçon pas plus vieux qu'Arya le mestre largement centenaire, aveugle et débile, rabougri, fripé.

« Il étudiait ses grimoires, poursuivit Mormont, quand l'aîné de ses oncles, l'héritier présomptif, périt accidentellement lors d'un tournoi, laissant deux fils, mais qui le suivirent de près dans la tombe, emportés par le fameux Fléau de printemps. Le roi Daeron y succomba de même, de sorte que la couronne échut à son fils Aerys.

— Le Fol ? » Jon s'y perdait. Comme Aerys avait précédé Robert, cela ne remontait pas si loin…

« Non, Aerys Ier. Celui que détrôna Robert était le second du nom.

— À quelle époque, alors ?

— Voilà quelque quatre-vingts ans…, mais non, je n'étais pas *encore* né, tandis que le mestre avait déjà forgé une demi-douzaine des maillons de sa chaîne. Après avoir épousé sa propre sœur, selon l'usage targaryen, Aerys régna dix ou douze années. Ses vœux prononcés, Aemon quitta la Citadelle et s'en fut servir à la cour d'un hobereau… jusqu'à la disparition de son oncle et, faute d'héritier direct, à l'accession au Trône de Fer de son propre père, Maekar. Lequel aurait désiré l'associer à ses conseils, mais Aemon refusa d'usurper la place qui revenait au Grand Mestre et partit servir chez son frère aîné, nommé lui aussi Daeron. Or, celui-ci mourut à son tour – d'une vérole de catin, si je ne m'abuse –, ne laissant qu'une fille faible d'esprit. Le dauphin devenait Aerion.

— Aerion le Monstre ? » Jon connaissait ce nom. « Le Prince qui se prenait pour un dragon » était l'un des contes les plus macabres de Vieille Nan. Bran en raffolait.

« Tout juste, sauf qu'il se nommait lui-même "le Flamboyant". Si bien qu'un soir il descendit toute une bouteille de feu grégeois, non sans avertir ses amis que cela le métamorphoserait en dragon mais, grâce aux dieux, cela ne le métamorphosa qu'en cadavre. Et, moins d'un an après, le roi Maekar tombait au cours d'une bataille contre un seigneur en rupture de ban. »

Quant à l'histoire du royaume, Jon n'était pas totalement ignare, son propre mestre y avait paré. « Cela se passa l'année du Grand Conseil, dit-il. Les seigneurs enjambèrent le fils du prince Aerion tout comme la fille du prince Daeron et donnèrent la couronne à Aegon.

— Oui et non. D'abord ils la proposèrent sans sourciller à notre Aemon qui, sans sourciller non plus, la refusa. Les dieux, leur dit-il, l'avaient voué à servir, pas à gouverner. Le serment qu'il avait prononcé, il n'entendait pas le rompre, en dépit de l'absolution que lui offrait le Grand Septon. En fait, c'eût été folie que de couronner aucun descendant d'Aerion ; quant à la fille de Daeron, sa niaiserie l'excluait, en plus de son sexe ; ainsi ne restait-il d'autre solution que de se tourner vers le cadet d'Aemon – en l'occurrence Aegon, cinquième du nom, Aegon l'Invraisemblable, comme on l'appela, parce qu'il était le quatrième fils d'un quatrième fils. Et comme Aemon redoutait, non sans raison, que, s'il restait à la cour, les gens qui réprouvaient la politique de son frère ne cherchent à l'utiliser, il vint au Mur. Et il n'en a pas bougé, pendant que son frère et le fils de son frère et le fils de ce fils régnaient et mouraient, chacun à son tour, et que Jaime Lannister mettait un point final à la dynastie des rois-dragons. »

« *Roi !* » croassa le corbeau qui, d'un coup d'aile, vint à travers la loggia se percher sur l'épaule de Mormont. « *Roi !* » répéta-t-il en se pavanant d'arrière en avant.

« Il aime ce mot, sourit Jon.

— Facile à dire. Facile à aimer. »

« *Roi !* » dit à nouveau l'oiseau.

« Je pense qu'il vous verrait volontiers couronné, messire.

« — Le royaume a déjà trois rois, ce qui fait deux de trop pour mon goût. » D'un doigt, il caressa le corbeau sous le bec, mais sans lâcher Jon des yeux.

Celui-ci en éprouva comme un malaise. « Pourquoi m'avoir dit cela, messire, à propos de mestre Aemon ?

— Me faut-il une raison spéciale ? » Le sourcil froncé, il s'agita sur son siège. « On a couronné roi du Nord ton frère Robb. Tu as cela de commun avec mestre Aemon. Un frère roi.

— Et autre chose encore, répliqua Jon. Un serment. »

Le Vieil Ours renifla bruyamment, le corbeau prit son essor et vola tout autour de la pièce. « Donne-moi un homme pour chaque serment que j'ai vu rompre, et le Mur ne manquera jamais de défenseurs.

— J'ai toujours su que Robb deviendrait seigneur de Winterfell. »

Un sifflotis de Mormont, et l'oiseau revint se poser sur son bras. « Seigneur et roi font deux. » Il tira de sa poche une poignée de grain qu'il offrit au corbeau. « On va parer ton frère de soieries, satins, velours de cent coloris différents, tandis que tu vivras et mourras, toi, vêtu de maille noire. Il va épouser quelque belle princesse et engendrer des fils. Tu n'auras pas d'épouse et ne tiendras jamais dans tes bras d'enfant de ton propre sang, toi. Il va gouverner, toi servir. Les gens t'appelleront "*freux*", lui "*Votre Majesté*". Les chanteurs monteront en épingle le moindre de ses actes, tes exploits les plus valeureux demeureront inchantés. Dis-moi que rien de cela ne te trouble, Jon…, et, en pleine connaissance de cause, je t'accuserai de mentir. »

Jon se redressa de toute sa hauteur, aussi roidi qu'une corde d'arc. « Et si j'en étais *effectivement* troublé, que me servirait, bâtard que je suis ?

— Que te *servira*, rectifia Mormont, bâtard que tu es ?

— À être troublé, riposta-t-il, et à respecter mes vœux. »

CATELYN

Elle avait l'impression qu'à peine forgée la couronne accablait Robb. L'antique couronne des rois du Nord avait disparu le jour où, trois siècles plus tôt, Torrhen Stark s'était soumis, le genou ployé devant Aegon le Conquérant. Ce que celui-ci avait fait d'elle, nul ne le savait mais, grâce au savoir-faire du forgeron de lord Hoster et aux descriptions qu'en donnaient les contes des anciens temps, la nouvelle en était la réplique aussi fidèle que possible : un diadème ouvert de bronze martelé frappé des runes des Premiers Hommes et d'où surgissaient neuf piques de fer noir ouvragées en forme d'estramaçons. D'or, d'argent, de pierreries, pas l'ombre ; bronze et fer exclusivement, les métaux de l'hiver, sombres et vigoureux antagonistes du froid.

Pendant qu'ils attendaient, dans la grande salle de Vivesaigues, qu'on leur amenât le captif, Catelyn vit Robb reculer la couronne sur ses cheveux auburn puis, peu après, la ramener vers l'avant, lui imprimer ensuite un quart de tour comme pour mieux l'assurer sur son front. *Il n'est pas facile de porter une couronne*, songea-t-elle, sans le quitter des yeux, *surtout lorsqu'on n'a que quinze ans*.

Pendant que les gardes introduisaient le prisonnier, Robb réclama son épée, la reçut, garde en avant, des mains d'Olyvar Frey, la dégaina et la posa, nue, en travers de ses genoux, telle une menace visible de tous. «Voici l'homme que vous demandiez, Sire, annonça ser Robin Ryger, capitaine de la garde Tully.

— À genoux devant le roi, Lannister!» cria Theon Greyjoy. Ser Robin contraignit le prisonnier à obtempérer.

Catelyn ne lui trouva rien d'un lion. Ce ser Cleos Frey avait beau être par sa mère, lady Genna, le propre neveu de lord Tywin, il ne possédait aucun des fameux atouts Lannister, blondeur et prunelles vertes. Mèches brunes filandreuses, menton fuyant, longue figure lui venaient de son géniteur, ser Emmon, deuxième fils de lord Walder. Quant à l'invincible clignotement de ses yeux pâles et aqueux, peut-être fallait-il ne l'imputer qu'à l'éblouissement, les cachots de Vivesaigues étant aussi sombres qu'humides... – et bondés, ces derniers temps.

«Levez-vous, ser Cleos.» Sans être aussi glacée que l'eût été celle de son père, la voix de Robb n'était pas non plus celle d'un gamin de quinze ans. La guerre avait prématurément fait de lui un homme. La lumière du matin jetait une vague lueur sur l'acier qui barrait son giron.

Ce n'était pourtant pas la lame qui angoissait ser Cleos, mais l'approche souple et feutrée de Vent Gris qui, aussi grand que le plus grand des limiers d'orignac, venait, prunelles d'or et fourrure couleur de fumée, le flairer. Toute l'assistance perçut les sueurs froides du chevalier qui, durant la bataille du Bois-aux-Murmures, avait vu le loup égorger plusieurs hommes.

Aussi s'écarta-t-il si vivement, sitôt relevé, que de gros rires fusèrent, çà et là. «Merci, messire.

— *Sire!*» aboya Lard-Jon Ombre, le plus tonitruant des bannerets du Nord et, du moins s'en targuait-il..., le plus farouchement loyal. Pour avoir été le premier à proclamer Robb roi du Nord, il ne souffrait pas que l'on mégotât la moindre lichette d'honneur à son tout nouveau souverain.

«Sire, s'empressa de rectifier ser Cleos. Avec mes excuses. »

Pas téméraire, le bonhomme, jugea Catelyn. *Autrement Frey que Lannister*, à la vérité. Son Régicide de cousin ne se fût pas montré si coulant. Jamais on n'eût obtenu que les dents parfaites de ser Jaime Lannister se desserrent en faveur du titre honorifique.

« Je vous ai fait extraire de votre cellule pour vous charger d'un message à l'intention de votre cousine Cersei Lannister. Vous vous rendrez à Port-Réal sous bannière blanche. Trente de mes meilleurs hommes vous escorteront. »

Ser Cleos ne déguisa pas son soulagement. « C'est avec le plus grand plaisir que je transmettrai à Sa Grâce le message de Votre Majesté.

— Ne vous méprenez pas, reprit Robb, je ne vous rends pas votre liberté. Votre grand-père, lord Walder, m'a engagé sa foi et celle de la maison Frey. Nombre de vos oncles et cousins chevauchaient à nos côtés dans le Bois-aux-Murmures, mais *vous* avez préféré combattre sous la bannière au lion. Cela fait de vous un Lannister, pas un Frey. J'exige de vous le serment, sur votre honneur de chevalier, qu'après avoir délivré mon message vous reviendrez apporter la réponse de la reine et reprendre vos fers. »

Ser Cleos n'hésita pas. « Je le jure.

— Tous les hommes ici présents vous ont entendu, l'avertit le frère de Catelyn qui, aux lieu et place de leur père mourant, portait la parole pour Vivesaigues et pour les seigneurs du Trident. Si vous ne revenez pas, le royaume entier vous saura parjure.

— Je tiendrai parole, répliqua l'autre avec raideur. Quelle est la teneur du message ?

— Une offre de paix. » Robb se leva, l'épée au poing. Vent Gris vint se placer à ses côtés. La salle devint houleuse. « Dites à la reine régente que, si elle accepte mes conditions, je rengainerai cette épée et mettrai un terme à la guerre qui nous oppose.»

Au fond de la salle, la silhouette dégingandée de lord Rickard Karstark fendit une haie de gardes et prit la porte. Personne d'autre ne bougea. Sans paraître s'apercevoir de rien, Robb commanda: «La lettre, Olyvar». L'écuyer lui reprit l'épée et lui tendit un rouleau de parchemin.

Robb déploya la feuille. «En premier lieu, la reine doit relâcher mes sœurs et assurer leur transport par mer de Port-Réal à Blancport, étant par là entendu que sont rompues les fiançailles de Sansa et de Joffrey Baratheon. Sitôt que le gouverneur de Winterfell m'aura avisé de leur arrivée saines et sauves, je relâcherai moi-même les cousins de la reine, l'écuyer Willem Lannister et votre propre frère Tion Frey, que je ferai ramener sous bonne escorte à Castral Roc ou en quelque autre lieu qu'il lui plaira.»

Que ne pouvait-on connaître les pensées qui s'agitaient derrière chacun de ces masques aux sourcils froncés, aux lèvres serrées, se dit Catelyn.

«En deuxième lieu, les restes du seigneur mon père nous seront rendus pour lui permettre, ainsi qu'il l'eût désiré, de reposer dans les cryptes de Winterfell auprès de ses frère et sœur. Il en ira de même pour ceux des gens de sa maisonnée qui sont morts à son service à Port-Réal.»

Du nord étaient partis des hommes pleins de vie, du sud ne reviendraient que des os glacés. *Ned voyait juste*, songea-t-elle. *Sa place était à Winterfell, il le disait assez, mais j'ai refusé de l'entendre. « Va, lui ai-je dit, tu dois être la Main de Robert. Pour le bien de notre maison, pour le salut de nos enfants… » Mon œuvre, mon œuvre à moi, l'œuvre de personne d'autre…*

«En troisième lieu, Glace, l'épée de mon père, me sera restituée en mains propres ici même, à Vivesaigues.»

Elle jeta un coup d'œil du côté de son frère, debout, là, pouces enfilés dans sa ceinture. Visage de pierre.

« En quatrième lieu, la reine ordonnera à son père, lord Tywin, de relâcher ceux de mes chevaliers et seigneurs bannerets qu'il a faits prisonniers lors de la bataille sur la Verfurque du Trident. Cela acquis, je relâcherai moi-même ceux des siens que j'ai capturés tant au Bois-aux-Murmures que sous ces remparts, à l'exception du seul Jaime Lannister qui demeurera mon otage et le répondant de l'attitude de son père. »

Que pouvait bien signifier le fin sourire de Theon Greyjoy ? Il avait toujours l'air, celui-là, de s'amuser d'une blague connue de lui seul… Un air qu'elle n'avait jamais aimé.

« Enfin, le roi Joffrey et la reine régente renonceront à toutes leurs prétentions sur le Nord. Loin de relever de leur souveraineté, celui-ci est désormais un royaume libre et indépendant, comme par le passé. Notre domaine inclut toutes les terres Stark sises au nord du Neck, ainsi que les terres baignées par le Trident et ses affluents, soit depuis la Dent d'Or à l'ouest jusqu'aux montagnes de la Lune à l'est.

— LE ROI DU NORD ! explosa Lard-Jon Omble, avant de hurler, son jambon de poing martelant le vide : *Stark ! Stark ! le roi du Nord !* »

Robb reploya le parchemin. « Mestre Vyman a dressé une carte où figurent les frontières que nous revendiquons. Vous en aurez une copie destinée à la reine. Lord Tywin doit se retirer en deçà de ces frontières et mettre un terme à ses raids, incendies et pillages. La reine régente et son fils ne réclameront de mes gens ni taxes ni rentes ni service, ils relèveront mes vassaux et chevaliers de tous serments de loyauté, promesses, engagements, dettes et obligations vis-à-vis du Trône de Fer et des maisons Baratheon et Lannister. En outre, les Lannister livreront, en gage de paix, dix otages de haut parage dont il sera convenu mutuellement, et que je traiterai en hôtes de marque et eu égard à leur condition. Pourvu que soient loyalement respectées les clauses de notre pacte, je libérerai chaque année deux d'entre eux et les rendrai sains et saufs à leurs familles. » Il lança le message aux pieds de ser Cleos. « Telles sont mes conditions. Que la reine les accepte, et je lui accorderai sa paix. Sinon… – il siffla, Vent Gris s'avança en grondant –, je lui offrirai un autre Bois-aux-Murmures.

— *Stark !* rugit à nouveau le Lard-Jon, cette fois imité par d'autres, *Stark ! Stark, roi du Nord !* » Le loup-garou pointa son museau vers le ciel et se mit à hurler.

Ser Cleos était devenu d'une pâleur de lait caillé. « La reine entendra votre message, mess… – Sire.

— Bien, dit Robb. Ser Robin, veillez à lui faire donner un bon repas et des vêtements propres. Il partira dès l'aube.

— Votre Majesté sera obéie.

— La séance est levée. » Comme il se retirait, escorté de Vent Gris, toute l'assistance ploya le genou. Olyvar Frey s'empressa de lui ouvrir la porte, et Catelyn suivit, son frère à ses côtés.

« Tu t'en es bien tiré, dit-elle à son fils en le rejoignant dans le corridor. Sauf que ton numéro avec le loup était une farce plus puérile que royale. »

Robb grattouilla Vent Gris derrière l'oreille. « Avez-vous vu la tête qu'il faisait, Mère ? sourit-il.

— J'ai surtout vu sortir lord Karstark.

— Moi aussi. » Des deux mains, il retira sa couronne et la tendit à Olyvar. « Remporte ce truc dans ma chambre.

— De ce pas, Sire. » L'écuyer s'éclipsa.

« Je parie que d'autres partageaient les sentiments de lord Karstark, intervint Edmure. Comment pouvons-nous parler de paix pendant que les Lannister infestent les domaines de mon père, volent ses récoltes et massacrent ses gens ? Je le répète, nous devrions déjà marcher sur Harrenhal.

— Nos forces sont insuffisantes », répliqua Robb, mais d'un ton chagrin.

Edmure insista. « S'accroissent-elles dans l'inaction ? Notre armée s'affaiblit de jour en jour.

— À qui la faute ? » lui jappa Catelyn. C'est sur les instances d'Edmure que Robb avait, après son couronnement, donné aux seigneurs riverains la permission d'aller défendre chacun ses terres. Ser Marq Piper et lord Karyl Vance s'étaient retirés les premiers. Lord Jonos Bracken avait suivi, sous couleur solennelle de récupérer sa coquille brûlée de château et d'enterrer ses morts. Et voilà que lord Jason Mallister annonçait à son tour qu'il comptait regagner son cher Salvemer, pourtant épargné par la guerre…

« Tu ne peux demander à mes vassaux de rester bras croisés pendant qu'on pille leurs champs et passe leurs gens au fil de l'épée, dit Edmure. Lord Karstark vient du nord, lui. Il serait fâcheux qu'il nous abandonne.

— Je vais lui parler, dit Robb. Il a perdu deux fils au Bois-aux-Murmures. Comment le blâmer de ne pas vouloir conclure de paix avec ceux qui les ont tués…, et qui sont aussi les assassins de mon père… ?

— De nouvelles effusions de sang ne nous rendront pas plus ton père que ses fils à lord Rickard, repartit Catelyn. Il fallait faire une offre – et un homme plus avisé eût offert des conditions moins rudes…

— Un rien moins rudes, et je dégueulais. » Il avait la barbe plus ardente que ses cheveux. Il semblait croire qu'elle lui donnait un air plus mâle et royal…, plus vieux. Mais, barbe ou pas, il demeurait un adolescent de quinze ans et ne brûlait pas moins de se venger que lord Karstark. Il n'avait pas été aisé de l'amener à condescendre même à cette offre, si pingre fût-elle.

«Cersei Lannister n'acceptera *jamais* d'échanger tes sœurs contre une paire de cousins. C'est son frère qu'elle voudra, tu le sais pertinemment.» À force de le lui répéter en pure perte, elle finissait par s'apercevoir que les rois sont bien moins attentifs que les fils.

«Le voudrais-je que je ne pourrais relâcher le Régicide. Mes vassaux ne me le permettraient jamais.

— Ils t'ont fait roi.

— Me *défaire* leur serait tout aussi facile.

— Si ta couronne est le prix à payer pour obtenir qu'on nous rende Arya et Sansa, tu nous vois barguigner? Assassiner le Régicide dans son cachot ravirait la moitié de tes vassaux. Qu'il meure en ton pouvoir, et les gens diront…

— … qu'il ne l'a pas volé, termina Robb.

— Et tes sœurs? riposta-t-elle vertement, n'auront-elles pas non plus volé de mourir? Qu'il arrive malheur à son frère, et je te garantis que Cersei nous rendra sang pour sang.

— Il ne mourra pas, affirma Robb. Nul n'est admis fût-ce à lui parler sans mon autorisation. Il a de quoi manger, de l'eau, de la paille propre, plus d'aises qu'il n'en saurait exiger. Mais le libérer, pas question, même en faveur d'Arya et de Sansa.»

Il la regardait *de son haut*, découvrit-elle soudain. *Est-ce la guerre qui a si fort précipité sa croissance*, se demandat-elle, *ou la couronne dont on l'a coiffé?* «Aurais-tu peur de le retrouver devant toi en rase campagne, pour parler crûment?»

Vent Gris grogna comme s'il percevait la colère de Robb, et Edmure posa une main fraternelle sur l'épaule de Catelyn. «Pas ça, Cat. Le gosse a raison.

— Ne m'appelez pas *le gosse*! s'emporta Robb, déchargeant d'un coup sa fureur sur son malheureux oncle dont le seul tort avait été de chercher à le soutenir. Me voici

presque un homme fait, et je suis roi – *votre* roi, ser. Quant à
Jaime Lannister, il ne me fait pas peur. Je l'ai battu une fois,
je le battrai de nouveau s'il le faut. Seulement... » Il
repoussa une mèche qui lui tombait sur les yeux, secoua la
tête. « J'aurais pu échanger le Régicide contre Père, mais...

— ...mais pas contre les filles ? » Elle parlait d'une voix
calme et glacée. « Broutille que des filles, n'est-ce pas ? »

Robb ne répondit pas, mais de la peine parut dans ses
yeux. Des yeux bleus, des yeux Tully, des yeux qu'il tenait
d'elle. Elle l'avait blessé, mais il était trop le fils de son père
pour en convenir.

*Une conduite indigne de moi, se dit-elle. Bonté divine, que
va-t-il advenir de moi ? Il fait de son mieux, de toutes ses
forces, je le sais, je le vois, et néanmoins... J'ai déjà perdu
mon Ned, le rocher sur lequel était bâtie mon existence, je ne
supporterais pas de perdre aussi les filles...*

« Je ferai tout mon possible pour mes sœurs, reprit Robb.
Si la reine a la moindre jugeote, elle acceptera mes conditions. Sinon, je lui ferai déplorer son refus. » Il en avait manifestement assez de ce sujet. « Mère, êtes-vous sûre de ne
pas vouloir vous rendre aux Jumeaux ? Outre que vous
vous y trouveriez moins exposée, vous seriez en mesure
de vous y lier avec les filles de lord Walder et de guider
mon choix, la guerre achevée. »

*Il souhaite mon départ, songea-t-elle, accablée. Les rois
sont censés n'avoir pas de mère, apparemment, et je l'as-
somme d'avis qu'il n'a aucune envie d'entendre.* « Tu es
assez grand, Robb, pour élire sans mon aide ta préférée
parmi les filles de lord Walder.

— Alors, partez avec Theon. Il s'en va demain. Il doit
aider les Mallister à escorter tout un lot de captifs jusqu'à
Salvemer avant de s'embarquer pour les îles de Fer. Vous
pourriez également prendre un bateau et, si les vents sont

favorables, être de retour à Winterfell d'ici à la prochaine lune. Bran et Rickon ont besoin de vous. »

Et toi non, si j'ai bien compris ? « Le seigneur mon père n'a plus guère à vivre. Jusqu'à sa disparition, ma place est à son chevet. Je reste à Vivesaigues.

— Je pourrais vous ordonner de partir. En tant que roi, je le pourrais. »

Elle ignora la remarque. « Permets-moi d'insister, je préférerais te voir envoyer quelqu'un d'autre à Pyk et garder Theon auprès de toi.

— Se peut-il meilleur ambassadeur auprès de Balon Greyjoy que son propre fils ?

— Jason Mallister, proposa-t-elle. Tytos Nerbosc. Stevron Frey. N'importe qui…, sauf Theon. »

Son fils s'accroupit pour caresser Vent Gris et, accessoirement, se soustraire à son regard. « Theon s'est bravement battu pour nous. Je vous ai conté comment il sauva Bran des sauvageons dans le Bois-aux-Loups. Si les Lannister refusent la paix, j'aurai besoin de la flotte de lord Greyjoy.

— Tu l'obtiendras plus promptement si tu gardes le fils en otage.

— Il a passé la moitié de sa vie en otage.

— Non sans motif, observa-t-elle. On ne peut faire confiance à Balon Greyjoy. Il a lui-même porté une couronne, souviens-t'en, même si cela ne dura qu'une saison. Qui sait s'il ne nourrit pas l'ambition de s'en recoiffer ? »

Robb se releva. « Je ne m'en formaliserai pas. Je suis bien roi du Nord ? Eh bien, qu'il soit roi des îles de Fer, si cela lui chante. Je lui donnerai volontiers sa couronne, pourvu qu'il nous aide à abattre les Lannister.

— Robb…

— J'envoie Theon. Je vous souhaite le bonjour, Mère. Viens, Vent Gris. » Et il s'éloigna à grands pas, flanqué de son loup.

Elle le regarda partir, impuissante. Son fils et, désormais, son roi. Une impression des plus bizarre. *Commande*, lui avait-elle enjoint à Moat Cailin. Voilà, il commandait. « Je vais voir Père, annonça-t-elle à brûle-pourpoint. Tu m'accompagnes, Edmure.

— Je dois d'abord prendre langue avec les nouveaux archers qu'entraîne ser Desmond. Je me rendrai chez lui plus tard. »

S'il vit encore, songea-t-elle sans souffler mot. Son frère eût mieux aimé se battre que d'affronter la chambre du mourant.

Le chemin le plus court pour accéder au donjon central où gisait ce dernier passait par le bois sacré. Des fleurs sauvages émaillaient l'herbe d'où surgissaient les troncs massifs des ormes et des rubecs dont l'opulente frondaison persistait à bruire, au mépris du message apporté par un corbeau blanc quinze jours plus tôt. Le Conclave avait eu beau décréter la venue de l'automne, les dieux jugeaient encore inutile d'en avertir les vents et les bois. Catelyn ne manqua pas de leur en rendre grâces. En ce qu'il présageait le spectre imminent de l'hiver, l'automne avait toujours quelque chose de formidable. Le plus perspicace des hommes, en automne, ignorait si sa prochaine récolte ne serait pas la dernière.

De son lit installé dans la loggia, Hoster Tully, seigneur de Vivesaigues, pouvait contempler le confluent de la Ruffurque et de la Culbute, à l'est du château, mais il s'était assoupi lorsqu'entra Catelyn, aussi blanc de barbe et de cheveux que ses oreillers, l'ombre de lui-même et amenuisé par l'inexorable sape de la mort.

À son chevet était assis, toujours vêtu de son haubert de mailles et de son manteau de voyage crasseux, toujours botté de poussière et de boue séchée, son frère, le Silure. « Robb vous sait-il de retour, Oncle ? » En tant que chef des éclaireurs et des estafettes, ser Brynden Tully était les yeux et les oreilles du jeune roi.

«Non. En apprenant qu'il tenait séance, je suis monté tout droit des écuries ici. Je suppose qu'il aimera mieux m'entendre d'abord en privé.» De grande taille, osseux, grisonnant, rasé de près, hâlé, il avait le geste avare et précis. Il demanda : «Comment va-t-il?» sans qu'elle s'y méprît. Il n'était plus question de Robb.

«Toujours pareil. Comme le mestre l'apaise avec du vin-de-songe et du lait de pavot, il dort la plupart du temps, mange à peine. Il s'affaiblit de jour en jour.

— Il parle?

— Oui…, mais pour dire des choses de moins en moins sensées. Il évoque ses regrets, les tâches inachevées, des gens morts depuis longtemps, des temps révolus depuis une éternité. Parfois, il ne sait plus en quelle saison nous sommes ni qui je suis. Une fois, il m'a confondue avec Mère.

— Elle n'a cessé de lui manquer, commenta Brynden. Et tu as ses traits. Les pommettes, la mâchoire…

— Vous vous la rappelez mieux que moi. Cela fait tant d'années…» Elle se posa sur le lit, écarta du visage de son père une fine mèche blanche qui le barrait.

«Chaque fois que je me mets en selle, je me demande si je le reverrai vivant.» Malgré toutes leurs querelles, une affection profonde liait lord Hoster et le frère jadis renié.

«Du moins avez-vous fait la paix, tous deux.»

Ils se turent un long moment, puis Catelyn se redressa. «De quelles nouvelles vouliez-vous entretenir Robb?» Avec un gémissement, le moribond se laissa rouler sur le flanc, comme s'il avait entendu.

Brynden se leva. «Sortons. Mieux vaut ne pas le réveiller.»

Elle le suivit vers le balcon de pierre qui, sur les trois côtés de la loggia, saillait en proue de navire. Les sourcils froncés, son oncle jeta un coup d'œil vers le ciel. « Elle se voit même le jour, maintenant. Mes hommes l'appellent "le Messager rouge"…, mais son message, quel est-il ? »

Catelyn leva les yeux vers l'endroit du ciel où, rougeâtre sur outremer, se traçait, telle une balafre en travers de la face divine, le sillage de la comète. « Le Lard-Jon affirme à Robb que les anciens dieux ont déployé en faveur de Ned le pavillon rouge de la vengeance. Edmure en tire, lui, présage de la victoire de Vivesaigues, car il voit là un poisson dont la longue queue porte aux couleurs Tully, rouge sur bleu. » Elle soupira. « Que n'ai-je leur foi. L'écarlate est une couleur Lannister.

— Ce machin n'est pas écarlate, objecta ser Brynden. Ni rouge du rouge Tully, celui de la Ruffurque en crue. Ce qui macule le ciel, là-haut, petite, c'est du sang.

— Le nôtre ou le leur ?

— Jamais guerre a-t-elle uniquement ensanglanté un camp ? » Il secoua la tête. « Autour de l'Œildieu, le Conflans se trouve à feu et à sang. La lutte a fait tache d'huile au sud jusqu'à la Néra et, au nord, par-delà le Trident, quasiment jusqu'aux Jumeaux. Marq Piper et Karyl Vance remportent çà et là de petits succès, ce nobliau de Béric Dondarrion razzie les razzieurs et tombe à l'improviste sur les fourrageurs de lord Tywin avant de s'évanouir dans les bois. Alors qu'il se vantait, paraît-il, de l'avoir tué, ser Burton Crakehall a perdu tout son monde dans l'un de ses traquenards.

— Quelques-uns des gardes de Ned se trouvent avec lord Béric, rappela-t-elle. Puissent les dieux les préserver.

— Dondarrion et son copain le prêtre rouge sont assez malins pour s'en tirer tout seuls, s'il faut en croire la rumeur, mais les bannerets de ton père ont moins de bonheur. Robb n'aurait jamais dû les laisser partir. Ils se sont éparpillés comme des cailles, chacun prétendant protéger son bien, et c'est là folie, Cat, folie. Jonos Bracken a été blessé lors des combats dans les ruines de son château, et son neveu Hendry tué. Tytos Nerbosc a bien expulsé les Lannister de chez lui, mais ils ont tout emporté, chaque vache et chaque cochon, tout, jusqu'au dernier grain de blé, ne lui laissant d'autre à défendre qu'un désert de cendres et son Raventree. Quant aux gens de Darry, peine perdue s'ils ont reconquis son fort, ils ne l'ont pas conservé deux semaines ; Gregor Clegane a fondu sur eux et tout massacré, la garnison comme son maître. »

Elle en fut horrifiée. « Un bambin…

— Mmouais. Et le dernier de sa lignée, en plus. Il aurait rapporté une belle rançon, mais que signifie l'or pour un molosse écumant de l'acabit Clegane ? Quel noble cadeau ce serait, ma foi, pour tout le royaume que la tête de ce fauve-là… ! »

Bien qu'elle connût la sinistre réputation de Gregor, Catelyn ne put réprimer un cri de protestation. « Ne me parlez pas de têtes, je vous prie… Cersei a fait empaler celle de Ned sur les remparts du Donjon Rouge et l'a livrée aux mouches et aux corbeaux. » Il lui semblait impossible, même à présent, que la séparation fût définitive. Il lui arrivait de se réveiller dans le noir et, l'espace d'une seconde, de s'attendre à le sentir là, contre elle. « Clegane n'est d'ailleurs rien de plus qu'une patte de lord Tywin. » En tant que seigneur de Castral Roc et que gouverneur de l'Ouest, que père de la reine et du Régicide et du Lutin, que grand-père du roi Joffrey, Tywin Lannister incarnait de fait, aux yeux de Catelyn, le danger suprême.

« Pas si faux, convint son oncle. Et il n'est pas fou, le Tywin. Bien à l'abri derrière les murs de Harrenhal, il utilise nos moissons pour nourrir son armée et brûle ce qu'il ne prend pas. Gregor n'est pas le seul chien qu'il ait découplé. Ser Amory Lorch bat également la campagne, ainsi que des

146

spadassins de Qohor, moins friands de tuer que d'estropier les gens. J'ai vu ce qu'ils laissent derrière eux. Des villages entiers livrés à la flamme, des femmes violées, mutilées, des enfants charcutés laissés sans sépulture afin d'attirer chiens sauvages et loups… De quoi soulever jusqu'au cœur des morts.

— Edmure enragera de l'apprendre.

— Et cela comblera précisément les vœux de lord Tywin. La terreur même a ses visées, Cat. Lannister nous provoque, il cherche la bataille.

— Et Robb n'aspire qu'à le satisfaire, dit-elle d'un ton chagrin. L'oisiveté l'énerve comme un chat, et le Lard-Jon, Edmure et les autres vont l'y pousser. » Pour avoir remporté deux grandes victoires en écrasant ser Jaime dans le Bois-aux-Murmures puis son armée privée de chef, lors de la bataille des Camps, sous les murs mêmes de Vivesaigues, il n'était en effet rien moins, à entendre certains de ses vassaux, qu'Aegon le Conquérant ressuscité.

Le Silure dressa un sourcil broussailleux. « Les imbéciles ! Mon premier principe de guerre, Cat – ne *jamais* exaucer les vœux de l'ennemi. Lord Tywin souhaite se battre sur un terrain de son propre choix. Il entend que nous marchions sur Harrenhal.

— Harrenhal. » Le dernier des enfants du Trident connaissait les contes consacrés à la vaste forteresse édifiée trois siècles auparavant sur les bords de l'Œildieu par le roi Harren le Noir, alors que les Sept Couronnes étaient encore sept royaumes *réels*, et que les gens des îles de Fer régissaient les terres du Conflans. Dans son orgueil, Harren s'étant flatté de posséder les voûtes et les tours les plus hautes de tout Westeros, quarante années furent nécessaires pour en ériger la silhouette immense au bord du lac, quarante années durant lesquelles les armées du roi écumèrent son voisinage en quête de pierre, de bois, d'or et de main-d'œuvre. Des milliers de prisonniers périrent dans ses carrières, enchaînés à ses traîneaux ou s'échinant à ses cinq tours géantes, gelés l'hiver, suffoqués l'été. On abattit des barrals trois fois millénaires pour en tirer des poutres, des chevrons, et la réalisation du rêve d'Harren ruina le Conflans tout comme l'archipel de Fer. Et le jour où, son Harrenhal enfin parfait, le roi vint s'y établir, le même jour, à Port-Réal, débarquait Aegon le Conquérant.

Catelyn entendait encore Vieille Nan, à Winterfell, là-bas, conter l'histoire à ses propres enfants. « Et force fut au roi Harren d'apprendre qu'il n'est tours altières ni murailles épaisses qui vaillent contre des dragons, concluait-elle invariablement, car les dragons *volent*. » Lui-même avait péri, et toute sa lignée, dans le déluge de feu, et le malheur n'avait cessé, depuis, d'accabler chacune des familles à qui était échu le monstrueux château. Si forte que fût la place, elle était surtout lugubre et maudite.

« Je ne laisserais pas volontiers Robb livrer bataille à l'ombre de ces remparts, convint-elle, mais nous devons faire *quelque chose*, Oncle.

— Et vite, acquiesça-t-il. Parce que je ne t'ai pas encore dit le plus grave, petite. Les hommes que j'ai dépêchés à l'ouest me mandent qu'une nouvelle armée se forme à Castral Roc. »

Une autre armée Lannister. Cette perspective la chavira. « Il faut en avertir Robb immédiatement. Qui la conduira ?

— Ser Stafford Lannister, paraît-il. » Il détourna son regard vers la rive opposée. La brise agitait mollement son manteau rouge et bleu.

« Encore un neveu ? » Fichtrement nombreuse et féconde, la maison Lannister...

« Un cousin, rectifia-t-il. Frère de feu lady Lannister et, par là, doublement parent de Tywin. Un vieillard passablement crétin mais doté d'un fils, ser Daven, vraiment redoutable.

— Alors, espérons que ce soit le père qui mène ces troupes en campagne.

— Nous n'aurons pas à les affronter tout de suite. C'est un ramassis de reîtres, de francs-coureurs et de bleus recrutés dans les gargotes de Port-Lannis. Avant de les aventurer sur un champ de bataille, ser Stafford devra les équiper, les instruire… mais, ne t'abuse pas, lord Tywin n'est pas le Régicide. Il ne va pas se ruer tête baissée mais attendre patiemment pour quitter sa tanière que ser Stafford ait fait mouvement.

— À moins…, hésita-t-elle.

— Oui ? la pressa-t-il.

— À moins qu'il n'y soit *obligé*, pour parer à quelque autre menace. »

Son oncle lui décocha un regard songeur. « Lord Renly.

— *Sa Majesté* Renly. » Pour en obtenir de l'aide, elle devrait le gratifier du titre dont il s'était lui-même décoré.

« Peut-être. » Le Silure sourit d'un sourire acéré. « Il réclamera quelque chose, en contrepartie.

— Il réclamera ce que réclament toujours les rois, dit-elle. Hommage. »

TYRION

En bon fils de boucher, Janos Slynt rigolait comme un hachoir à côtelettes. « Encore un peu de vin ? proposa Tyrion.

— Pas de refus », dit lord Janos en tendant sa coupe. Il avait la carrure d'une futaille, et sa capacité y correspondait. « Pas de refus du tout. C'est du bon rouge. De La Treille ?

— De Dorne. » Sur un geste de Tyrion, le valet versa. Abstraction faite des serviteurs, les deux hommes se trouvaient seuls dans la Petite Galerie, et la chandelle posée sur leur guéridon les environnait de ténèbres. « La vraie trouvaille. Rare, que les vins de Dorne soient si riches.

— Riche », reprit la grosse face de grenouille, avec une lampée gloutonne. Pas homme à siroter, le Slynt. Tyrion l'avait noté d'emblée. « Oui, riche, exactement le mot que je cherchais, *exactement*. Vous avez un don pour les mots, lord Tyrion, sauf votre respect. Puis marrant, ce que vous racontez. Marrant, oui.

— Je suis charmé que vous le pensiez…, mais je ne suis pas lord, contrairement à vous. Je me contenterai d'un simple *Tyrion*, lord Janos.

— À votre aise. » Il s'envoya une autre gorgée dont le surplus dégoulina sur son doublet de satin noir. Il portait un mantelet de drap d'or qu'agrafait une pertuisane à la pointe émaillée de pourpre. Et il était parfaitement saoul.

Tyrion se couvrit la bouche et rota poliment. Contrairement à lord Janos, il tenait fort bien le vin, mais il était pis que rassasié. Son premier soin avait été, sitôt installé dans la tour de la Main, d'envoyer quérir la meilleure cuisinière de la ville et de l'embaucher. Au menu, ce soir-là, consommé de queue de bœuf, petits légumes sautés aux pacanes, raisins, fenouil rouge et fromage râpé, tourte de crabe, purée d'épices et cailles au beurre, chacun des plats ayant son propre vin pour l'accompagner. Et comme Janos confessait n'avoir jamais, et de loin, fait pareille chère, «Sans doute, messire, dit Tyrion, vous montrerez-vous plus gourmand lorsque vous prendrez possession de votre fief de Harrenhal.

— Assurément. Je devrais peut-être engager votre cuisinière, qu'en dites-vous?

— Nombre de guerres ont éclaté pour moins, répliqua Tyrion et, après qu'ils eurent ri tout leur content: Vous êtes bien hardi de l'adopter pour résidence. Un lieu si sinistre et si *colossal*…, vous allez vous ruiner, à l'entretenir. Sans compter qu'on le dit maudit.

— Vais-je m'effarer pour un tas de pierres?» Cette idée le fit s'esclaffer. «Vous avez dit hardi. Faut être hardi, pour s'élever. Comme je l'ai fait. Jusqu'à Harrenhal, oui! Et pourquoi pas? Vous savez. Vous êtes un hardi aussi, je le sens. Petit, peut-être, mais *hardi*.

— Trop aimable. Un peu plus de vin?

— Non. Non, vraiment, je…, oh puis, sacredieux, *oui*. Pourquoi pas? On boit tout son plein, quand on est hardi!

— Exact.» Il lui remplit sa coupe à ras bord. «J'ai jeté un œil à la liste de vos successeurs éventuels au commandement du Guet.

— De chics types. Des types bien. N'importe lequel des six fera l'affaire, mais je choisirais Allar Deem, moi. Mon bras droit. Chic chic type. Loyal. Prenez-le, vous ne vous en repentirez pas. S'il plaît au roi.

— Évidemment. » Tyrion trempa le bout des lèvres dans son vin. « J'aurais plutôt pensé à ser Jacelyn Prédeaux. Voilà trois ans qu'il est capitaine à la porte de la Gadoue, et il s'est montré si valeureux durant la rébellion de Balon Greyjoy que le roi Robert l'a fait chevalier à Pyk. Et pourtant il ne figure pas dans votre liste. »

Lord Janos prit une gorgée de vin qu'il fit clapoter dans sa bouche avant de la déglutir. « Prédeaux. Bien. Brave, assurément, mais…, mais un *rigide*, celui-là. Un fameux chien. Les hommes ne l'apprécient pas. Puis un infirme, il a perdu sa main à Pyk, pour ça qu'on l'a fait chevalier. Piètre troc, si vous me demandez, une main contre un *ser*. » Il rigola. « Ser Jacelyn se surestime, lui et son honneur, mon point de vue. Vous ferez mieux de le laisser là où il est, mess… – Tyrion. Allar Deem est ce qu'il vous faut.

— Pas très aimé de la rue, paraît-il.

— Redouté. C'est mieux

— Cette histoire qui court sur lui d'une bagarre dans un bordel, que s'est-il passé ?

— Ça ? Pas sa faute, mess… – Tyrion. Non. Il ne voulait pas tuer la femme, c'est elle, la responsable. Il l'avait avertie de se tenir peinarde et de le laisser faire son devoir.

— Peinarde…, une mère et son gosse, il aurait pu s'attendre qu'elle essaie de sauver le bébé. » Il sourit. « Une lichette de ce fromage ? une splendeur avec ce vin… Dites-moi, pourquoi avoir choisi Deem pour cette vilaine besogne ?

— Un bon chef connaît ses hommes, Tyrion. Certains sont bien pour ci, certains pour ça. Le coup du bébé, et celui-là encore au sein, ça demande une espèce à part. Pas tout le monde qui le ferait. Quoiqu'il s'agissait rien que d'une pute et de sa portée.

— Je veux bien le croire», dit Tyrion, que *rien qu'une pute* faisait songer à Shae, et à Tysha, jadis, et à toutes les femmes qui avaient, depuis des années, pris son argent et sa semence.

Slynt poursuivit, sans se douter de rien: «Un type dur pour un boulot dur, c'est Deem. Fait ce qu'on lui dit, et bouche cousue, après.» Il se tailla une bonne tranche de fromage. «Ça qu'est fameux. Raide. Donnez-moi un couteau bien tranchant et un fromage bien violent, je suis un homme heureux.»

Tyrion haussa les épaules. «Régalez-vous tant que vous pouvez. Avec le Conflans en feu et le roi Renly à Hautjardin, le bon fromage va se raréfier. À propos, qui vous avait lancé aux trousses de la bâtarde de cette putain?»

Lord Janos lui lança un regard en dessous puis se mit à rire et le tança de son fromage. «Vous êtes un malin, Tyrion. Pensiez m'avoir, hein? Mais faut plus que du fromage et du vin pour le faire déparler, Janos Slynt. Je me respecte. Jamais de question et jamais un mot, après, moi.

— Comme Deem.

— Tout à fait pareil. Vous lui donnez le commandement quand je partirai pour Harrenhal, et vous le regretterez pas.»

Tyrion prit un soupçon de fromage. Raide, en effet, et, avec un filet de vin, succulent. «Quel qu'il soit, le choix du roi n'entrera pas facilement dans votre armure, je gage. Le même problème tarabuste lord Mormont.»

Lord Janos eut l'air abasourdi. «Je croyais que c'était une dame. Mormont. Bien celle qui couche avec des ours, non?

— C'est de son frère que je parlais. Jeor Mormont, lord Commandant de la Garde de Nuit. Lors de mon séjour chez lui, au Mur, je l'ai entendu dire à quel point le tourmentait la difficulté de se trouver un bon successeur. La Garde recrute si peu de sujets d'élite, aujourd'hui… » Il se fendit d'un grand sourire. « Il dormirait sur ses deux oreilles s'il avait quelqu'un comme vous, j'imagine. Ou comme le brave Allar Deem. »

Slynt poussa un rugissement. « Risque pas!

— Certes certes, opina Tyrion, encore que la vie vous joue de ces tours de cochon… Prenez Eddard Stark, messire. M'étonnerait qu'il ait jamais envisagé de finir sur le parvis du septuaire de Baelor.

— Fichtre pas foule qui s'y attendait, aussi! » concéda Janos en pouffant.

Tyrion pouffa de même. « Dommage que j'aie raté ça. On dit que Varys lui-même était suffoqué. »

Lord Janos éclata d'un rire qui lui secoua la panse. « L'Araignée…! hoqueta-t-il. Sait tout, qu'on dit. Ben, savait pas *ça*.

— Forcément, commenta Tyrion, d'un ton qu'il rafraîchit imperceptiblement pour la première fois. Il s'était employé à convaincre ma sœur de pardonner, sous réserve que Stark prendrait le noir.

— Hein? » Slynt papillota vaguement.

« Ma sœur Cersei, répéta Tyrion, juste un peu plus fort, au cas où l'autre âne aurait besoin de la précision. La reine régente.

— Oui. » Nouvelle gorgée. « Pour ça, bon…, c'est le roi qu'a donné l'ordre, m'sire. Le roi lui-même.

— Le roi a treize ans, rappela Tyrion.

— N'empêche. Il *est* le roi. » Ses bajoues tremblotèrent quand il fronça les sourcils. « Le suzerain des Sept Couronnes.

— Enfin…, d'une ou deux, plus ou moins, sourit aigrement Tyrion. Je pourrais jeter un œil sur votre pertuisane?

— Ma pertuisane ? » La stupeur le fit clignoter.

Tyrion pointa l'index. « La broche de votre mantelet. »

Non sans hésitation, lord Janos la dégrafa, la lui tendit.

« Nous avons des orfèvres, à Port-Lannis, qui travaillent plus finement, commenta-t-il. Un brin outrancier, le sang d'émail rouge, si vous souffrez que je le dise. Dites-moi, messire, cette pertuisane, vous l'avez vous-même plantée dans le dos du type, ou vous vous êtes contenté de donner l'ordre ?

— J'ai donné l'ordre, et je le referais. Lord Stark était un traître. » La partie chauve de son crâne était rouge bette-rave, son mantelet d'or avait glissé de ses épaules à terre. « Il a tenté de m'acheter.

— Songe menu que vous étiez déjà vendu. »

Slynt assena violemment sa coupe sur la table. « Êtes-vous saoul ? Si vous croyez que je vais sans broncher laisser mettre mon honneur en cause…

— Quel honneur ? Je l'admets, vous avez fait un meilleur troc que ser Jacelyn. Un titre de lord et un château contre une pertuisane plantée dans un dos, sans même avoir à l'en arracher. » Il lui jeta la broche d'or, qui rebondit sur sa poitrine et de là à terre avec un petit bruit clinquant. L'autre se leva.

« Votre ton me déplaît, mess… – Lutin. Je suis seigneur de Harrenhal, membre du Conseil du roi, qui êtes-vous pour me maltraiter de la sorte ? »

Tyrion pencha la tête de côté. « M'est avis que vous savez parfaitement qui je suis. Combien de fils avez-vous ?

— Que t'importent mes fils, nabot ?

— Nabot ? » Sa colère flamba. « Vous auriez dû vous en tenir à Lutin. Je suis Tyrion, de la maison Lannister, et, tôt ou tard, si les dieux vous ont seulement donné autant de jugeote qu'à une limace de mer, vous tomberez à deux genoux pour rendre grâces d'avoir eu affaire à moi et non au seigneur mon père. Maintenant, *combien de fils avez-vous ?* »

La panique se lut tout à coup dans les yeux de Slynt. « T-trois, m'sire. Et une fille. S'il vous plaît, m'sire…

— Pas besoin de mendier. » Il se laissa glisser à bas de son siège. « Vous avez ma parole qu'il ne leur arrivera aucun mal. En qualité de pupilles, les plus jeunes seront écuyers. S'ils servent bien et loyalement, on les fera chevaliers, le moment venu. Qu'il ne soit jamais dit que la maison Lannister ne récompense pas ses serviteurs. L'aîné héritera du titre de lord Slynt et de votre épouvantail d'emblème » D'un coup de pied, il envoya valser la petite pertuisane d'or. « On lui trouvera des terres, et il pourra s'y bâtir une résidence. Ce ne sera pas Harrenhal, mais cela suffira. Il dépendra de lui d'arranger un mariage pour sa sœur. »

De cramoisi, Janos était devenu livide. « Q-que… qu'allez-vous… ? » Ses fanons tremblaient comme gélatine.

« Ce que j'entends faire de *vous* ? » Tyrion laissa grelotter le lourdaud tout à son aise avant de poursuivre. « La caraque *Rêve d'été* appareille à la marée, demain matin. Le maître du bord me dit qu'elle fera escale à Goëville, aux Trois Sœurs, à l'île de Skagos et à Fort-Levant. Quand vous verrez lord Mormont, transmettez-lui mes chaleureuses salutations et dites-lui que je n'ai pas oublié la détresse de la Garde de Nuit. Je vous souhaite bon service et longue vie, messire. »

Une fois que Janos eut compris qu'il échappait à l'exécution sommaire, il recouvra son teint normal. Sa mâchoire jaillit en galoche. « À voir, ça, Lutin. *Nabot.* Pourrait être toi, sur ce bateau, qu'en dis-tu ? Pourrait être toi, sur le Mur. » Il émit un aboiement de rire nerveux. « À voir, toi et tes menaces. Je suis l'ami du roi, tu sais. Verrons ce que Joffrey dira de tout ça. Et Littlefinger et la reine, oh oui. Janos Slynt en a, des bons amis, des tas. Verrons qui va voguer, te jure. Ça, sûr, verrons. »

En sentinelle qu'il avait été, il pivota sur son talon et, faisant durement sonner la pierre sous ses bottes, descendit à grandes enjambées toute la Petite Galerie, gravit bruyamment les marches, ouvrit la porte à la volée… et se trouva nez à nez avec un grand diable à joues creuses en corselet de plates noir et manteau d'or. Ajustée au moignon de son poignet droit se trouvait une main de fer. « Janos », dit-il. Sous la toison poivre et sel qui ombrageait son front proéminent luisaient des prunelles profondément enfoncées. À sa suite pénétrèrent en silence dans la salle six manteaux d'or, tandis que Slynt reculait, pas à pas.

« Lord Slynt ? appela Tyrion. Je présume que vous connaissez ser Jacelyn Prédeaux, notre nouveau commandant du Guet ?

— Une litière vous attend, messire, ajouta ser Jacelyn. Les quais sont loin, sombres, et les rues peu sûres la nuit. Les gars ? »

Comme ces derniers emmenaient leur ancien chef, Tyrion fit venir Prédeaux et lui tendit un rouleau de parchemin. « La route est longue. Lord Slynt aura besoin de compagnie. Veillez que ces six soient à bord du *Rêve d'été*. »

Un coup d'œil à la liste, et ser Jacelyn sourit. « À vos ordres.

— Il en est un, reprit paisiblement Tyrion, Deem… Avertissez le capitaine que s'il arrivait à celui-là d'être balancé à la flotte avant d'atteindre Fort-Levant, la chose ne serait pas très mal prise.

— Ces mers du nord sont des plus houleuses, à ce qu'on prétend, messire. » Prédeaux s'inclina et se retira, son manteau voletant derrière lui. Au passage, il foula le mantelet d'or abandonné par Slynt.

Une fois seul, Tyrion se rassit pour siroter ce qui restait de son doux cru de Dorne et, comme les serviteurs s'affairaient à débarrasser la table, les pria de le lui laisser. Ils en avaient terminé quand, vêtu de robes flottantes dont le parfum de lavande rivalisait avec sa propre odeur, Varys se coula dans la salle. «Oh, moelleusement agi, cher seigneur.

— D'où me vient, alors, cette amertume dans la bouche?» À deux mains, il se pressa les tempes. «J'ai demandé qu'on jette Deem à la mer. Je suis grièvement tenté de vous infliger le même sort.

— L'issue risquerait de vous désappointer, répliqua l'eunuque. La tempête va, vient, les lames déferlent à la surface, le gros poisson mange le menu fretin, et je continue à trottiner. Oserai-je vous prier de me laisser tâter du vin que lord Slynt appréciait si fort?»

Tyrion lui désigna le flacon d'un geste maussade.

Varys se servit une coupe. «Hm. Doux comme l'été.» Il en reprit une becquée. «J'entends le raisin chanter sur ma langue.

— Je m'étonnais, aussi, de ce tintamarre. Dites au raisin de la fermer, j'ai la tête près d'éclater. C'était ma sœur. Voilà ce que le si loyal, ho ho, lord Janos refusait de révéler. C'est *Cersei* qui a dépêché les manteaux d'or à ce foutu bordel.»

Varys pouffa nerveusement. Il n'avait donc rien ignoré.

«Vous m'aviez caché ce détail, accusa Tyrion.

— Votre propre sœur bien-aimée…, plaida Varys d'un ton si chagrin qu'il semblait presque au bord des larmes. Un coup pénible à porter, messire. Je redoutais votre réaction. Ne pouvez-vous me pardonner?

— Non! jappa Tyrion. Maudit soyez-vous. Maudite soit-*elle*.» Il ne pouvait toucher à Cersei, il le savait. Pas encore. Dût-il même en crever d'envie, ce qui n'était rien moins que sûr. Mais en être réduit à ces pantalonnades de justice l'ulcérait. À quoi rimait de châtier ces sous-fifres de Janos Slynt et Deem, pendant que sa sœur poursuivait allégrement sa carrière de férocité? «À l'avenir, vous me direz ce que vous savez, lord Varys. *Tout* ce que vous savez.»

Le sourire de l'eunuque puait son matois. «Cela prendrait pas mal de temps, cher seigneur. J'en sais un bout.

— Pas assez, semble-t-il, pour sauver la gosse.

— Hélas, non. Il y avait un autre bâtard, un garçon, plus vieux. Je me suis débrouillé pour le sortir de ce guêpier… mais, je l'avoue, sans songer que le bébé courait le moindre risque. Une fille de rien, moins d'un an, et née d'une putain…, quelle menace pouvait-elle représenter?

— Elle était de Robert, répliqua aigrement Tyrion. Cela suffisait, apparemment, pour Cersei.

— Oui. Désolant. Je ne saurais assez me reprocher la mort de ce pauvre petit bébé et de sa mère, qui était si jeune et qui adorait le roi.

— Vraiment?» Sans avoir jamais vu la victime, Tyrion prêtait les traits tout à la fois de Shae et de Tysha. «Est-ce qu'une putain peut aimer véritablement? Non, ne répondez pas. Il est des choses que je préfère ignorer.» Il avait installé Shae dans une vaste maison de pierre et de bois qui possédait son propre puits, un jardin et une écurie, lui avait donné des servantes pour veiller à ses moindres désirs, un oiseau blanc des îles d'Été comme compagnie, de la soie, des gemmes, de l'argent pour sa parure, des gardes pour la protéger, mais elle n'en boudait pas moins. Elle le voulait davantage à elle, disait-elle, elle voulait le servir et l'aider. «M'aider? mais c'est ici que tu m'aides le plus, entre nos draps», lui dit-il un soir que, la tête nichée dans ses seins, l'aine endolorie délicieusement, il se lovait contre elle, après leurs ébats. Elle demeura muette, mais ses yeux disaient clairement qu'elle aurait préféré un autre discours.

Avec un soupir, il tendit la main vers le vin, mais le souvenir de lord Janos lui fit repousser le flacon. «Pour ce qui est de la mort de Stark, il semblerait que ma sœur dise la vérité. C'est à mon neveu qu'il faut rendre grâces de cette aberration.

— Si le roi Joffrey a bien donné l'ordre, Janos Slynt et ser Ilyn Payne n'ont pas hésité une seconde à l'exécuter, et si promptement...

— ... qu'on dirait presque qu'ils s'y attendaient. Oui, nous avons déjà épuisé ce sujet, vainement. D'une bêtise.

— Maintenant que vous avez le Guet bien en main, messire, n'êtes-vous pas en mesure d'empêcher Sa Majesté de commettre d'autres... bêtises? Certes, il faut encore tenir compte de la garde personnelle de la reine...

— Les manteaux rouges?» Tyrion haussa les épaules. «C'est à Castral Roc que s'adresse la loyauté de Vylar. Il sait que je tiens mon autorité de mon père. Cersei aurait du mal à utiliser ses hommes contre moi... En outre, ils ne sont qu'une centaine, et j'en ai moitié plus à moi. *Plus* six mille manteaux d'or, si Prédeaux est bien l'homme que vous prétendez.

— Vous le trouverez courageux, docile, homme d'honneur... et des plus reconnaissant.

— Envers qui, là est la question.» Sans contester ses qualités ni l'étendue de ses informations, il se défiait de Varys. «Pourquoi vous *montrez*-vous si serviable messire Varys?» s'enquit-il tout en détaillant les mains onctueuses, la face glabre et poudrée, le petit sourire visqueux de son vis-à-vis.

«Vous êtes la Main. Je sers le royaume, le roi – et vous.

— Comme vous avez servi Jon Arryn et Ned Stark?

— J'ai servi de mon mieux lord Arryn et lord Stark. Leurs morts on ne peut plus prématurées m'ont affligé et horrifié.

— Imaginez ce que j'éprouve, *moi* que tout désigne à être le prochain.

— Oh, je crois que non, riposta Varys en chambrant posément son vin. Curieuse chose que le pouvoir, messire. Auriez-vous réfléchi, par hasard, à l'énigme que je vous ai soumise à l'auberge, l'autre jour ?

— Elle m'a traversé l'esprit une ou deux fois, reconnut Tyrion. Le roi, le prêtre, le richard – qui survit ? qui succombe ? à qui obéira le reître ? C'est une énigme insoluble, il y a trop de solutions, plutôt. Tout dépend de l'homme qui manie l'épée.

— Et pourtant, il n'est rien. Il ne peut se prévaloir ni de sa couronne ni de la faveur des dieux ni de son or – juste d'un petit bout d'acier pointu.

— Ce petit bout d'acier incarne le pouvoir de vie et de mort.

— Précisément…, mais si ce sont vraiment les gens d'épée qui nous gouvernent, à quoi bon prétendre, nous, que nos rois détiennent le pouvoir ? Pourquoi un homme vigoureux et muni d'une épée devrait-il *toujours* obéir à un gamin de roi comme Joffrey ou à un godiche ivrogne comme était son père ?

— Parce que ces godiche ivrogne ou gamin de rois peuvent leur opposer d'autres hommes vigoureux munis d'autres épées.

— Dans ce cas, ces autres-là possèdent le vrai pouvoir. Oui ou non ? De qui tiennent-ils leurs épées ? pourquoi obéissent-*ils* ? » Il se mit à sourire. « D'aucuns disent que connaissance et pouvoir font un. D'autres que tout pouvoir dérive des dieux. D'autres de la loi. Et pourtant, ce jour-là, sur le parvis du septuaire de Baelor, la piété de notre Grand Septon, la légalité de la reine régente et l'omniscience de votre serviteur se révélèrent aussi impuissantes que la nullité du dernier savetier, du dernier tonnelier de la foule. Qui a véritablement tué Eddard Stark, selon vous? Joffrey, qui donna l'ordre? Ser Ilyn Payne, qui abattit l'épée? Ou bien… quelqu'un d'autre?»

Tyrion pencha la tête de côté. «Quel but vous proposez-vous? De me résoudre votre chiennerie d'énigme, ou seulement d'aggraver ma migraine?»

Varys sourit. «Brisons là, alors. Le pouvoir réside là où les gens se le *figurent*. Ni plus ni moins.

— Il ne serait donc qu'une blague d'illusionniste?

— Une ombre sur le mur, chuchota Varys, mais les ombres peuvent tuer. Et un tout petit homme projette souvent une ombre démesurée.»

Tyrion sourit. «Je suis en train de me prendre d'une étrange affection pour vous, lord Varys. Je puis encore vous tuer, mais cela, je pense, me contristerait.

— Je le prends comme un grand éloge.

— Qu'êtes-vous, Varys?» Tyrion se surprit à vraiment désirer le savoir. «Une araignée, dit-on.

— On n'aime guère les espions ni les mouchards, messire. Je ne suis qu'un loyal serviteur du royaume.

— Et un eunuque. Ne l'oublions pas.

— Il est rare que je l'oublie.

— Les gens ont beau me qualifier moi-même de demi-homme, je pense néanmoins que les dieux m'ont plutôt mieux traité. Je suis petit, j'ai les jambes torses, les femmes ne jettent pas sur moi de regards bien ardents…, mais je demeure un homme. Shae n'est pas la première à honorer ma couche et, un jour, je puis prendre femme et engendrer un fils. Lequel aura, si les dieux se montrent bienveillants, l'aspect de son oncle et la cervelle de son papa. Vous n'avez pas d'espoir semblable pour vous soutenir. Les nains sont une farce des dieux…, mais ce sont les hommes qui font les eunuques. Qui vous a coupé, Varys? Quand et pourquoi? Qui *êtes*-vous, à la vérité?»

Pas un instant le sourire de l'eunuque n'avait vacillé, mais ce qui luisait dans ses yeux n'était pas rieur. «Je vous sais gré de vous en enquérir, messire, mais c'est une longue et triste histoire, et il nous faut parler de trahisons.» Il tira un parchemin de sa manche. «Le commandant de la galère royale *Cerf blanc* projette de lever l'ancre d'ici trois jours pour aller offrir son navire et son bras à lord Stannis.»

Tyrion soupira. «Je présume qu'un exemple sanglant s'impose?

— Ser Jacelyn pourrait lui faciliter l'évasion, mais un procès devant le roi ne serait pas de trop pour raffermir la fidélité de ses pairs.»

Et pour tirer d'oisiveté, par la même occasion, mon royal neveu. «Soit. Qu'il tâte un brin de la justice de Joffrey.»

Varys fit une marque sur le document. «Ser Horas et ser Hobber Redwyne ont soudoyé un garde pour déguerpir par une porte dérobée, la nuit d'après-demain. Grâce à des complices, ils sont censés appareiller, déguisés en rameurs, sur la galère de Pentos *Coureur de lune*.

— Ne saurions-nous les maintenir au banc de nage quelques années, voir s'ils apprécient? sourit-il. Non…, ma sœur serait consternée de perdre des hôtes aussi distingués. Informer ser Jacelyn. Se saisir de l'homme qu'ils ont soudoyé et lui expliquer quel insigne honneur c'est que de servir dans la Garde de Nuit. Cerner ce *Coureur de lune*, au cas où les Redwyne découvriraient un autre garde impécunieux.

— Bien.» Nouvelle marque sur le document. «Hier soir, votre Timett a tué le fils d'un marchand de vin, rue de l'Argent, dans un tripot. Il l'accuse d'avoir triché.

— Et qu'en était-il?

— Oh, pas l'ombre d'un doute.

— Alors, les honnêtes gens de la cité doivent en savoir gré à Timett. Je veillerai à ce que le roi l'en remercie expressément. »

Petit rire nerveux, nouvelle marque. « Nous déplorons encore une soudaine épidémie de saints. Il semblerait que la comète ait fait pousser toutes sortes de prêtres divagants, de prêcheurs, de prophètes. Ils mendigotent dans les tavernes et prédisent ruine et catastrophe à qui veut les entendre. »

Tyrion haussa les épaules. « Vu que nous approchons du trois centième anniversaire du débarquement d'Aegon, rien de bien surprenant dans ce phénomène, à mon sens. Laissez-les s'époumoner.

— Ils répandent la peur, messire.

— N'est-ce pas votre spécialité ? »

De la main, Varys se couvrit la bouche. « Vous êtes féroce… ! Une dernière chose. Lady Tanda donnait un petit souper, la nuit dernière. Je tiens le menu et la liste des convives à votre disposition. Lorsque, au moment des toasts, lord Gyles se leva pour en porter un au roi, ser Balon Swann fit distinctement observer : "*Nous faudra trois coupes*", et nombreux furent les rieurs… »

Tyrion l'interrompit d'un geste. « Assez. Ser Balon s'est offert un bon mot. Les propos de table séditieux ne m'intéressent pas, lord Varys.

— Vous êtes aussi sage que noble, messire. » Le parchemin s'évanouit dans sa manche. « Nous avons tous deux fort à faire. Je vous laisse. »

Après le départ de l'eunuque, Tyrion s'attarda longuement, les yeux fixés sur la chandelle, à se demander comment sa sœur prendrait le renvoi de Slynt. Pas de gaieté de cœur, s'il ne s'abusait, mais sans pouvoir faire pis que d'adresser des protestations furibondes à lord Tywin. À présent qu'en plus de ses cent cinquante sauvages et du nombre croissant de reîtres que recrutait Bronn il disposait du Guet, n'était-il pas bien protégé?

Eddard Stark devait le croire, lui aussi.

Le Donjon Rouge était plongé dans l'ombre et le silence quand Tyrion quitta la Petite Galerie. Bronn l'attendait dans la loggia. « Slynt? demanda-t-il.

— Appareillera pour le Mur à la marée. Varys s'attendait à me voir remplacer l'un des hommes de Joffrey par l'un des miens. J'ai simplement, selon toute vraisemblance, remplacé un homme de Littlefinger par une créature de l'eunuque, mais tant pis.

— Autant que vous le sachiez, Timett a zigouillé…

— Varys me l'a dit. »

Le reître ne manifesta aucune surprise. « Le couillon s'imaginait qu'un borgne serait plus facile à duper. D'un coup de poignard, Timett lui a cloué le poignet sur la table et l'a égorgé à mains nues. Avec ce truc qu'il a de se raidir les doigts…

— Épargne-moi les détails scabreux, coupa Tyrion, mon souper me reste en travers. Comment marche le recrutement?

— Pas mal. Trois de plus cette nuit.

— Comment sais-tu qui engager?

— Je les examine. Je les interroge pour savoir où ils se sont battus et s'ils mentent bien. » Il sourit. « Et puis je leur procure une occasion de me tuer – tout en m'accordant la réciprocité.

— Et tu en as tué?

— Aucun qui pouvait nous servir.

— Et si l'un d'eux te tue?

— Ne manquez pas de l'engager. »

Tyrion se sentait gris et vanné. « Dis-moi, Bronn. Si je t'ordonnais de tuer un bébé…, une petite fille, en fait, encore au sein…, le ferais-tu? Sans poser de question?

— Sans poser de question? Non.» Il se frotta l'index contre le pouce. «Je demanderais combien.»

Et que voudriez-vous que j'en foute, lord Slynt, de votre Deem? songea Tyrion. *J'en ai cent à moi.* Il avait envie de rire, il avait envie de pleurer. Et, par-dessus tout, il avait envie de Shae.

ARYA

La voie se réduisait quasiment à deux ornières dans les herbes folles.

L'avantage en était qu'avec si peu de passage il ne se trouverait personne pour pointer le doigt dans la direction qu'ils auraient suivie. Au lieu de la marée humaine qui déferlait sur la grand-route, à peine un ruisselet, ici.

Mais elle avait pour inconvénient de sinuer tel un serpent, tantôt vers l'arrière, tantôt vers l'avant, de s'enchevêtrer avec des sentes plus étroites encore et de sembler parfois s'évaporer, pour ne reparaître qu'une demi-lieue plus loin, quand on désespérait de la retrouver. Arya la détestait. Bien que le paysage fût assez plaisant, tout en collines onduleuses et en terrasses cultivées parsemées de prairies et de bois, coupées de vallons foisonnants de saules inclinés sur de lents filets d'eau, ce maudit chemin tortillait tellement son exiguïté qu'on n'avançait plus – on rampait !

C'était les fourgons qui les ralentissaient en se traînant, craquant de tous leurs essieux sous le faix de leurs cargaisons. Dix fois par jour, il fallait s'arrêter pour dégager une roue coincée dans un trou, ou bien doubler les attelages pour escalader quelque versant bourbeux. Une fois, on s'était trouvé nez à nez, au beau milieu d'un bosquet de chênes, avec trois hommes qui tiraient avec leur bœuf une charrette chargée de bûches, et pas moyen, de part ni d'autre, de s'écarter. Rien d'autre à faire que d'attendre, pendant que les forestiers dételaient leur bête, l'emmenaient sous le couvert, tournaient le véhicule, y attelaient à nouveau le bœuf et repartaient sur leurs propres traces, et à une allure encore plus *lente* que les fourgons! Si bien qu'on n'avait, ce jour-là, pour ainsi dire pas bougé.

Et elle ne pouvait s'empêcher de regarder par-dessus son épaule si les manteaux d'or ne surgissaient pas pour s'emparer d'eux. La nuit, le moindre bruit la réveillait, les doigts crispés sur la poignée d'Aiguille. Car des sentinelles avaient beau désormais toujours monter la garde autour du camp, elle s'en défiait, des orphelins surtout. Ils auraient pu être assez efficaces dans les venelles de Port-Réal mais là, en pleine nature, ils étaient complètement perdus. Pour peu qu'elle se rendît aussi silencieuse qu'une ombre, ce lui était un jeu que de se faufiler entre eux à la lumière des étoiles et que d'aller en catimini faire ses besoins dans les bois. Une fois, même, que Lommy Mains-vertes se trouvait de faction, elle grimpa se percher dans un chêne et, passant d'arbre en arbre, parvint, sans qu'il s'avisât de rien, juste au-dessus de sa tête. Elle lui aurait volontiers sauté dessus, mais elle ne tenait pas plus à ce qu'il éveille tout le monde par ses cris qu'à se faire à nouveau bastonner par Yoren.

Le fait que la reine voulût sa tête valait à Taureau, de la part de Lommy et de ses semblables, une espèce d'égards, en dépit de ses dénégations. « J'ai jamais rien fait à aucune reine, grondait-il, rageur, je faisais rien d'autre que mon boulot. Soufflets, pincettes, va chercher, rapporte. Je devais être armurier, puis v'là que maître Mott me dit : "Tu pars à la Garde de Nuit", et je sais rien d'plus. » Et il repartait à polir son heaume. Un heaume magnifique, les courbes, la rondeur, la découpe de la visière et les grandes cornes, tout. Arya se plaisait à le regarder polir le métal avec un chiffon huilé, le rendre si brillant que les flammes du feu venaient s'y mirer. Il ne le coiffait jamais, cependant.

« Parierais que c''t un bâtard de c'traître, souffla tout bas Mains-vertes, un soir, de peur que Gendry n'entendît. Le seigneur au loup, çui qu'y-z-ont tranché su' les marches à Baelor.

— Sûrement pas », déclara-t-elle. *Père n'avait qu'un bâtard, Jon.* Et elle s'en fut sous les arbres, navrée de ne pouvoir tout bonnement seller sa monture et rentrer chez elle. Juste marquée d'une liste blanche au chanfrein, sa jument bai brun ne manquait pas d'ardeur et, bonne cavalière comme elle était, il lui serait enfantin de filer au triple galop et d'être une fois pour toutes, si elle voulait, débarrassée de ses compagnons. Seulement, elle se retrouverait alors sans personne pour éclairer sa marche, surveiller ses arrières, monter la garde durant son sommeil, et toute seule contre les manteaux d'or. Sa sécurité l'obligeait à subir Yoren et les autres.

« 'n approch' d' l'Œildieu, dit le frère noir un matin. La route royale s'ra dangereuse jusque c'qu'on a traversé l'Trident. Va donc contourner l' lac par sa rive ouest. Peu d'apparence qu'y nous cherchent de c'côté-là. » Et l'on prit vers l'ouest au confluent de deux ruisseaux.

Aux champs cultivés succéda dès lors la forêt, villages et forts s'amenuisèrent en se clairsemant, les collines se firent monts, les vallons combes, et se procurer des vivres devint plus ardu. De la masse des provisions emportées de Port-Réal – poisson salé, pain de munition, saindoux, navets, sacs de haricots, d'orge, formes de fromage jaune – ne subsistait plus une bouchée. Contraint de vivre sur le pays, Yoren eut recours à Koss et Kurz, qui s'étaient naguère fait prendre à braconner. Il les expédiait en avant courir les bois, et on les voyait revenir, à la brune, avec un daim embroché sur une perche, quand des brassées de cailles ne leur ballottaient à la ceinture. Aux benjamins revenait la tâche de cueillir des baies, chemin faisant, ou de sauter les haies pour faucher des pommes quand, d'aventure, se présentait quelque verger.

Grimpeuse alerte et prompte piqueuse, Arya se plaisait à partir en chasse de son côté. Un jour, elle tomba, par le plus grand des hasards, sur un lapin brun, dodu, paré de longues oreilles et d'un museau fébrile. Mais comme les lapins, s'ils courent plus vite, montent aux arbres moins bien que les chats, elle l'assomma d'un bon coup de latte, et Yoren n'eut plus qu'à le cuisiner avec des champignons et des oignons sauvages. Gratifiée d'une cuisse entière, puisque c'était *son* lapin, elle la partagea avec Gendry. Aux autres, enchaînés inclus, revint l'équivalent d'une cuillerée. Jaqen H'ghar la remercia poliment – un régal ! –, Mordeur se pourlécha les doigts, crasse et jus mêlés, d'un air béat, mais Rorge, le sans-nez, ricana : « V'là qu'on a un chasseur, main'nant. Face-à-cloques Tête-à-cloques Tue-connil. »

Aux abords d'un fort nommé Blanchépine, des paysans les cernèrent dans un champ de maïs pour leur réclamer le prix des quenouilles qu'ils venaient tout juste de ramasser. Alarmé par leurs faux, Yoren préféra leur jeter quelques sols. « Fut un temps où s'ffisait d' porter l' noir pour êt' fêté d' Dorne à Winterfell, et qu' mêm' les grands seigneurs s' faisaient honneur d' l'accueillir s' leur toit, dit-il amèrement. Et main'nant, 'vec des couards com' vous, faut payer, s'y mord dans un ver d' pom'. » Il cracha.

« C' du maïs doux, trop bon pour un vieux puant d'oiseau noir com' toi, riposta rudement l'un d'eux. Tu t' tires d' not' champ, main'nant, 'vec c'te band' de canailles à toi, ou on t'y plant' pour chasser l's aut' corbeaux. »

La nuit venue, ils firent griller le maïs en le retournant avec de longs bâtons fourchus et le dégustèrent brûlant. Arya s'en délecta, mais la colère empêcha Yoren de dîner. Un nuage aussi noir et dépenaillé que son manteau semblait en suspens sur sa tête pendant qu'il parcourait le camp sans trêve ni cesse en maugréant.

Le lendemain, Koss revint au galop avertir Yoren qu'il avait repéré un campement. « Vingt ou trente hommes, maille et morions, dit-il. Certains vilainement blessés, un qui agonise, d'après le bruit. Le tapage qu'il fait m'a permis d'approcher. Ils ont des pertuisanes et des boucliers, mais un seul cheval, et boiteux. À l'odeur, fait pas mal de temps qu'ils sont là.

— Vu une bannière ?

— Ocelot jaune et noir, sur champ d'ocre. »

Yoren se fourra dans la bouche une feuille de surelle et se mit à mâcher. « N' saurais trop dire, avoua-t-il. 't êt' un bord, 't êt' l'aut'. S'y sont si mal en point, voudront nos montures, sans s'inquiéter de qui qu'on est. Et 't-êt' plus qu' ça. Faut passer au large. » Cela les détourna de plusieurs milles et leur fit perdre au moins deux jours, mais le vieux trouva que c'était bon marché. « Pass'rez bien assez d' temps su' l' Mur. L' reste d' vot' vie, probab'. Pas b'soin qu'on s' dépêche d'arriver, j'dis. »

On repartit en direction du nord. De plus en plus d'hommes gardaient les champs. D'ordinaire, ils se tenaient au bord de la route et, sans un mot, scrutaient froidement quiconque passait. De-ci de-là, ils patrouillaient à cheval, le long des clôtures, la hache à l'arçon. Ailleurs, un homme était juché, l'arc au poing et son carquois suspendu à portée, dans un arbre mort ; dès qu'il aperçut le convoi, il encocha une flèche sur la corde et ne le lâcha des yeux que son dernier fourgon n'eût disparu au loin. Yoren écumait. « Çui-là dans son arbre, savoir s'y jouira quand y viendront l' dénicher, les Aut' ! Y t' l'appell'ra, la Garde, là, pou' l' coup, ça ! »

Un jour plus tard, Dobber discerna une lueur rouge dans le crépuscule. « Ou c'te route a 'core tourné, ou v'là que l' soleil y s' couche au nord. »

Yoren monta sur une éminence afin d'y mieux voir. « Feu », dit-il. Il suça son pouce, le dressa. « L' vent d'vrait l'éloigner d' nous. M' tant fair' gaffe. »

Et gaffe ils firent. Au fur et à mesure que le monde s'enténébrait, le feu devenait de plus en plus brillant, et le nord, bientôt, parut embrasé tout entier. De temps à autre leur parvenait l'odeur de la fumée, bien que le vent demeurât stable et interdît toujours aux flammes de se rapprocher. Aux abords de l'aube, l'incendie s'était de fait consumé de lui-même, mais personne n'avait pour autant sérieusement dormi.

C'est sur le coup de midi qu'ils parvinrent à l'emplacement du village. Les champs alentour n'étaient, sur des milles et des milles, que désert calciné, les maisons que coques noircies. Des carcasses d'animaux massacrés, brûlés, jonchaient les décombres sous des couvertures de charognards qui, dérangés, s'envolèrent avec des cris furieux. Du fortin s'élevait encore de la fumée. Son enceinte de bois semblait redoutable, de loin, mais elle s'était révélée insuffisante.

Précédant les fourgons, Arya distingua des corps calcinés qu'on avait empalés sur des pieux, tout en haut des murs, et dont les mains brandies semblaient encore vouloir protéger leurs visages contre le brasier. Quelques pas plus loin, Yoren ordonna de faire halte et, confiant aux garçons la garde des fourgons, se rendit à pied dans les ruines avec Murch et Cutjack. Une nuée de corbeaux s'en éleva lorsqu'ils franchirent ce qui restait de la porte, et, de leurs cages, les oiseaux du convoi jetèrent des *croâ* rauques et des appels criards.

«Si nous y allions aussi? proposa Arya à Gendry comme les trois autres tardaient à revenir.

— Yoren a dit d'attendre.» Sa voix sonnait creux. Elle se retourna vers lui et vit qu'il portait son heaume étincelant d'acier aux grandes cornes en lyre.

Lorsqu'ils reparurent enfin, Yoren portait une fillette dans ses bras, et les deux autres charriaient une femme dans une vieille couverture déchirée. La petite, qui avait tout au plus deux ans, piaillait sans arrêt, mais de manière inarticulée, comme si quelque chose l'étranglait. Soit qu'elle ne parlât pas encore ou l'eût oublié. Le bras droit de la femme s'achevait, à hauteur du coude, en moignon sanglant, et ses yeux semblaient ne rien voir, lors même qu'ils se fixaient sur un objet. Elle parlait, elle, mais ne disait qu'une seule chose. «Pitié, criait-elle inlassablement, pitié, pitié, pitié.» Un refrain que Rorge trouva si drôle qu'il se mit à pouffer par son trou de nez, bientôt imité par Mordeur, jusqu'à ce que Murch les injurie et leur gueule de la fermer.

Yoren commanda d'installer la femme à l'arrière d'un fourgon. «Maniez-vous, dit-il. La nuit v'nue, y aura des loups, dans l' coin, et pire.

— J'ai peur, chuchota Tourte en voyant comme la manchote se débattait.

— Moi aussi», confessa Arya.

Il lui pressa l'épaule. «J'ai jamais battu aucun gars à mort, Arry. J' vendais juste les tourtes à Maman, c' tout.»

Elle chevauchait le plus loin qu'elle osait en tête pour s'épargner les cris de la petite et la rengaine de la femme, «Pitié, pitié». Une histoire jadis contée par Vieille Nan lui revint en mémoire, celle d'un homme emprisonné par de méchants géants dans un château sinistre. Très brave et très malin, il finit par tromper ses geôliers et par s'évader…, mais à peine a-t-il recouvré la liberté que les Autres s'emparent de lui et boivent tout chaud son sang rouge. Elle comprenait maintenant ce qu'il avait dû éprouver.

La femme mourut à l'aube. Gendry et Cutjack lui creusèrent une fosse à mi-coteau, sous un saule pleureur. Et Arya, quand le vent se leva, se dit que la malheureuse entendait les longues branches murmurer: «Pitié, pitié, pitié.» Les petits cheveux de sa nuque se hérissèrent, et c'est presque en courant qu'elle s'éloigna de la tombe.

«Pas de feu, ce soir», ordonna Yoren. Et l'on dîna d'une poignée de radis sauvages découverts par Koss, d'un gobelet de haricots secs, et de l'eau d'un ruisseau voisin qui avait un goût bizarre – celui, prétendit Lommy, des cadavres en décomposition quelque part vers l'amont. Sans Reysen qui les sépara, Tourte l'assommait.

À seule fin de s'emplir le ventre avec quelque chose, Arya en but néanmoins plus que de raison. Persuadée qu'elle ne pourrait fermer l'œil, elle s'endormit tout de même mais, à son réveil, ténèbres de poix, sa vessie pleine à éclater. Tout autour d'elle, des dormeurs, pelotonnés dans leurs couvertures et leurs manteaux. Elle prit Aiguille, se leva et tendit l'oreille. Elle perçut les pas feutrés d'une sentinelle, le changement de position de quelque insomniaque ou quelque agité, le ronflement hideux du sans-nez Rorge et l'étrange sifflement qu'émettait Mordeur jusque dans son sommeil. D'un autre fourgon provenait le crissement régulier de l'acier sur la pierre: Yoren était là, mâchant de la surelle tout en affilant son poignard.

Tourte était de garde. «Où tu vas?» demanda-t-il en la voyant s'éloigner vers les arbres.

Elle indiqua les bois d'un geste vague.

«Pas question», dit-il. Sa hardiesse lui était revenue, maintenant qu'il portait une épée à la ceinture, encore que celle-ci fût fort courte et qu'il la tînt comme un rouleau à pâtisserie.

« Besoin de pisser, expliqua-t-elle.

— Eh ben, prends l'arbre, là…, dit-il, joignant le geste à la parole. Tu sais pas c' qu'y a dans ces fourrés, Arry. J'ai entendu des loups, t't à l'heure. »

Se battre avec lui ? Yoren serait mécontent. Elle prit un air effrayé. « Des loups ? Vraiment ?

— L's ai entendus, assura-t-il.

— Je crois que je n'ai pas besoin d'y aller, après tout. » Elle retourna vers son couchage et fit semblant de dormir jusqu'à ce qu'elle l'eût entendu s'éloigner. Alors, roulant sur elle-même, elle se glissa, silencieuse comme une ombre, vers les bois de l'autre côté du camp. Il y avait aussi des sentinelles par là, mais les éviter lui serait facile. Par pure mesure de précaution, elle alla simplement deux fois plus loin qu'à l'ordinaire et, une fois certaine que personne ne la verrait, délaça ses chausses et s'accroupit pour se soulager.

Elle était en train, chevilles entravées, quand un bruissement se fit entendre dans le sous-bois. *Tourte*, s'affola-t-elle, *il m'a suivie*. Et puis elle vit les yeux qui brillaient dans l'ombre, moirés par le clair de lune. Les tripes nouées, elle empoigna Aiguille et sans se soucier de se pisser dessus, compta : deux, quatre, huit, douze – toute une meute…

L'un des loups sortit du couvert à pas feutrés, la regarda, dénuda ses crocs, tandis qu'elle, atterrée de sa stupidité, n'entendait rien d'autre dans sa cervelle que les quolibets de Tourte lorsque, au matin, on la retrouverait à demi dévorée. Mais le loup se détourna, l'ombre l'engloutit et, déjà, les yeux avaient disparu. D'une main tremblante, elle se torcha, relaça et, au plus vite, guidée par l'imperturbable crissement, rallia le camp – et Yoren. Encore sous le choc, elle monta près de lui dans le fourgon. «Des loups, chuchota-t-elle d'une voix enrouée. Dans les bois.

— Ouais. Y en a.» Il ne leva même pas les yeux.

«Ils m'ont fichu une de ces trouilles…

— Ah bon?» Il cracha. «T' croyais d' n'espèce qu'a du goût pour.

— Nymeria était un loup-garou.» Elle s'étreignit dans ses propres bras. «Ce n'est pas pareil. Puis elle est partie. Jory et moi lui avons lancé des cailloux jusqu'à ce qu'elle se sauve, sans quoi la reine l'aurait tuée.» En parler renouvelait son chagrin. «Je parie que si elle s'était trouvée à Port-Réal, elle n'aurait pas laissé décapiter Père.

— Les orphelins n'ont pas de père, répliqua Yoren, l'as oublié?» Il crachait rouge, à cause de la surelle, et on aurait dit que sa bouche saignait. «Les seuls loups qu'on aye à r'douter portent un' peau d'homme, comm' ceux qu'ont détruit c' village.

— Je voudrais être à la maison», dit-elle d'un ton pitoyable. Si fort qu'elle s'efforçât de se montrer brave, de se montrer intrépide comme une louve et tout et tout, il y avait des moments où elle se sentait ce qu'elle était, après tout, juste une petite fille.

Le frère noir préleva une nouvelle feuille de surelle dans le ballot du fourgon et se la fourra dans la bouche. «'t-êt' mieux fait d' t' laisser où j' t'ai trouvé, mon gars. Tel que. 'tait moins risqué, j' crains.

— M'est égal. Je veux rentrer à la maison.

— Près d' trente ans que j' mène des types au Mur.» Une mousse rouge lui crevait aux lèvres, telles des bulles de sang. «Perdu qu' trois, d' tout c' temps. Un vieux mort d' fièvre, un p'tit voyou mordu p'r un serpent 'dant qu'y chiait, et un fou qu'a v'lu m' tuer 'dant que j' dormais et qu'a écopé d'un sourir' roug' p' sa pein'.» En guise de démonstration, il se passa le poignard sur la gorge. «Trois

178

en trente ans. » Il cracha sa vieille chique. « Mieux valu un bateau, d' fait. Pas risqué d' croiser tant d' monde en ch'min, quoique…, m' un malin prenait l' bateau, moi…, trente ans que j' prends la route. » Il rengaina son poignard. « Va dormir, mon gars. T'entends ? »

Elle essaya. Mais, sitôt couchée sous sa mince couverture, elle entendit le hurlement des loups… et un autre bruit, beaucoup plus faible, à peine plus qu'un murmure porté par la brise, et qu'on aurait pu prendre pour des cris.

DAVOS

La fumée des dieux en flammes assombrissait l'air du matin.

Ils flambaient tous, à présent, la Jouvencelle comme la Mère et le Guerrier, le Ferrant, l'Aïeule avec ses yeux de perles, et le Père avec sa barbe d'or, et l'Étranger lui-même, aux traits plus bestiaux qu'humains. Le vieux bois sec et ses innombrables couches de peinture et de vernis brûlaient d'un éclat féroce et vorace. La chaleur du brasier s'élevait en faisant frissonner la fraîcheur de l'aube et, derrière, les gargouilles et les dragons du château devenaient aussi flous que si Davos les voyait à travers un rideau de pleurs. *Ou comme s'ils tremblaient, s'agitaient…*

« Quelle ignominie ! » grogna Blurd, assez sensé du moins pour parler tout bas. Dale acquiesça d'un grommellement.

« Silence, intima Davos. N'oubliez pas où vous vous trouvez. » Ses fils étaient des gars solides, mais la jeunesse les rendait acerbes, Blurd surtout. *Si j'étais resté contrebandier, Blurd finissait au Mur. Stannis lui a épargné cette fin…, encore une dette que j'ai vis-à-vis de lui…*

Des centaines de témoins se pressaient aux portes de la forteresse pour voir le bûcher des Sept. Il dégageait une vilaine odeur. Les soldats eux-mêmes ne contemplaient pas sans malaise un tel sacrilège envers des dieux qu'ils avaient pour la plupart révérés leur vie durant.

La femme rouge en fit le tour à trois reprises, priant une fois dans la langue d'Asshai, une autre en haut valyrien, la dernière en vernaculaire. Davos ne comprit que celui-ci. « Visite-nous dans nos ténèbres, R'hllor, conjura-t-elle. Ô Maître de la Lumière, nous t'offrons ces faux dieux, ces sept qui sont un, l'ennemi. Daigne les prendre et répandre sur nous ta clarté, car la nuit est sombre et pleine de terreurs. » La reine Selyse lui faisait écho. À ses côtés, Stannis regardait, impassible, mâchoire de pierre sous l'ombre bleu-noir de sa barbe rasée de près. Il s'était vêtu plus richement que de coutume, comme s'il se fût agi d'une cérémonie au septuaire.

C'est au septuaire de Peyredragon qu'Aegon le Conquérant s'était abîmé en prières, à deux genoux, la nuit précédant son appareillage. Les hommes de la reine ne l'avaient pas épargné pour autant, renversant ses autels, abattant ses statues, fracassant ses verrières à la masse de guerre. Mais si septon Barre en était réduit à maudire les profanateurs, ser Hubard Rambton vint, lui, défendre ses dieux avec ses trois fils. Après avoir tué quatre des sbires, ils avaient succombé sous le nombre. Du coup, Guncer Solverre, le plus affable et dévot des lords, informa Stannis qu'il lui devenait impossible de le soutenir. Aussi croupissait-il à présent dans la même cellule étouffante que le septon et les deux fils survivants de Rambton, leçon que les autres seigneurs s'étaient empressés de comprendre.

Les dieux n'avaient jamais signifié grand-chose pour Davos le contrebandier, dût-on l'avoir vu déposer, comme la plupart des gens, des offrandes au Guerrier, la veille d'une bataille, au Ferrant lors du lancement d'un bateau, à la Mère chaque fois que sa femme se trouvait grosse, mais les voir brûler le rendait malade, et la fumée n'était pas seule responsable de ses nausées.

Mestre Cressen aurait arrêté cela. Pour avoir été défié, le Maître de la Lumière avait châtié le vieillard impie, caquetaient les commères. Davos savait ce qu'il en était. Il avait vu le mestre verser quelque chose dans la coupe, à la dérobée. *Du poison. Quoi d'autre, sinon ? Il a bu le vin de mort afin de délivrer Stannis de Mélisandre, mais son dieu à elle l'a protégée, d'une manière ou d'une autre.* Il aurait volontiers tué la femme rouge en expiation, mais comment se flatter de réussir où avait échoué un mestre de la Citadelle ? Si haut qu'il se fût élevé, il n'était rien de plus qu'un contrebandier, Davos de Culpucier, chevalier Oignon.

Le bûcher des dieux donnait une jolie lumière, drapés qu'ils étaient dans des robes dansantes de flammes écarlates, jaunes, orangées. À en croire septon Barre, on les avait sculptés à même les mâts des navires à bord desquels étaient venus de Valyria les premiers Targaryens puis, au cours des siècles, peints et repeints, dorés, argentés, sertis de joyaux. «Leur beauté les rendra d'autant plus agréables à R'hllor», avait dit Mélisandre à Stannis en le conviant à les jeter bas et à les traîner devant les portes du château.

Les bras ouverts comme pour l'embrasser, la Jouvencelle gisait en travers du Guerrier. La Mère sembla frémir lorsque les flammes vinrent lui lécher la face. On lui avait fiché dans le cœur une rapière dont la poignée de cuir vivait de menues flammèches. Premier tombé, le Père vacillait sur son postérieur. Davos regarda la main de l'Étranger se tordre et se crisper tandis que ses doigts noircis tombaient un à un, dérisoires braises charbonneuses. Secoué de quintes de toux, non loin, lord Celtigar enfouissait ses rides dans un carré de tissu brodé de crabes incarnats. Tout à la joie de la chaleur, les gens de Myr échangeaient des blagues, mais le jeune lord Bar Emmon avait viré au gris verdâtre, et lord Velaryon observait moins attentivement le brasier que le roi.

Davos aurait donné gros pour connaître les pensées de cet homme, mais jamais le sire des Marées ne condescendrait à les lui confier : le sang de l'ancienne Valyria coulait dans ses veines, et sa maison avait donné trois épouses à des princes targaryens ; à ses nobles narines, un Davos Mervault puait l'écaille et l'oignon. Même répugnance affichaient les autres seigneurs. Aucun n'eût daigné admettre à son intimité pareil parvenu, aucun ne méritait du reste sa confiance, et leur commun mépris s'étendait à ses fils. *Ce qui n'empêchera pas mes petits-fils de jouter avec les leurs, et leur sang, tôt ou tard, de se mêler au mien. Tôt ou tard, mon petit bateau flottera aussi haut que les crabes incarnats Celtigar ou l'hippocampe Velaryon.*

Du moins si Stannis conquérait son trône. S'il était vaincu…

Tout ce que je suis, je le lui dois. C'est Stannis qui l'avait haussé jusqu'à la chevalerie. Qui lui avait accordé une place d'honneur à sa table et permis d'échanger son rafiot de contrebandier contre une galère de guerre. Dale et Blurd commandaient aussi chacun la sienne, Maric était maître de nage à bord de *La Fureur*, Matthos l'adjoint de son père à bord de *La Botha noire*, et Devan serait un jour, en sa qualité d'écuyer du roi, fait à son tour chevalier, tout comme ses deux cadets. Marya régnait sur le manoir du cap de l'Ire où ses serviteurs lui donnaient du *m'dame*, et lui-même était en mesure de chasser le daim rouge sur ses propres terres. Et tout cela, qu'il tenait de Stannis Baratheon, ne lui avait coûté que quelques phalanges. *Il n'a fait en cela que justice. J'avais toute ma vie bafoué les lois du roi. Ma loyauté lui est due, pleine et entière.* Il toucha la petite bourse attachée à son cou par une lanière de cuir et qui contenait ses bouts de doigts. Son porte-bonheur. Et du bonheur, il lui en faudrait à présent. *À nous tous. Et à lord Stannis plus qu'à quiconque.*

La pâleur des flammes léchait le ciel gris. Sombre montait la fumée en volutes épaisses et capricieuses et, quand le vent la rabattit sur elle, l'assistance clignota des yeux, se les frotta en larmoyant. Blurd se détourna, toussant, jurant. *Un avant-goût de ce qui nous attend*, songea Davos. Avant que la guerre ne s'achevât, que de ravages commettrait le feu…

La prunelle du même rouge que le gros rubis qui lui rutilait au col comme embrasé lui-même, Mélisandre, toute de velours sang, de satin cramoisi vêtue, reprit la parole : « Les livres d'Asshai l'ont dès longtemps annoncé, un jour viendra où, après un long été, saigneront les étoiles et où s'appesantira sur le monde l'haleine glacée des ténèbres. En cette heure effroyable viendra un guerrier qui tirera des flammes une épée de feu. Et cette épée qui, nommée Illumination, sera l'épée rouge des héros, c'est Azor Ahai ressuscité qui la brandira, dissipant devant lui les ténèbres affolées. » Elle éleva la voix, de manière à être entendue de toute l'armée rassemblée sous les murs. « *Azor Ahai, bienaimé de R'hllor ! Le Guerrier de Lumière, le Fils du Feu ! Viens, ton épée t'attend ! Viens, et prends-la en main !* »

Stannis Baratheon s'avança du pas d'un soldat qui marche au combat. Ses écuyers le suivirent pour l'assister. Davos regarda son fils Devan enfiler un long gant capitonné sur la droite du roi. Le garçon portait un doublet crème empiécé d'un cœur ardent. Vêtu de même, Bryen Farring agrafa ensuite au col de Sa Majesté une cape rigide de cuir. Dans son dos, Davos entendit tintinnabuler doucement des clarines. « Dans la mer, la fumée s'élève sous forme de bulles, et les flammes sont vertes et noires et bleues, chantonna Bariol, quelque part. Oh, je sais je sais, holala. »

Les dents serrées, le roi pénétra dans les flammes et, bien enveloppé dans sa cape de cuir pour se protéger, se dirigea droit sur la Mère, empoigna l'épée de sa main gantée et, d'une seule traction, l'arracha brutalement du bois avant de battre en retraite, l'acier brandi, rouge cerise parcouru de flammeroles jade. Des gardes se précipitèrent pour éteindre les braises attachées à ses vêtements.

« *Une épée de feu !* cria la reine Selyse, aussitôt imitée par ser Axell Florent et le reste de son parti. *Une épée de feu ! Elle brûle ! Elle brûle ! Une épée de feu !* »

Mélisandre leva les bras au ciel. « *Voyez ! Un signe était promis, et le voici manifesté ! Voyez Illumination ! Azor Ahai nous est revenu ! Acclamez tous le Guerrier de Lumière ! Acclamez tous le Fils du Feu !* »

Une ovation clairsemée retentit, tandis que le gant de Stannis menaçait de se consumer. Avec un juron, le roi planta l'épée dans la terre humide et se mit à claquer les flammes qui grimpaient le long de sa jambe.

« Répands, Seigneur, ta clarté sur nous ! conjura Mélisandre.

— Car la nuit est sombre et pleine de terreurs », enchaînèrent en répons la reine et ses gens. *Devrais-je aussi prononcer ces mots ?* se demanda Davos. *Ma dette envers Stannis va-t-elle jusque-là ? Ce dieu féroce est-il vraiment le sien ? Ses doigts écourtés se crispèrent.*

Stannis se défit du gant, le laissa choir à terre. Dans le bûcher, les dieux n'étaient plus guère identifiables. La tête du Ferrant se détacha parmi une volée de cendres et d'escarbilles. En langue d'Asshai, Mélisandre entonna une mélopée qui s'élevait et retombait comme les vagues de la mer. Sitôt débarrassé de sa cape de cuir roussi, Stannis écouta sans mot dire. Fichée dans le sol, Illumination rougeoyait toujours, mais les flammes qui l'environnaient s'amenuisaient, mouraient.

Lorsque s'acheva le chant, les dieux n'étaient plus que de vagues charbons, et la patience du roi s'était épuisée. Prenant la reine par le coude, il la reconduisit dans la forteresse, abandonnant Illumination sans autre forme de procès. La femme rouge, elle, s'attarda jusqu'à ce que Devan et Bryen eussent, à genoux, achevé de rouler l'épée calcinée, noircie dans la cape de cuir du roi. *A sale mine*, songea Davos, *son épée rouge des héros*.

Demeurés à parler tout bas à contre-feu, quelques seigneurs se turent en se voyant observés par lui. *Que Stannis tombe, et ils m'abattront sur-le-champ*. Il n'était pas non plus du clan de ceux – chevaliers ambitieux et menue noblaille – à qui leur conversion à ce fameux Maître de la Lumière valait les bonnes grâces et la protection de lady, *pardon ! la reine…*, Selyse.

Le feu dépérissait, Mélisandre et les écuyers se retirèrent avec l'inestimable épée. Davos et ses fils se joignirent à la foule qui redescendait vers la grève et les vaisseaux à l'ancre. « Devan s'est bien tenu, remarqua-t-il.

— Oui, repartit Dale, il a donné le gant sans le laisser choir. »

Blurd hocha la tête. « Cet insigne sur son doublet, ce cœur ardent, c'est quoi ? L'emblème des Baratheon est le cerf couronné, que je sache.

— Un seigneur peut s'en donner plusieurs », expliqua Davos.

Dale sourit. « Par exemple un bateau noir *et* un oignon, Père ? »

D'un coup de pied, Blurd envoya valser une pierre. « Les Autres emportent notre oignon… et ce cœur en flammes. C'est une ignominie que d'avoir brûlé les Sept.

— Depuis quand es-tu si dévot ? s'étonna Davos. Quelle connaissance un fils de contrebandier a-t-il des actions des dieux ?

— Je suis fils de chevalier, Père. Pourquoi s'en souviendrait-on, si vous l'oubliez ?

— Fils de chevalier mais pas chevalier. Et tu ne le seras jamais si tu te mêles des affaires qui ne te regardent pas. Stannis est notre roi légitime, il ne nous appartient pas de le critiquer. Nous menons ses vaisseaux selon ses directives, un point c'est tout.

— À ce propos, Père, intervint Dale, je n'aime guère les barils à eau qu'on a livrés au *Spectre*. Du pin vert. En cas de voyage un peu long, l'eau se gâtera.

— J'ai les mêmes à bord de la *Lady Marya*, dit Blurd. Les gens de la reine se sont arrogé tout le bois sec.

— J'en parlerai au roi », promit Davos. Mieux valait que la réclamation vînt de lui que de Blurd. Si bons combattants et meilleurs marins que fussent ses fils, ils ignoraient la manière de parler aux grands. *Ils sont issus du commun, comme moi, mais ils préfèrent l'oublier. Quand ils regardent notre bannière, ils n'y voient qu'un grand vaisseau noir cinglant toutes voiles dehors. Ils ferment les yeux sur l'oignon.*

Le port était aussi populeux que jamais. Chaque quai fourmillait de marins affairés à charger des vivres, chaque auberge regorgeait de soldats, qui buvant, qui jouant aux dés, qui se cherchant une putain…, vaine quête, puisque Stannis n'en tolérait aucune sur son île. Toutes sortes de bâtiments, galères de guerre et bateaux de pêche, caraques pansues, gabarres à gros cul, bordaient le rivage. Les plus gros vaisseaux occupaient les meilleurs mouillages : le navire amiral de Stannis, *La Fureur*, roulait entre le *Lord Steffon* et *Le Cerf des Mers*, non loin des quatre coques argentées du *Glorieux* de lord Velaryon et de ses pareils, de *La Pince rouge* de lord Celtigar et de *L'Espadon* massif au long rostre de fer. Ancré plus au large se distinguait l'imposant *Valyrien* de Sladhor Saan parmi les rayures multicolores d'une bonne vingtaine de galiotes lysiennes.

Tout au bout de la jetée de pierre où *La Botha noire*, *Le Spectre* et la *Lady Marya* côtoyaient six ou sept galères de cent rames ou moins se trouvait un très vieil estaminet. Saisi d'une soif soudaine, Davos prit congé de ses fils et y dirigea ses pas. Près de la porte était accroupie une statue-gargouille qui lui arrivait à mi-corps et si érodée par le sel et la pluie que l'on ne distinguait plus rien de ses traits. Elle et Davos n'en étaient pas moins bons copains. Il lui tapota la tête au passage et entra. «Chance», murmura-t-il.

À l'autre bout de la salle pleine de vacarme, Sladhor Saan grappillait des raisins présentés dans une jatte en bois. En voyant Davos, il l'invita d'un signe à le rejoindre, et celui-ci se fraya passage entre les tables. «Prenez place, messer. Mangez une grappe. Mangez-en deux. Elles sont merveilleusement sucrées.» Lisse et tout sourires, le Lysien s'était rendu fameux des deux côtés du détroit par ses outrances vestimentaires. Un éblouissant brocart d'argent le parait aujourd'hui, et ses manches à crevés traînaient jusqu'à terre. Des singes ciselés de jade lui servaient de boutons, un panache de plumes de paon décorait le vert effronté de la toque perchée tout en haut de ses boucles blanches tirebouchonnées.

Pour lui avoir souvent acheté des marchandises du temps où il pratiquait encore ses coupables activités, Davos s'était en personne rendu à Lys pour intéresser le vieux coquin à la cause de Stannis. Contrebandier lui-même autant que commerçant, banquier, pirate notoire, Sladhor Saan s'était de son propre chef intitulé prince du Détroit. *Il suffit qu'un forban s'engraisse suffisamment pour que les gens s'attrapent à sa principauté.*

« Vous n'êtes pas venu voir brûler les dieux, messire ? » demanda-t-il.

— Les prêtres rouges ont un grand temple, chez nous. Ils passent leur temps à brûler ci, brûler ça et corner leur R'hllor. Je suis saoulé de leurs bûchers. Espérons qu'ils ne tarderont pas à saouler Stannis aussi. » Tout au plaisir de manger ses raisins dont les pépins venaient un à un sur sa lèvre se faire évacuer d'une pichenette, il semblait éperdument se moquer des oreilles indiscrètes. « Mon *Oiseau diapré* est arrivé hier, mon cher chevalier. Ce n'est pas un vaisseau de guerre, non, mais un caboteur, et il s'est offert une escale à Port-Réal. Une grappe… – non ? vraiment ? Il paraîtrait que les enfants y sont affamés. » Avec un sourire, il balançait un raisin sous les yeux de Davos.

« C'est de bière que j'ai envie. Et de nouvelles.

— Ah, l'éternelle précipitation des gens de Westeros…, soupira Sladhor Saan. Elle vous avance à quoi, je vous prie ? Qui se hâte sa vie durant hâte simplement sa mort. » Il émit un rot. « Le maître de Castral Roc a envoyé son gnome de fils s'occuper de la ville. Peut-être espère-t-il que sa laideur terrifiera les assaillants, hé ? Ou bien que nous mourrons de rire en voyant le Lutin gambader aux créneaux, qui sait ? Le nain a congédié le rustre qui commandait les manteaux d'or en le remplaçant par un chevalier muni d'une main de fer. » Il détacha un grain de raisin, le pressa entre le pouce et l'index jusqu'à ce qu'en éclate la peau. Le jus lui ruissela entre les doigts.

Tout en abattant les pattes qui cherchaient à la tripoter, une serveuse se faufila jusqu'à eux. Après lui avoir commandé une chope, Davos revint à Saan. « De quelle force, les défenses de la ville ? »

L'autre haussa les épaules. « Les murs ont beau être hauts et puissants, qui les garnira ? Ils construisent des scorpions et des crache-feu, ça oui, mais leurs manteaux d'or sont trop peu nombreux, trop bleus, et il n'y a rien d'autre. Une vive attaque semblable à celle du faucon fondant sur le lièvre, et la grande cité sera nôtre. Que le vent favorise seulement nos voiles, et votre roi pourrait bien occuper son Trône de Fer demain soir. Il suffirait dès lors d'accoutrer le nain en bouffon et de lui titiller ses petites fesses avec nos piques pour qu'il nous danse un rigodon et, avec un peu de chance, votre gracieux souverain m'accorderait une nuit de la belle reine Cersei pour bassiner mon lit. Voilà trop longtemps que je me suis séparé de mes épouses pour me consacrer tout entier à son service.

— Forban! riposta Davos. En fait d'épouses, vous n'avez que des concubines, et on vous a royalement payé chaque jour et chaque bateau.

— En promesses uniquement…, protesta Sladhor Saan d'un ton morne. C'est d'or que j'ai faim, non de paroles et de paperasses. » Il s'envoya dans le bec un grain de raisin.

« Votre or, vous l'aurez quand nous mettrons la main sur le trésor royal. Il n'est pas dans les Sept Couronnes d'homme d'honneur plus ponctuel que Stannis Baratheon. Il tiendra parole. » Ce disant, il pensait : *Rien à espérer d'un monde aussi tordu, s'il faut des contrebandiers de bas étage pour répondre de l'honneur des rois.*

« C'est ce qu'il a dit et répété. Aussi dis-je, moi, réglons cette affaire. Ces raisins eux-mêmes ne pourraient être plus mûrs que la ville, mon vieil ami. »

La serveuse apporta la bière, Davos lui donna une pièce. « Il se peut que nous soyons capables de prendre Port-Réal comme vous le prétendez, reprit-il en levant sa chope, mais combien de temps le garderions-nous? On sait que Tywin Lannister se trouve à Harrenhal à la tête d'une grande armée, et lord Renly…

— Ah oui, le jeune frère, interrompit Sladhor Saan. Les choses se présentent moins bien de ce côté-là. Le roi Renly s'active également. Mais pardon, il n'est ici que *lord* Renly. Tellement de rois que ce mot, ma langue en a marre. Le frère Renly a quitté Hautjardin, en compagnie de sa jeune et ravissante reine, de la fleur de ses vassaux, de brillants chevaliers et d'une puissante infanterie. Et il suit votre route de la Rose en direction très précisément de la grande ville dont nous parlions.

— Il emmène sa *femme* ? »

Saan fit une moue évasive. « Il ne m'a pas confié ses raisons. Peut-être répugne-t-il à se séparer, ne fût-ce qu'une nuit, d'elle et du terrier douillet de son entrecuisse. À moins qu'il ne doute pas une seconde d'être victorieux.

— Il faut avertir le roi.

— Je m'en suis chargé, cher chevalier. Bien que Sa Majesté se renfrogne tellement pour peu qu'Elle m'aperçoive que je n'approche d'Elle qu'en tremblant. À votre avis, m'apprécierait-Elle davantage si je portais une chemise de crin et ne souriais jamais ? Eh bien, je m'en garderai. Je suis un honnête homme, Elle doit me souffrir vêtu de soie et de lamé. Sinon, j'emmènerai mes navires où l'on m'aimera mieux. Cette épée n'était pas Illumination, mon bon. »

Ce brusque changement de sujet troubla Davos. « Quelle épée ?

— Une épée tirée du feu, oui. Les gens me racontent des choses, grâce à mon charmant sourire. À quoi diable une épée brûlée servira-t-elle à Stannis ?

— Une épée *brûlante*, rectifia Davos.

— Brûlée, maintint Sladhor Saan, et réjouissez-vous, mon cher. Vous connaissez l'histoire de la forge d'Illumination ? Écoutez un peu. Il fut un temps où les ténèbres s'appesantissaient sur le monde. Pour les affronter, le héros devait avoir une épée de héros, oh mais ! telle que jamais on n'en avait vu. Aussi Azor Ahai consacra-t-il, sans prendre un instant de repos, trente jours et trente nuits à forger une lame dans les feux sacrés du temple. Chauffer, marteler, plier, chauffer, marteler, plier, voilà, jusqu'à la fin. Mais, lorsqu'il le plongea dans l'eau pour le tremper, l'acier se fendilla.

« Alors, au lieu de hausser les épaules et d'aller chercher des grappes aussi succulentes que celles-ci comme eût fait le commun des mortels, il recommença, en héros qu'il était. Il y consacra cette fois cinquante jours et cinquante nuits, et la nouvelle épée semblait plus belle encore que la précédente. Azor Ahai captura un lion pour tremper la lame en la lui plongeant dans le cœur, mais l'acier se craquela derechef. Dont il mena grand deuil et grand chagrin, car il savait désormais ce qu'il devait faire.

« Après qu'il eut œuvré cent jours et cent nuits sur la troisième lame et que celle-ci fut parvenue à l'incandescence dans les feux sacrés, il appela sa femme. "Nissa Nissa, dit-il, car elle s'appelait ainsi, dénude ton sein et sache que je t'aime plus que tout au monde." Elle s'exécuta, je ne sais pourquoi, et Azor Ahai lui plongea l'épée fumante dans le cœur. Elle poussa, dit-on, un tel hurlement d'angoisse et d'extase que la face de la lune en demeura fêlée, mais son âme et son sang, sa bravoure et son énergie imprégnèrent l'acier. Telle est l'histoire de la forge d'Illumination, l'épée rouge des héros.

« Maintenant, vous comprenez ce que je voulais dire ? Réjouissez-vous que Sa Majesté n'ait retiré du feu qu'une épée brûlée. L'excès de lumière blesse les yeux, et le feu *brûle*. » Il acheva le dernier raisin, se lécha les babines. « Quand pensez-vous que le roi nous ordonnera d'appareiller, cher chevalier ?

— Bientôt, je pense. Si son dieu le veut.

— *Son* dieu, messer ami ? Pas le vôtre ? Où est le dieu de Davos Mervault, chevalier du cotre à l'oignon ? »

Davos sirota sa bière en guise de délai. *L'auberge est bondée, et tu n'es pas Sladhor Saan*, se chapitra-t-il. *Pèse ta réponse.* « Le roi Stannis est mon dieu. C'est lui qui m'a fait en m'accordant, bénie soit-elle, sa confiance.

— Je m'en souviendrai. » Sladhor Saan se leva. « Vous me pardonnerez. Ces raisins m'ont ouvert l'appétit, et mon dîner m'attend à bord du *Valyrien*. Émincé d'agneau au poivre et mouette rôtie avec sa farce de champignons, de fenouil et d'oignons. Sous peu, nous festoierons ensemble à Port-Réal, hein ? Dans le Donjon Rouge, pendant que le nain nous chantera quelque air gracieux. Quand vous parlerez au roi Stannis, ayez la bonté de lui rappeler qu'il me devra trente mille dragons supplémentaires à la disparition de la vieille lune. Il aurait dû me donner ces dieux, au lieu de les brûler. J'aurais tiré un bon prix de leur beauté sur les marchés de Pentos ou de Myr. Enfin…, je lui pardonnerai s'il m'accorde ma nuit avec la reine Cersei. » Une bourrade dans le dos de Davos, et il sortit de l'auberge d'un air aussi crâne que s'il en avait été le propriétaire.

Ser Davos Mervault se perdit un long moment dans la contemplation de sa chope. Un an plus tôt, il avait accompagné Stannis à Port-Réal pour le tournoi donné par le roi Robert à l'occasion de l'anniversaire du prince Joffrey. Il revoyait le prêtre rouge Thoros de Myr brandir son épée de flammes au-dessus de la mêlée. Un spectacle haut en couleur que ces envols de robes pourpres et la lame tout environnée de feux follets verdâtres, mais totalement exempt de magie, personne ne s'y était mépris, d'autant qu'à la fin le feu s'était éteint et que la masse on ne peut plus ordinaire du Bronzé Yohn Royce avait assommé le cabot.

N'empêche que posséder une véritable épée de feu serait une merveille. Un peu cher, quand même… La Nissa Nissa du conte lui évoquait sa propre Marya, toujours de bonne humeur et souriante, affable, rondelette avec des seins tombants, la crème des femmes. Il essaya de s'imaginer lui passant une épée au travers du corps, grimaça. *Je n'ai décidément pas l'étoffe des héros*, conclut-il. Si tel était le prix d'une épée magique, le payer ne le tentait pas.

Il termina sa bière, repoussa la chope et sortit. Au passage, il tapota la tête de la gargouille et marmonna : « Chance ». Ils en auraient tous grand besoin.

Close était la nuit depuis longtemps quand, menant un palefroi d'un blanc neigeux, Devan descendit à bord de *La Botha noire*. « Père, annonça-t-il, Sa Majesté vous ordonne de La rejoindre dans la salle de la Table peinte. Vous monterez ce cheval et vous y rendrez sur-le-champ. »

Malgré le plaisir que lui procurait la superbe de son fils en arroi d'écuyer, la convocation bouleversa Davos. *Va-t-il nous donner l'ordre d'appareiller ?* se demanda-t-il. Si Sladhor Saan n'était pas le seul capitaine à croire Port-Réal mûr pour l'assaut, la patience était vertu nécessaire de contrebandier. *Nous n'avons aucun espoir de vaincre. Je l'avais déjà dit à mestre Cressen, le jour de mon retour à Peyredragon, et rien n'a changé depuis. Nous sommes trop peu contre un ennemi trop nombreux. Mouillons nos rames, nous périssons.* Il se mit néanmoins en selle.

Quand il atteignit la tour Tambour, une douzaine de chevaliers de haut parage et de bannerets importants la quittaient. Les lords Celtigar et Velaryon lui adressèrent chacun un bref signe de tête, les autres l'ignorèrent délibérément, mais ser Axell Florent s'arrêta pour lui dire un mot.

L'oncle de la reine Selyse était une futaille d'homme aux bras épais, aux jambes en cerceaux. Il avait les vastes oreilles de la famille, en plus développé même que sa nièce. Le buisson de poils qui jaillissait des siennes ne l'empêchait pas d'enregistrer tout ce qui se colportait de ragots dans les corridors. Gouverneur de Peyredragon durant les dix ans où Stannis avait siégé au Conseil du roi son frère, il s'était révélé depuis peu le plus avancé du clan de la reine.

«Ser Davos, dit-il, ce m'est une joie, comme toujours, que de vous voir.

— Et à moi de même, messire.

— J'avais aussi remarqué votre présence, ce matin. Les faux dieux ont flambé gaiement, n'est-ce pas?

— Brillamment.» Davos se défiait d'autant plus de lui qu'il déployait davantage de politesse. La maison Florent s'était déclarée pour Renly.

«Selon dame Mélisandre, R'hllor autorise parfois ses fidèles serviteurs à entrevoir l'avenir dans les flammes. En contemplant le brasier, ce matin, j'ai eu l'impression qu'une troupe de belles danseuses, des jouvencelles en soieries jaunes, virevoltaient en tourbillonnant devant un grand roi. Je ne doute pas qu'il ne s'agisse là d'une vision prophétique, ser. Un aperçu de la gloire promise à Sa Majesté lorsque nous aurons pris Port-Réal et qu'Elle occupera le trône qui Lui revient légitimement.»

Stannis n'a aucun goût pour ce genre de ballet, songea Davos, mais il n'osa pas offusquer l'oncle de la reine. «Je n'ai vu que du feu, dit-il, mais la fumée me faisait larmoyer. Vous voudrez bien m'excuser, messire, le roi m'attend.» Il reprit sa marche, assez perplexe. D'où venait que ser Axell l'eût ainsi troublé? *Il est un homme de la reine, je le suis du roi.*

Stannis était assis à sa table peinte, mestre Pylos à hauteur d'épaule, des tas de papiers devant eux. «Ser, dit-il en le voyant entrer, venez donc jeter un œil sur cette lettre.»

Davos s'empressa de saisir une feuille au hasard. «Le graphisme m'en paraît fort beau, Sire, mais je suis au regret de ne savoir lire.» S'il se montrait aussi habile que quiconque à déchiffrer cartes et plans, les écritures le laissaient en effet pantois. *Mais mon Devan a appris son alphabet, lui, tout comme mes petits derniers, Steffon et Stannis.*

« J'oubliais ce détail. » Un sillon d'agacement creusa le front du roi. « Lisez-la-lui, Pylos.

— Sire. » Le mestre prit l'un des parchemins, s'éclaircit la voix. « *Chacun me connaît pour le fils légitime de Steffon Baratheon, seigneur d'Accalmie, et de dame son épouse Cassana d'Estremont. Sur l'honneur de ma maison, je déclare que le feu roi Robert, mon frère bien-aimé, n'a pas laissé de descendant légitime, le prétendu prince Joffrey, le prétendu prince Tommen et la prétendue princesse Myrcella étant les fruits abominables des relations incestueuses de Cersei Lannister et de son frère Jaime le Régicide. Aussi revendiqué-je en ce jour pour mien, par droit de naissance et du sang, le Trône de Fer des Sept Couronnes de Westeros. À toutes gens d'honneur de manifester leur loyauté. Fait en la lumière du Maître, sous le paraphe et le sceau de Stannis Baratheon, premier du nom, roi des Andals, de Rhoynar et des Premiers Hommes, suzerain des Sept Couronnes.* » Le document émit un bruissement soyeux lorsque mestre Pylos le reposa.

« À l'avenir, mettez *ser* Jaime le Régicide, se renfrogna Stannis. Quel que puisse être par ailleurs cet individu, il n'en demeure pas moins chevalier. Je ne vois pas davantage de raisons d'appeler Robert mon bien-aimé frère. Il ne m'aimait pas plus que de raison, et je le lui rendais.

— Pure formule de courtoisie, Sire, plaida Pylos.

— Mensonge. Ôtez-moi cela. » Il se tourna vers Davos. « Le mestre me dit que nous disposons de cent dix-sept corbeaux. J'entends les utiliser tous. Cent dix-sept corbeaux, cela fait cent dix-sept copies de ma lettre expédiées aux quatre coins du royaume, et depuis La Treille jusqu'au Mur. Comptons qu'une centaine parviendront à destination contre vents et flèches et faucons. Ainsi, cent mestres liraient mon message à autant de lords dans autant de loggias et de chambres à coucher…, après quoi tout présage qu'on le livrera aux flammes et que le silence scellera les lèvres. Ces grands seigneurs aiment qui Joffrey, qui Renly, qui Robb Stark. Bien que je sois leur souverain légitime, ils me récuseront s'ils le peuvent. Voilà pourquoi j'ai besoin de vous.

— À vos ordres, Sire. Plus que jamais. »

Stannis opina du chef. « J'entends que vous mettiez cap au nord avec *La Botha noire*, de Goëville aux Quatre Doigts, aux Trois Sœurs et même à Blancport. Avec *Le Spectre*, votre fils Dale partira pour le sud et, via le cap de l'Ire et le Bras Cassé, longera la côte de Dorne jusqu'à La Treille. Chacun de vous emportera un plein coffre de lettres et en délivrera une dans chaque port, chaque manoir et chaque village de pêcheurs. Vous en clouerez aux portes des septuaires et des auberges, afin que nul homme capable de lire n'en ignore.

— Cela ne fera pas grand monde, objecta Davos.

— Ser Davos dit vrai, Sire, intervint mestre Pylos. Mieux vaudrait en donner lecture publiquement.

— Mieux mais plus dangereux, riposta Stannis. Il faut s'attendre à un accueil hostile.

— Donnez-moi des chevaliers pour lecteurs, dit Davos. Cela aura plus de poids qu'aucune parole de ma part. »

La solution parut séduire Stannis. « Je puis vous confier ce genre d'hommes, oui. J'ai une centaine de chevaliers plus enclins à la lecture qu'au combat. Agissez ouvertement où vous le pourrez, en catimini où vous le devrez. Utilisez tout votre répertoire de contrebandier, voiles noires, anses dérobées, toutes astuces que de besoin. Si vous vous trouvez à court de lettres, capturez quelques septons pour qu'ils effectuent des copies. J'entends également me servir de votre fils cadet. Il mènera sa *Lady Marya* de l'autre côté du détroit et diffusera mon message parmi les principaux dignitaires de Braavos et autres cités libres. Le monde entier saura mes prétentions et l'infamie de la reine Cersei. »

Libre à vous de l'en informer, songea Davos, *mais le croira-t-il ?* Il coula vers le mestre un regard circonspect que le roi surprit. « Peut-être devriez-vous, mestre, aller vous occuper de vos écritures. Il nous faudra quantité de lettres, et vite.

— Votre serviteur, Sire. » Pylos s'inclina et se dirigea vers la sortie.

Le roi attendit qu'il eût disparu pour reprendre : « Quelle est donc la pensée que vous ne vouliez pas exprimer en sa présence, Davos ?

— Ce n'est pas que Pylos me déplaise, Sire, mais je ne puis voir la chaîne qu'il porte au col sans pleurer mestre Cressen.

— Est-ce par sa faute qu'est mort le vieillard ? » Le regard de Stannis se porta vers le feu. « Je ne voulais à aucun prix que Cressen assiste à ce banquet. Il m'avait mis en colère, oui, et mal conseillé, mais je ne désirais pas sa mort. J'espérais le voir jouir de quelques années paisibles et douillettes. Il l'avait d'ailleurs amplement mérité, mais voilà – ses dents se mirent à grincer –, mais voilà qu'il meurt. Et je n'ai qu'à me louer de l'habileté de Pylos.

— Pylos est le moindre de mes soucis. La lettre… Je me demande comment l'ont prise vos grands vassaux. »

Stannis renifla. « Celtigar l'a qualifiée d'admirable. Lui montrerais-je le contenu de ma chaise percée qu'il s'en extasierait aussi. Les autres ont dodeliné comme un troupeau d'oies, seul Velaryon a dit qu'en l'occurrence l'acier trancherait, et non des mots sur un parchemin. Comme si je l'avais jamais ignoré. Mais les Autres emportent mes grands, c'est votre avis que je veux entendre.

— Votre message est énergique et hardi.

— Et véridique.

— Et véridique. Mais vous n'avez pas de preuve. De cet inceste. Pas plus que l'année dernière.

— Il existe une espèce de preuve à Accalmie. Le bâtard de Robert. Celui qu'il engendra la nuit de mes noces, dans le lit même que l'on avait apprêté pour ma femme et pour moi. Comme Delena était une Florent, et vierge lorsqu'il la prit, Robert reconnut l'enfant. Edric Storm, on l'appelle. Il est le portrait craché de mon frère, paraît-il. Si les gens le voyaient puis le comparaient à Joffrey et Tommen, ils ne manqueraient pas de s'interroger, je pense.

— Mais comment le verraient-ils, s'il est à Accalmie ? »

Les doigts de Stannis tambourinèrent sur la table peinte. « Voilà le hic. Entre autres. » Il leva les yeux. « La lettre vous inspire bien d'autres réserves. Allez-y. Je ne vous ai pas fait chevalier pour vous apprendre à me dégoiser des politesses creuses. J'ai mes vassaux pour cela. Dites ce que vous vouliez dire, Davos. »

Davos inclina la tête. « Il y avait une phrase, à la fin. Comment était-ce ? *Fait dans la lumière du Maître…*

— Oui. » La mâchoire du roi s'était bloquée.

« Vos peuples vont détester ces termes.

— Comme vous ? lança vertement Stannis.

— Si vous mettiez à la place : *Fait sous le regard des dieux et des hommes*, ou *Par la grâce des dieux anciens et nouveaux…*

— Prétendrais-tu me donner des leçons de piété, contrebandier ?

— C'est le problème que je me devais de vous soumettre en loyal sujet.

— Vraiment ? On dirait que tu n'aimes pas plus mon nouveau dieu que mon nouveau mestre.

— Je ne connais pas ce Maître de la Lumière, admit Davos, mais je connaissais les dieux qu'on a brûlés ce matin. Le Ferrant préservait mes bateaux, la Mère m'a donné sept garçons solides.

— Ta femme t'a donné sept garçons solides. La pries-tu pour autant ? C'est du bois que nous avons brûlé ce matin.

— Il se peut, mais, lorsque j'étais gosse et que je mendiais un sou de-ci de-là, à Culpucier, parfois les septons me donnaient à manger.

— C'est *moi* qui te nourris, maintenant.

— Vous m'avez offert une place d'honneur à votre table. En retour, je vous offre la vérité. Vos peuples ne vous aimeront pas si vous leur retirez les dieux qu'ils ont toujours adorés et si vous leur en donnez un dont le seul nom rend un son bizarre sur leur langue. »

Stannis se leva brusquement. « *R'hllor*. Qu'y a-t-il là de si âpre ? Ils ne m'aimeront pas, dis-tu ? Quand m'ont-ils jamais aimé ? Comment pourrais-je perdre une chose que je n'ai jamais eue ? » Il se dirigea vers la croisée du sud et regarda la mer éclairée par la lune. « J'ai cessé de croire dans les dieux le jour où je vis *La Fière*-à-vent se fracasser dans la baie. Des dieux assez monstrueux pour noyer mes père et mère, jurai-je alors, n'obtiendraient jamais *mon* adoration. À Port-Réal, le Grand Septon me bassinait avec l'ineffable bonté, l'ineffable justice des dieux, mais je n'ai jamais vu dans les dieux que la main des hommes.

— Si vous ne croyez pas dans les dieux…

— … pourquoi m'embarrasser de ce nouveau-là ? coupa Stannis. Je me le suis demandé aussi. Je sais peu de chose des dieux et ne me soucie guère d'eux, mais la prêtresse rouge a des pouvoirs. »

Oui, mais des pouvoirs de quelle sorte ? « Cressen avait la sagesse.

— J'ai cru en sa sagesse et en ton astuce, et de quel profit m'ont-elles été, contrebandier ? Les seigneurs de l'orage t'ont envoyé paître. Je me suis adressé à eux en mendiant, et ils m'ont ri au nez. Eh bien, je ne mendierai plus, et l'on ne me rira plus au nez non plus. Le Trône de Fer m'appartient de droit, mais comment faire pour m'en emparer ? Il y a quatre rois dans le royaume, et les trois autres possèdent plus d'hommes et plus d'or que moi. J'ai des bateaux…, et je l'ai, *elle*. La femme rouge. La moitié de mes chevaliers tremblent même à l'idée de prononcer son nom, sais-tu ? Ne fût-elle capable que de cela, une sorcière qui inspire tant de terreur à des hommes faits ne saurait être dédaignée. Un homme effrayé est un homme battu. Et peut-être peut-elle faire davantage. J'entends en tenter l'épreuve.

« Quand j'étais gosse, je ramassai un autour blessé et le soignai jusqu'à ce qu'il se remette. *Fière-aile*, je l'appelais. Il aimait à se percher sur mon épaule et à voleter à ma suite de pièce en pièce, à manger dans ma main, mais il refusait de prendre son essor. Cent fois je l'emmenai chasser, jamais il ne dépassa la cime des arbres. Robert le surnomma *Bat-de-l'aile*. Lui possédait un gerfaut, nommé *Foudre*, qui ne ratait jamais sa cible. Un jour, mon grand-oncle, ser Harbert, me conseilla de tâter d'un autre oiseau ; je me rendais ridicule, dit-il, avec mon *Fière-aile*, et il avait raison. » Stannis se détourna de la croisée et des fantômes en suspens sur les flots. « Les Sept ne m'ont jamais rapporté ne fût-ce qu'un moineau. Il est temps que je tâte d'un autre faucon, Davos. D'un faucon *rouge*. »

THEON

Bien que Pyk ne possédât point de mouillage sûr, Theon désirait contempler du large le château de son père, le voir comme il l'avait vu la dernière fois, dix ans plus tôt, quand la galère de Robert Baratheon l'emmenait comme pupille d'Eddard Stark, à ceci près qu'au lieu de le regarder s'amenuiser à l'horizon, dans le fracas des rames et le battement du tambour du maître de nage, il entendait le regarder surgir des flots et grandir, grandir.

Pour exaucer ce vœu, le *Myraham* se frayait durement passage, au sortir du golfe, parmi le claquement des voiles et les jurons du capitaine contre le vent, l'équipage et les maudites lubies des gentils damerets. Sans lâcher des yeux son chez lui, Theon rabattit son capuchon pour se préserver des embruns.

Brochée d'écueils écumants, la côte n'était qu'un amas de rochers déchiquetés avec lesquels le château semblait ne faire qu'un, taillés qu'étaient ses tours, ses remparts, ses ponts dans la même roche noirâtre, moites qu'ils étaient des mêmes vagues saturées de sel, festonnés qu'ils étaient des mêmes plaques de lichen vert sombre et maculés des mêmes fientes d'oiseaux de mer. Le bout de terre sur lequel les Greyjoy avaient édifié leur forteresse s'était jadis enfoncé comme une épée dans les entrailles de l'océan mais, à force de le marteler nuit et jour, la houle l'avait, des millénaires auparavant, rompu, fait voler en éclats. N'en subsistaient désormais que trois îles nues, stériles, et une quinzaine d'îlots abrupts qui surgissaient de l'abysse comme les piliers d'un temple voué à quelque dieu marin, et contre lesquels s'acharnait toujours la rage des lames baveuses.

Ténébreux, maussade et lugubre au-dessus de ces îles et de ces piliers dont il faisait quasiment partie planait Pyk, sa première enceinte enserrant le pied du cap à pic du haut duquel s'élançait en direction de l'île principale, elle-même écrasée par la masse énorme du Grand Donjon, un pont de pierre prodigieux. Au-delà, chacun sur son île, se dressaient donjon des Cuisines et donjon Sanglant. Des tours et diverses dépendances s'agrippaient aux autres chicots rocheux, reliés entre eux, selon l'ampleur de l'intervalle, par des ponceaux couverts ou par de longues passerelles instables de câbles et de bois. À l'extrême pointe de l'épée brisée se distinguait l'altière rondeur de la tour de la Mer, la plus ancienne du château, plantée sur un moignon à demi rongé par l'incessant assaut des lames. Sa base était blanchie par des siècles de sel, ses étages supérieurs verdis par le lichen qui les emmitouflait à la manière d'une courtepointe, son couronnement délabré noirci par la suie des feux de guet nocturnes.

Là-haut jappait la bannière de Père. De la distance où se trouvait le *Myraham*, Theon n'en discernait guère que le tissu, mais sa mémoire y restituait l'emblème familier : la seiche d'or aux tentacules convulsés sur champ noir. En haut de son mât de fer, la bannière se tordait, claquait au gré du vent, se démenait tel un oiseau captif. Et ici du moins ne la dominait pas le loup-garou Stark, ici du moins ne faisait-il pas d'ombre à la seiche Greyjoy.

Jamais spectacle n'avait si fort touché Theon. Derrière le château transparaissait, à peine voilée de nuages en fuite, la belle queue rouge de la comète. De Vivesaigues à Salvemer, les Mallister n'avaient cessé de débattre sur sa signification. *C'est ma comète*, se dit-il en glissant la main dans son manteau doublé de fourrure pour tâter la bourse de cuir huilé qui, blottie dans l'une de ses poches, abritait la lettre – aussi précieuse qu'une couronne – remise par Robb.

« Le château ressemble-t-il à vos souvenirs, messire ? lui demanda la fille du capitaine en se pressant contre son bras.

— Il me paraît plus petit, avoua-t-il, mais peut-être en raison de l'éloignement. » Originaire de Villevieille, la gabarre marchande *Myraham* transportait dans sa vaste panse du vin, du drap et du grain qu'elle négocierait contre du minerai de fer. Également du sud, également doté d'une vaste panse marchande était son capitaine, et la mer peuplée de rochers écumants qui battait le pied du château donnait tant la tremblote à ses lèvres pulpeuses qu'il se tenait le plus loin possible de ces parages, trop loin, au gré de Theon. Un natif des îles, un fer-né, eût mené son boutre le long des falaises jusque sous le pont qui enjambait la brèche entre la poterne et le Grand Donjon, mais ce rondouillard de méridional n'avait ni l'habileté, ni les gens, ni le cran nécessaires pour s'y risquer. Aussi croisait-on prudemment au large, et Theon devait se contenter de la silhouette de Pyk. Le *Myraham* n'en était pas moins contraint à lutter farouchement pour se maintenir à distance respectueuse des fameux rochers.

« Ça doit être venté, dans le coin », remarqua la fille.

Il se mit à rire. « Venté, froid et humide. Aussi rude que misérable, à la vérité…, mais le seigneur mon père m'a dit un jour que les lieux rudes produisaient des hommes rudes, et que ce sont les hommes rudes qui gouvernent le monde. »

La face du capitaine était du même vert que la mer quand il amena ses courbettes et s'enquit : « Nous est-il permis de gagner le port, à présent, messire ?

— Il vous est permis », répondit Theon, avec un sourire du bout des lèvres. L'appât de l'or avait métamorphosé ce gros plein-de-soupe en lécheur éhonté. Le voyage eût été tout autre si, comme espéré, s'était trouvé à Salvemer l'un des boutres des îles de Fer. Aussi fiers que braves, les capitaines fer-nés n'entraient pas en transe pour quelques pintes de sang humain. Leurs îles étaient trop petites, et leurs boutres encore plus, pour que la terreur n'y fût pas un luxe. Si chacun d'eux était, comme on disait communément, un roi à bord de son propre bateau, les îles ne volaient pas leur surnom d'archipel des dix mille rois. Et quand vous aviez vu vos rois chier par-dessus la lisse et verdir durant la tempête, vous n'étiez pas vraiment tenté de ployer le genou et de les vénérer comme des idoles. Ce d'autant moins, d'ailleurs, que, comme le disait déjà voilà des millénaires le vieux roi Urron Mainrouge : « Le dieu Noyé fabrique les hommes, mais les couronnes, ce sont les hommes qui les fabriquent »… !

Un boutre aurait également effectué la traversée en deux fois moins de temps. Le *Myraham* n'étant, pour parler poliment, qu'un sabot merdeux, Theon n'aurait pas voulu s'y trouver par gros temps, mais il s'estimait, tout bien pesé, verni. Il parvenait à destination sans avoir fait naufrage et après s'être pas mal amusé. Il enlaça la fille en disant au père : « Avertissez-moi quand nous atteindrons Lordsport. Nous serons en bas, dans ma cabine », et, sans paraître noter l'air offensé de celui-ci, entraîna celle-là vers la poupe.

Sa cabine était celle du capitaine, au vrai, mais on l'avait aménagée pour lui en quittant Salvemer. Sans être incluse au nombre des aménagements, la fille s'y était néanmoins jointe d'assez bon gré. Trois doigts de vin, quelques chuchotages galants, elle parfaisait le couchage. Quoiqu'un peu trop copieuse pour son goût, et la peau tachetée comme une platée de son, elle avait des nichons qui vous emplissaient gentiment la poigne, et elle s'était au surplus révélée intacte. Un comble, vu son âge, mais que Theon trouva du plus haut comique. Presque aussi cocasse que la réprobation du papa qui, tout en remâchant malaisément l'outrage à lui fait par le grand seigneur, redoublait envers lui d'obséquiosité par pure rapacité.

Tandis qu'il se débarrassait de son manteau trempé, la fille reprit : «Vous devez être si heureux de revenir chez vous, messire. Vous en êtes parti depuis combien d'années ?

— Dix ou peu s'en faut, répondit-il. Et j'en avais dix quand on m'a emmené à Winterfell en tant que pupille d'Eddard Stark. » Pupille de nom, otage de fait. La moitié de ses jours…, mais pas un de plus. Désormais, aucun Stark en vue, sa vie lui appartenait à nouveau. Il attira la fille contre lui et l'embrassa sur l'oreille. «Enlève ton manteau. » Elle baissa les yeux, subitement intimidée, mais s'exécuta. Quand le lourd vêtement raidi d'écume eut glissé de ses épaules sur le plancher, elle esquissa une petite révérence et un pauvre sourire alarmé. Elle avait l'air plutôt stupide quand elle souriait, mais l'intelligence n'était pas ce qu'il demandait aux femmes.

«Viens », dit-il.

Elle obéit. «Je ne connais pas les îles de Fer.

— Une chance que tu as. » Il lui caressa les cheveux. De beaux cheveux sombres, bien que le vent les eût emmêlés. «Elles sont austères et pierreuses, peu hospitalières, mornes d'aspect. L'existence y est chiche et mesquine, la mort jamais loin. Les hommes passent leurs nuits à boire de la bière et à discuter qui, du pêcheur affrontant la mer ou du paysan grattant le sol maigre, est le plus mal loti. Pour ne pas mentir, le pompon revient au mineur qui se brise les reins dans le noir et pour quoi? pour de l'étain, du fer, du plomb, nos trésors à nous. Pas étonnant que, dans les anciens temps, les fer-nés se soient tournés vers la razzia.»

L'idiote n'écoutait apparemment pas. «Je pourrais descendre à terre avec vous, dit-elle. Je le ferais, s'il vous agréait…

— Tu le pourrais, acquiesça-t-il en lui tripotant la poitrine, mais pas avec moi, je crains.

— Je travaillerais dans votre château, messire. Je sais nettoyer le poisson, cuire le pain, baratter le beurre. Papa dit que mon ragoût de crabe aux poivrons n'a pas son pareil. Vous me trouveriez une place dans vos cuisines, je vous ferais mon ragoût de crabe aux poivrons.

— Et tu me chaufferais les draps, la nuit?» D'une main preste et experte, il entreprit de lui délacer le corsage. «Autrefois, je t'aurais ramenée chez moi comme part de butin et possédée de gré ou de force à ma convenance. Les fer-nés en usaient ainsi, dans les anciens temps. L'homme avait, en plus d'une femme-roc, sa véritable épouse, fer-née comme lui, des femmes-sel, capturées durant les razzias.»

Elle ouvrit de grands yeux, mais pas parce qu'il lui avait dénudé les seins. «Je serais votre femme-sel, messire.

— Je crains que ces temps ne soient révolus.» Son doigt traçait des spirales autour d'une lourde aréole en se rapprochant peu à peu du gras et brun téton. «Plus ne nous est loisible de monter le vent pour aller, par le fer et le feu, prendre ce que nous voulons. Maintenant, nous grattons la terre et jetons des lignes dans la mer comme le commun des hommes, et nous nous estimons gâtés si nous avons à suffisance de bouillie d'avoine et de morue salée pour passer l'hiver.» Il prit dans ses lèvres le mamelon et le mordit jusqu'à faire hoqueter la fille.

«Vous pouvez me la mettre, s'il vous agrée», lui murmura-t-elle à l'oreille tandis qu'il suçait.

Quand il releva la tête, la chair du sein portait une marque violacée. «Il m'agréerait plutôt de t'apprendre une autre recette. Délace-moi et fais-moi jouir avec ta bouche.

— Avec ma bouche?»

D'un revers de pouce, il effleura les lèvres charnues. «Ces lèvres-là n'ont été faites que pour cela, ma douce. Si tu étais ma femme-sel, tu m'obéirais.»

D'abord timorée, elle apprit plus vite qu'il ne l'espérait de tant de bêtise, et il s'en sut gré. Elle avait la bouche aussi moite et douce que le con, et cette manière de procéder le dispensait, lui, d'essuyer des babillages ineptes. *Oui, autrefois, je l'aurais gardée pour femme-sel, vraiment,* se dit-il tout en enfouissant ses doigts dans la chevelure emmêlée. *Autrefois. Quand, observant l'Antique Voie, nous vivions encore par la hache et non par le pic, nous emparions de ce que nous souhaitions, qu'il s'agît de biens, de femmes ou de gloire.* En ces temps-là, les fer-nés ne travaillaient pas dans les mines; ils réservaient cette dégradante besogne aux captifs ramenés de leurs expéditions, tout comme celles de cultiver les champs, d'élever chèvres et brebis. La guerre était leur véritable métier. Le dieu Noyé les avait créés pour ravager, violer, se tailler des royaumes et inscrire en lettres de flammes et de sang leurs noms dans les chansons.

L'Antique Voie n'était plus depuis que, carbonisant Harrenhal, Aegon le Dragon avait démembré le royaume d'Harren le Noir au profit des mollusques du Conflans et, par la constitution d'un royaume autrement plus vaste, réduit les îles de Fer au rôle insignifiant d'annexe. On n'en persistait pas moins, par tout l'archipel, à conter les vieux contes rouges autour des feux de bois flotté, devant la fumée de l'âtre et jusque sous les hautes voûtes de Pyk. Parmi les titres de

Père figurait celui de lord Ravage, et les Greyjoy se targuaient toujours que leur devise fût : *Nous ne semons pas.*

Ce qui avait inspiré la grande rébellion de lord Balon était moins la vanité de recouvrer une couronne que l'espoir de restaurer l'Antique Voie. Or, si Robert Baratheon et son copain Stark avaient mis un sanglant point final à cette ambition, voilà qu'ils étaient morts tous deux. De simples gosses gouvernaient à leur place, maintenant, et la zizanie morcelait le royaume forgé par le Conquérant. *Voici venue la saison*, songea Theon, tandis que le besognaient tout du long les lèvres de la fille, *la saison, l'année, le jour, et je suis l'homme de la situation.* Un sourire crochu lui vint. Que dirait Père en apprenant que lui, le dernier-né, le bambin pris en otage, avait réussi, *lui*, là où lord Balon en personne avait échoué ?

Brusque comme une tornade l'assaillit l'orgasme, et il emplit de sa semence le gosier de la fille qui, suffoquée, tenta de se dérober, mais il la maintint ferme par les cheveux. « Ai-je satisfait messire ? demanda-t-elle en se relevant lorsqu'il l'eut lâchée.

— Pas mal, dit-il.

— Ç'avait un goût salé, souffla-t-elle.

— Comme la mer ? »

Elle acquiesça d'un signe. « J'ai toujours aimé la mer, messire.

— Moi aussi », dit-il en lui triturant négligemment un téton. La mer et la liberté ne faisaient qu'un, aux yeux des fer-nés. Il s'en était soudain ressouvenu lorsque, à Salvemer, le *Myraham* avait mis à la voile. Chaque bruit du bord faisait ressurgir des sensations perdues : le crissement des cordages et du bois, les ordres tonitruants du capitaine, le claquement de la toile au contact du vent, tout lui revenait, aussi familier que les pulsations de son propre cœur, et aussi roboratif. *Ne jamais oublier cela*, s'enjoignit-il. *Ne plus jamais m'éloigner de la mer.*

« Emmenez-moi, messire, mendia la fille. Ce n'est pas aller à votre château que je veux. Je peux loger dans une ville, je serai votre femme-sel. » Elle ébaucha le geste de lui caresser la joue.

Il écarta la main tendue, dévala de sa couchette. « Ma place est à Pyk, la tienne sur ce bateau.

— Je ne peux plus y rester. »

Il renoua ses braies. « Pourquoi ça ?

— Mon père, dit-elle. Après votre départ, il me punira, messire. Il me traitera de tous les noms et me battra. »

Il décrocha son manteau, s'en drapa les épaules. « Les pères sont ainsi, convint-il en l'agrafant avec une broche d'argent. Dis-lui qu'il devrait se montrer content. Vu le nombre de fois où je t'ai baisée, tu dois être grosse. Tout le monde n'a pas l'honneur d'élever un bâtard royal. » Elle le dévisageait d'un air si stupide qu'il la planta là.

Le *Myraham* contournait un promontoire boisé de pins sous lequel une douzaine de bateaux de pêche remontaient leurs filets. La grosse gabarre les doubla de loin en louvoyant. Theon se porta vers l'étrave afin de mieux voir. La première chose qu'il aperçut fut la bastille des Botley, non pas celle qu'il avait connue jadis, un fouillis de bois et de claies – Robert Baratheon l'avait rasée –, mais telle que l'avait depuis rebâtie lord Sawane, modeste cube de pierre sur sa colline. À chacune de ses tours d'angle trapues pendouillait le pavillon vert pâle frappé d'un banc de poissons d'argent.

Sous la protection pour le moins douteuse de ce fretin-là de castel reposait, avec son havre fourmillant, le bourg de Lordsport. La dernière image qu'en avait emportée Theon était celle d'un désert fumant le long d'une grève rocheuse jonchée de boutres calcinés, de galères fracassées, tel un ossuaire de léviathans, de maisons réduites à des tas de cendres et des pans de murs. Il ne restait plus guère, au bout de dix ans, trace de ce désastre. Le petit peuple s'était construit de nouvelles masures avec les décombres des précédentes et les avait couvertes de mottes fraîchement taillées. Deux fois plus grande que l'ancienne se dressait, près du débarcadère, une auberge neuve, pierre de taille au rez-de-chaussée, colombages aux deux étages supérieurs. Le septuaire n'avait toutefois pas été relevé ; seules en subsistaient les fondations heptagonales. À croire que la fureur de Robert Baratheon avait aigri les fer-nés contre les nouveaux dieux…

Mais les navires intéressaient autrement Theon que les dieux. Parmi les mâts d'innombrables bateaux de pêche, il repéra une galère marchande de Tyrosh qui déchargeait auprès d'une lourde gabarre d'Ibben à la coque noircie de goudron. Nombre de boutres, cinquante à soixante au moins, gagnaient le large ou gisaient échoués sur les galets, au nord de la baie. Quelques voiles arboraient l'emblème des autres îles : la lune sanglante Wynch, la trompe de guerre baguée de lord Bonfrère, la faux d'argent Harlaw. Theon chercha vainement la fine et redoutable silhouette rouge du *Silence* de son oncle Euron, mais *La Grand-Seiche* de Père se trouvait bien là, avec sa figure de proue symbolique et son éperon de fer gris.

Lord Balon l'aurait-il devancé en convoquant le ban ? Une fois de plus, la main de Theon se faufila sous le manteau vers la bourse de cuir huilé. Hormis Robb Stark, nul n'était au courant, pour la lettre ; pas si bêtes que de confier leurs secrets à un oiseau. Mais Père n'était pas bête non plus. Il pouvait avoir deviné dans quel but son fils revenait enfin et agi en conséquence.

Une hypothèse qui n'était pas du goût de Theon. Terminée depuis belle lurette, la guerre de Père, et perdue. Sa propre heure venait de sonner – celle d'exécuter son plan, d'assurer sa gloire et de coiffer, tôt ou tard, sa couronne. *Encore que, si les boutres entrent dans la danse…*

Mais peut-être ne s'agissait-il là, tout bien réfléchi, que d'une mesure de précaution. Un mouvement défensif, au cas où la guerre tendrait à franchir la mer. Les vieilles gens étaient par nature précautionneux. Et Père était vieux, maintenant, tout comme Oncle Victarion, grand amiral de la flotte de Fer. Avec Oncle Euron, tout autre était la chanson, nul doute, mais *Le Silence* semblait avoir pris la mer. *Tout se présente le mieux du monde*, se dit Theon. *Cela va me permettre de frapper d'autant plus vite.*

Pendant que le *Myraham* lambinait vers la terre, Theon se mit à arpenter fiévreusement le pont tout en scrutant la côte. Sans s'être attendu à voir lord Balon en personne sur le quai, il ne doutait pas qu'un quelconque émissaire ne vînt l'accueillir. Sylas Aigrebec, l'intendant, lord Botley, voire même Dagmer Gueule-en-deux. Quel plaisir il se promettait de revoir l'horrible vieillard. On ne pouvait pas ne pas savoir son arrivée. De Vivesaigues, Robb avait expédié des corbeaux à Pyk et, faute de boutre à Salvemer, Mallister les siens, au cas où les premiers se seraient perdus.

Et pourtant, il ne voyait aucune figure connue, ni la moindre garde d'honneur chargée de l'escorter de Lordsport à Pyk, rien d'autre que du menu peuple vaquant à ses menues affaires, débardeurs roulant les fûts de vin que recélait la soute du rafiot de Tyrosh, pêcheurs criant leur prise du jour, gosses éperdus de courses et de jeux. Flottant dans ses robes vert d'eau, un prêtre du dieu Noyé menait un couple de chevaux le long des galets du rivage et, penchée sur sa tête à la fenêtre de l'auberge, une souillon hélait des marins d'Ibben.

Une poignée de négociants locaux n'attendit pas que le *Myraham* fût amarré pour l'assaillir de questions sur sa cargaison. « Nous arrivons de Villevieille, leur cria le capitaine, et nous transportons des pommes et des oranges, des vins de La Treille, des plumes des îles d'Été. J'ai du poivre, des tissages de cuir, un ballot de dentelles de Myr, des miroirs pour dames, une paire de harpes de Villevieille plus mélodieuses que vous n'en avez jamais entendu. » La passerelle s'abattit avec des craquements suivis d'un choc sourd. « Et je vous ai ramené votre héritier. »

Au regard inexpressif et bovin que les bourgeois de Lordsport posèrent sur sa personne, Theon se rendit compte qu'ils ignoraient qui il était. Cela le mit en rogne. Il déposa un dragon d'or dans la paume du capitaine. « Dites à vos gens d'apporter mes affaires. » Et, sans attendre la réponse, il descendit la passerelle à longues foulées. « Holà, l'aubergiste, aboya-t-il, un cheval !

— Vot' serviteur, m'sire », répondit l'homme sans seulement s'incliner, lui rafraîchissant ainsi la mémoire sur la singulière outrecuidance des fer-nés. « Pourrait ben s' trouver qu' j'n ai p't-êt' un. Pour aller où, m'sire ?

— Pyk. » À constater que l'imbécile ne l'avait pas *encore* reconnu, Theon se repentit de n'avoir pas revêtu son beau doublet brodé de la seiche.

« F'ra mieux v' dépêcher, si v' voulez y êt' 'vant la nuit, repartit l'homme. Mon gars vous mont'ra le ch'min.

— Pas besoin de ton gars, lança une voix grave, ni de ton cheval. C'est moi qui ramènerai mon neveu chez son père. »

L'intervenant n'était autre que le prêtre aperçu peu auparavant. Au fur et à mesure qu'il s'approchait, les petites gens ployaient le genou, et Theon entendit l'aubergiste souffler : « Tifs-trempés ! »

Mince et de haute taille, il portait les robes chamarrées aux tons fluides – gris, verts et bleus – du dieu Noyé et, retenue en bandoulière sous son bras par une courroie de cuir, une outre à eau. Lui tombant jusqu'à la ceinture, ses cheveux étaient, tout comme sa barbe hirsute, entre-tressés de nattes d'algues sèches.

Tout à coup, Theon se souvint. Dans l'un de ses rares billets, lord Balon avait évoqué ce benjamin qui, disparu au cours d'une tempête et rejeté sain et sauf par les flots, tournait au saint homme. « Oncle Aeron ? dit-il, sans grande assurance.

— Neveu Theon, répliqua le prêtre. Le seigneur ton père m'envoie te prendre. Viens.

— Un instant, Oncle. » Il retourna vers le *Myraham*. « Mes effets », commanda-t-il au capitaine.

Un marin lui tendit son grand arc d'if et son carquois hérissé de flèches, mais c'est la fille qui lui apporta son balluchon de bons vêtements. « Messire. » Elle avait les yeux rouges. Comme il saisissait son bien, elle prétendit l'embrasser, là, en présence de son propre père, de son prêtre d'oncle à lui et de la moitié de l'île. Il sut esquiver le baiser. « Je vous remercie.

— S'il vous plaît, dit-elle, je vous aime tellement, messire…

— Je dois partir. » Il s'élança aux trousses de son oncle qui déjà s'éloignait, le rejoignit en quelques longues enjambées. « Je ne m'attendais pas à vous voir, Oncle. Je m'étais flatté qu'après dix années de séparation, le seigneur mon père et dame ma mère viendraient peut-être m'accueillir en personne ou m'enverraient Dagmer avec une garde d'honneur.

— Il ne t'appartient pas de discuter les volontés de lord Ravage de Pyk. » Le prêtre affectait des manières glaciales qui achevèrent de dérouter Theon. De tous ses oncles, Aeron Greyjoy était jadis le plus affable, frivole et rieur, friand de chansons, de chopes et de femmes. « Quant à

Dagmer, il est parti pour Vieux Wyk sur ordre de ton père secouer les Maisonpierre et les Timbal.

— Dans quel but? Pourquoi les boutres sont-ils sur le pied de guerre?

— Pourquoi l'ont-ils jamais été?» Son oncle avait laissé les chevaux attachés plus loin. Au moment de les atteindre, il se retourna. «Dis-moi la vérité, neveu. Pries-tu maintenant les dieux du loup?»

Prier, Theon n'y songeait guère, mais était-ce le genre de choses que l'on avoue à un prêtre, ce prêtre fût-il le frère de votre propre père? «Ned Stark priait un arbre. Non, je n'ai que faire des dieux Stark.

— Bien. À genoux.»

Le sol était caillouteux, crotté. «Oncle, je…

— *À genoux.* À moins que tu ne sois trop fier, à présent? Est-ce un damoiseau des terres vertes qui nous revient là?»

Theon s'agenouilla. Il arrivait avec un projet, l'appui d'Aeron lui serait peut-être nécessaire pour le réaliser. Une couronne valait bien un peu de poussière et de crottin sur les chausses, supposa-t-il.

«Courbe la tête.» L'oncle leva son outre, la déboucha et en fit gicler un fin jet d'eau de mer qui mouilla les cheveux de Theon, lui dégoulina le long du front jusque dans les yeux, nappa ses joues, glissa un doigt dans le col de son manteau et de son doublet, lui fit courir le long de l'échine un ruisselet frisquet. Le sel lui brûlait si fort les paupières qu'il lui fallut toute son énergie pour ne pas larmoyer. Ses lèvres goûtaient l'océan. «Fais que ton serviteur Theon renaisse de la mer comme tu en renaquis, psalmodia Aeron Greyjoy. Accorde-lui la bénédiction du sel, la bénédiction de la pierre, la bénédiction de l'acier. Connais-tu encore les mots, neveu?

— Ce qui est mort ne saurait plus mourir, se rappela Theon.

— Ce qui est mort ne saurait plus mourir, lui fit écho le prêtre, mais ressurgit plus rude et plus vigoureux. Debout. »

En clignotant pour refouler les larmes imputables au sel, Theon se leva. Sans un mot, son oncle reboucha l'outre, détacha son cheval, se mit en selle, Theon l'imita, et, tournant le dos à l'auberge et au port, ils s'enfoncèrent dans les collines pierreuses au-delà du château de lord Botley. Le prêtre ne desserrait pas les dents.

«J'ai passé la moitié de ma vie loin de la maison, hasarda finalement Theon. Vais-je trouver les îles changées?

— Les hommes pêchent dans la mer, creusent dans la terre et meurent. Les femmes enfantent dans le sang et dans la douleur et meurent. La nuit suit le jour. Les vents et les marées demeurent. Les îles sont telles que les créa notre dieu. »

Bons dieux, il est devenu sinistre! songea Theon. «Trouverai-je à Pyk ma sœur et dame ma mère?

— Non. Ta mère habite Harloi, avec sa propre sœur. Le climat y est moins âpre, et sa toux la tourmente. Ta sœur est partie à bord de son *Vent noir* transmettre des messages de ton père à Grand Wyk. Sois sûr qu'elle en reviendra au plus tôt. »

Dire à Theon que *Le Vent noir* était le boutre personnel d'Asha ne s'imposait pas. Malgré leur longue séparation, ce détail lui était connu. Bizarre, tout de même, qu'elle l'eût baptisé ainsi, quand Robb Stark avait son Vent Gris, lui. «Stark est gris, Greyjoy noir, murmura-t-il avec un sourire, mais il semble que nous soyons l'un et l'autre ventés. »

À cela, le prêtre n'avait rien à redire.

«Et vous, Oncle? Vous n'étiez pas prêtre lorsqu'on m'a emmené. Il me semble encore vous voir chanter les vieilles chansons de pillage, debout sur la table, une corne de bière au poing.

— Jeune j'étais, et vain, dit Aeron Greyjoy, mais la mer a lavé mes sottises et mes vanités. Cet homme a péri noyé, neveu. L'eau de mer a empli ses poumons, les poissons dévoré les écailles qui couvraient ses yeux. En ressurgissant, j'ai vu clair. »

Il est aussi fou que fielleux. Ce que Theon se remémorait de l'ancien Aeron Greyjoy avait autrement de charme. «Oncle, pourquoi Père a-t-il convoqué ses voiles et ses épées ?

— Sans doute te le dira-t-il à Pyk.

— J'aimerais connaître ses plans tout de suite.

— De moi, tu n'apprendras rien. Il nous est formellement interdit d'en parler à quiconque.

— Même à *moi* ?» Sa colère flamba. Il avait mené des hommes à la bataille, chassé en compagnie d'un roi, il s'était distingué dans des mêlées de tournoi, il avait chevauché avec Brynden le Silure et Lard-Jon Omble, combattu au Bois-aux-Murmures, baisé plus de filles qu'il ne saurait dire, et cette espèce d'oncle le traitait comme s'il était encore un mioche de dix ans ? «Si Père échafaude des plans de guerre, je dois les connaître. Je ne suis pas *quiconque.* Je suis l'héritier de Pyk et des îles de Fer.

— Pour ça, dit son oncle, nous verrons. »

La remarque lui fit l'effet d'une gifle. «*Nous verrons ?* Mes deux frères sont morts. Je suis le seul fils survivant de Père.

— Ta sœur est en vie. »

Asha ? Il demeura pantois. Certes, elle avait trois ans de plus que lui, mais… «Une femme ne peut hériter qu'à défaut d'héritier mâle en ligne directe ! protesta-t-il avec véhémence. Je ne me laisserai pas barboter mes droits, je vous préviens. »

Son oncle émit un grognement. «Comment oses-tu *prévenir* un serviteur du dieu Noyé, petit drôle ? Tu as oublié plus que tu ne crois. Et tu divagues complètement si tu t'imagines que ton père transmettra jamais ces saintes îles à un Stark. Tais-toi, maintenant. La route est bien assez longue sans tes jacasseries. »

Non sans mal, Theon se le tint pour dit. *Alors, ça se goupille comme ça ?* songea-t-il. Comme si dix années de Winterfell pouvaient faire un Stark. Lord Eddard avait eu beau l'élever parmi ses propres enfants, jamais Theon n'avait été l'un d'eux. Personne, au château, depuis lady Catelyn jusqu'au dernier des marmitons, n'ignorait sa position d'otage et de garant de la bonne conduite de son père, et tous le traitaient en conséquence. Même le bâtard Jon Snow se voyait accorder plus de considération que lui.

Pour s'être amusé de-ci de-là à jouer les pères avec lui, lord Eddard n'en demeurait pas moins, aux yeux de Theon, l'homme qui, non content de mettre Pyk à feu et à sang, l'avait ensuite lui-même arraché aux siens ; l'homme dont la face austère et la grande épée sombre le terrifiaient, gosse ; l'homme dont l'épouse se montrait, si possible, encore plus distante et défiante.

Quant aux enfants, les derniers-nés n'avaient guère été, durant son séjour, que des mioches vagissants. Seuls Robb et son demi-frère adultérin s'étaient, de par leur âge, révélés dignes d'un brin d'attention. Aussi maussade qu'ombrageux, le bâtard lui enviait sa haute naissance et son ascendant sur Robb. Quant à ce dernier, Theon n'était pas sans lui vouer l'espèce d'affection qu'on aurait pour un jeune frère…, mais mieux valait n'en pas souffler mot. À Pyk, semblait-il, les conflits anciens demeuraient d'actualité. Il aurait dû s'y attendre. Les îles de Fer vivaient dans le passé ; l'extrême rudesse du présent révoltait trop leur amertume. En outre, Père et ses frères étaient vieux, et les vieux lords étaient comme ça ; ils emportaient dans la tombe leurs inimitiés poussiéreuses, rancœur intacte et pardon nul.

Tels s'étaient aussi révélés les Mallister, ses compagnons de chevauchée de Vivesaigues à Salvemer. Point trop mauvais bougre, Patrek Mallister partageait son propre penchant pour la gueuse, le vin, la chasse au faucon. Mais, en voyant croître outre mesure son goût pour la société de Theon, ce barbon de lord Jason s'était empressé de prendre à part son héritier pour lui rappeler qu'on avait bâti Salvemer afin de défendre la côte contre les pillards des îles de Fer et, au premier chef, contre leurs principaux meneurs, les Greyjoy de Pyk ; que la tour Retentissante, ainsi nommée en raison de son énorme cloche de bronze, sonnait le tocsin, jadis, pour rameuter dans le château les gens de la ville et de la campagne lorsqu'à l'horizon paraissaient les boutres fer-nés.

« Peu lui chaut que la cloche n'ait sonné qu'une seule fois en trois siècles, confia Patrek le lendemain, tout en arrosant de cidre vert les circonspections de son père.

— Quand mon frère attaqua Salvemer », précisa Theon. Lord Jason avait tué Rodrik Greyjoy sous les murs du château et rejeté les fer-nés à la mer. « Si ton père se figure que je lui en garde la moindre rancune, c'est qu'il ne connaissait vraiment pas Rodrik. »

Ils avaient éclaté de rire tout en galopant retrouver une jeune meunière en chaleur connue de Patrek. *Que n'est-il avec moi, aujourd'hui.* Mallister ou pas, le gaillard était un partenaire plus gracieux que cette espèce de vieux bigot rance qu'était devenu l'oncle Aeron.

Le chemin qu'ils suivaient montait en lacets, montait toujours parmi des collines arides et rocailleuses. Ils perdirent bientôt de vue la mer, mais l'odeur de sel saturait toujours l'atmosphère humide. Sans modifier leur train pesamment régulier, ils dépassèrent une bergerie puis les vestiges d'une mine abandonnée. Ce nouveau saint d'Aeron Greyjoy n'était décidément pas communicatif.

Chevaucher dans un silence aussi compact finit par devenir intolérable à Theon. « Voilà Robb Stark maître de Winterfell, à présent », dit-il.

L'oncle continua d'aller. « Un loup, un autre, pas de différence.

— Robb a rompu ses engagements vis-à-vis du Trône de Fer et s'est couronné roi du Nord. C'est la guerre.

— Les corbeaux de mestre volent aussi vite qu'une pierre par-dessus le sel. Ces nouvelles sont vieilles et froides.

— Elles annoncent un nouveau jour, Oncle.

— Chaque matin apporte un nouveau jour en tous points semblable au jour révolu.

— À Vivesaigues, on ne serait pas d'accord avec vous. On voit là-bas dans la comète rouge le héraut d'une ère nouvelle. Un messager des dieux.

— Elle est bien un signe, acquiesça le prêtre, mais de notre dieu, pas des leurs. Elle est une torche embrasée, telle qu'en brandissait notre peuple dans les anciens temps. Elle est la flamme que le dieu Noyé rapporta de la mer, et elle claironne un raz de marée. Le temps est venu de hisser nos voiles et de nous ruer dans le monde avec le fer et le feu, comme il fit lui-même. »

Theon sourit. « Je ne serais pas davantage d'accord.

— L'homme est d'accord avec le dieu comme la goutte de pluie avec l'ouragan. »

La goutte de pluie sera roi un jour, vieillard. Saoulé de l'humeur de son oncle, Theon éperonna sa monture et prit le trot, un sourire aux lèvres.

C'est aux abords du crépuscule qu'ils atteignirent les murs de Pyk, une demi-lune de pierre noire qui courait de falaise en falaise, percée en son centre d'une poterne que flanquaient de chaque côté trois tours carrées. S'y discernait toujours l'impact des projectiles largués par les catapultes du Baratheon. Au sud s'était élevée sur les ruines de l'ancienne une tour neuve dont la pierre, un rien plus pâle, demeurait encore exempte de lichens. Là s'était ouverte la brèche par où Robert avait bondi par-dessus décombres et cadavres, masse au poing, Ned Stark à ses côtés. Un spectacle que Theon, bien à l'abri dans la tour de la Mer, avait vu de ses propres yeux et qu'il lui arrivait de revivre en rêve, ébloui par les torches et abasourdi par le tohu-bohu lugubre de la débâcle.

Et voici qu'après tant d'années les portes béaient devant Theon Greyjoy, la herse de fer rouillé relevée, que, du chemin de ronde, les gardes jetaient sur sa personne un œil indifférent. Il était enfin de retour chez lui.

Passé la première enceinte s'étendait, durement plaquée entre ciel et mer, une braie de quelque cinquante arpents qu'encombraient écuries, chenils et ramas d'autres dépendances. Moutons et pourceaux s'entassaient dans des parcs, mais on laissait vagabonder les chiens. Au sud, les falaises et le large pont vers le Grand Donjon, le fracas des vagues. Theon sauta de selle, et un palefrenier vint prendre son cheval. Deux mioches émaciés, quelques serfs le dévisageaient d'un œil morne, mais toujours pas trace du seigneur son père ni d'aucun être qui lui rappelât son enfance. *Des retrouvailles aigres et glacées*, songea-t-il.

Le prêtre n'avait pas démonté. « Vous ne restez pas dîner et passer la nuit, Oncle ?

— T'amener, tels étaient mes ordres. Te voilà amené. Je retourne aux affaires de notre dieu. » Il tourna bride sur ces mots et, lentement, passa sous les pointes boueuses de la herse.

Pliée en deux et fagotée dans une espèce de sac gris l'aborda de biais une vieille. « Je suis chargée de vous montrer vos appartements, m'sire.

— Par qui ?

— Par m'seigneur votre père, m'sire. »

Il retira ses gants. « Ainsi, tu sais qui je suis, *toi*. Pourquoi mon père n'est-il pas venu m'accueillir ?

— Il vous attend dans la tour de la Mer, m'sire. Quand vous serez un peu reposé de votre voyage. »

Et je trouvais Ned Stark froid. « Et qui es-tu, toi ?

— Helya. Je tiens le château pour m'seigneur votre père.

— Mais Sylas était l'intendant, ici. On l'appelait Aigrebec. » Il se rappelait fort bien l'haleine vineuse du vieil homme.

« Mort y a cinq ans, m'sire.

— Et mestre Qalen, où est-il ?

— Il dort dans la mer. C'est Wendamyr qui s'occupe des corbeaux, maintenant. »

Exactement comme si j'étais un étranger, se dit-il. *Rien n'a changé, et tout a changé néanmoins.* « Conduis-moi à mes appartements, femme », commanda-t-il. Sur une courbette roide, elle lui fit traverser la braie vers le pont. Ce dernier du moins était conforme à ses souvenirs ; les vieilles pierres luisantes d'embruns et maculées de lichens ; la mer écumant là-dessous comme une énorme bête sauvage ; le vent salé qui s'en prenait aux vêtements.

Chaque fois qu'il s'était figuré son retour, il s'était invariablement vu franchissant le seuil de la chambre douillette où il dormait, enfant, dans la tour de la Mer. Or, la vieille le mena au donjon Sanglant dont, sans être ni moins froides ni moins humides, les pièces étaient plus vastes et mieux meublées. Il s'y vit attribuer une suite glaciale aux plafonds si hauts qu'ils se perdaient dans la pénombre. Elle l'eût davantage séduit, peut-être, s'il n'avait su qu'il s'agissait précisément de celle à qui la tour devait son nom. Mille ans plus tôt, les fils du roi de la Rivière y avaient été assassinés, débités dans leur lit en mille morceaux, ce qui était plus pratique pour les réexpédier à leur père, dans le Conflans.

Mais on n'assassinait pas les Greyjoy, à Pyk. Ce n'était arrivé qu'une seule fois – entre frères – depuis des éternités, et les frères de Theon étaient morts tous deux. Ce n'était pas la peur des fantômes qui motivait son regard écœuré. Les tentures des murs étaient vertes de moisissure, le matelas effondré puait le chanci, et la jonchée vétuste l'aigre. On n'avait pas ouvert ces pièces depuis des années. L'humidité vous pénétrait jusqu'au fond des os. « Un baquet d'eau chaude et du feu dans cette cheminée, dit-il à la vieille. Fais disposer des braseros dans les autres pièces pour en chasser un peu le froid. Et, bonté divine, envoie-moi dare-dare quelqu'un me changer ces joncs !

— Oui, m'sire. Votre servante. » Elle fila.

Pas mal de temps s'écoula avant que n'arrive l'eau chaude – tiède, bientôt froide, et de mer, par-dessus le marché ; du moins lui permit-elle de se débarbouiller les mains, le visage, et de décrasser ses cheveux. Pendant que deux serfs allumaient les braseros, Theon retira ses vêtements de voyage et, pour aller retrouver son père, choisit des chausses en laine d'agneau moelleuse gris-argent, des bottes souples de cuir noir et un doublet de velours noir brodé de la seiche d'or Greyjoy. Il s'entoura le col d'une fine chaîne d'or, la taille d'une ceinture de cuir blanc où il enfila d'un côté un poignard, de l'autre une rapière, tous deux en fourreaux rayés noir et or. Après avoir éprouvé le fil du poignard sur son pouce, il tira de son aumônière une pierre à aiguiser et, en un tournemain, le peaufina. L'acuité permanente de ses armes faisait son orgueil. « Qu'à mon retour je trouve la chambre chaude et jonchée de frais », prévint-il les serfs tout en se gantant de soie noire délicatement brochée d'arabesques d'or.

Il regagna le Grand Donjon par une galerie couverte où l'écho de ses pas sur la pierre se mêlait à la rumeur incessante de la mer, dessous. Pour se rendre à la tour de la Mer, juchée sur son pilier difforme, il fallait encore franchir trois autres ponts, chacun plus étroit que le précédent. Le dernier n'était qu'une passerelle de câbles et de bois que le vent saturé d'embruns faisait se tortiller sous le pied comme un organisme vivant. À mi-parcours, Theon fut pris de haut-le-cœur. Du fond de l'abîme où elles s'écrasaient contre le rocher, les vagues projetaient des panaches d'écume vertigineux. Enfant, même au plus noir de la nuit, c'est en courant qu'il traversait. *Les gamins se croient invulnérables*, lui souffla son désarroi. *Les hommes faits savent davantage à quoi s'en tenir.*

Bardée de fer, la porte de bois gris se révéla barrée de l'intérieur. Il se mit à la marteler du poing et poussa un juron lorsqu'une écharde érailla son gant. Le bois était humide et moisi, rouillé le fer de ses renforts.

Au bout d'un moment, un garde ouvrit, corseté dans un pectoral de plates en fer noir et coiffé d'un bassinet. « C'est vous, le fils ?

— Hors de ma route, ou je t'apprendrai qui je suis. » L'homme s'écarta. Theon gravit l'escalier tournant qui menait à la loggia. Assis près d'un brasero, le seigneur et maître des îles de Fer portait une robe en peau de phoque qui l'enveloppait des pieds au menton dans une odeur de renfermé. Le bruit des bottes lui fit lever les yeux sur son dernier fils vivant. Il était plus petit que ne se rappelait Theon. Et si décharné. Certes, il n'avait jamais été gras, mais on eût dit à présent que les dieux l'avaient plongé dans un chaudron et fait bouillir pour lui retirer la moindre once de viande et ne lui laisser que les os, la peau et le poil. D'os maigre et d'os dur il était, et sa figure aurait pu être aussi bien taillée dans le silex. De silex étaient également ses yeux, durs et acérés, mais les vents saumâtres et les ans avaient donné à sa chevelure le gris moucheté de blanc des mers hivernales. Laissée flottante, elle lui pendait jusqu'au bas des reins.

« Neuf ans, c'est ça ? dit-il enfin.

— Dix, répondit Theon en retirant ses gants éraflés.

— Ils ont pris un gosse, reprit lord Balon. Qu'es-tu maintenant ?

— Un homme. Votre sang et votre héritier. »

Son père grogna. « Nous verrons.

— Vous verrez, promit Theon.

— Dix ans, dis-tu. Stark t'a eu aussi longtemps que moi. Et voilà que tu m'arrives comme son émissaire.

— Pas le sien, rectifia-t-il. Lord Eddard est mort, décapité par la reine Lannister.

— Ils sont morts tous les deux, Stark et ce Robert qui m'a démantelé mes murs avec ses catapultes. Je m'étais juré de vivre assez pour les voir au tombeau, c'est fait. » Il grimaça. « Mais mes articulations souffrent autant du froid et de l'humidité que lorsqu'ils étaient en vie. Alors, à quoi cela sert-il ?

— Cela sert. » Theon se rapprocha. « J'apporte une lettre...

— C'est Ned Stark qui t'habillait de cette façon ? coupa son père en louchant de dessous sa robe. Ça lui plaisait, de t'accoutrer de velours et de soie et de faire de toi sa fille mignonnette ? »

Theon sentit s'empourprer son visage. « Je ne suis la fille de personne. Si vous n'aimez pas ma tenue, j'en changerai.

— Changes-en. » Rejetant ses pelures, lord Balon se mit poussivement sur pied. Vraiment moins grand que ne se rappelait Theon. « Cette babiole, autour de ton cou... – c'est de l'or ou du fer qui l'a achetée ? »

Theon toucha sa chaîne d'or. Il avait oublié. *Cela faisait si longtemps...* L'Antique Voie permettait à la femme de se parer de bijoux payés en espèces, mais elle interdisait au guerrier d'en porter d'autres que ceux dont il dépouillait les ennemis tués de sa propre main. Cela s'appelait *payer le fer-prix*.

« Tu rougis comme une pucelle, Theon. Je t'ai posé une question. Est-ce au prix de l'or que tu l'as payée, ou au fer-prix ?

— De l'or », avoua-t-il.

Son père glissa les doigts sous le collier et tira dessus d'une secousse si violente que, n'eût celui-ci cédé le premier, la tête de Theon volait de ses épaules. « Ma fille a pris pour amant une hache d'armes, reprit-il. Je ne laisserai pas mon fils s'attifer comme une putain. » Il jeta la chaîne brisée dans le brasero. Elle s'y coula parmi les charbons. « Juste ce que je craignais. Les pays verts t'ont efféminé, et les Stark fait leur.

— Vous vous trompez. Ned Stark était mon geôlier, mais mon sang demeure de fer et de sel. »

Lord Balon se détourna pour chauffer ses mains osseuses au-dessus du brasero. « N'empêche que le chiot Stark t'envoie, comme un corbeau bien dressé, m'apporter son petit message.

— Il n'y a rien de petit dans la lettre que j'apporte, protesta Theon, et l'offre qu'il fait, c'est moi qui la lui ai soufflée.

— Parce que ce loup de roi tient compte de tes conseils, n'est-ce pas ? » L'idée sembla divertir lord Balon.

« Il m'écoute, oui. J'ai chassé avec lui, je me suis entraîné avec lui, j'ai partagé le pain et le sel avec lui, j'ai guerroyé à ses côtés. J'ai gagné sa confiance. Il me considère comme un frère aîné, il…

— *Pas de ça !* » Son père lui brandit son index sous le nez. « Pas ici, pas à Pyk, pas à portée de mon oreille, non, tu ne vas pas l'appeler *frère*, ce fils de l'homme qui a passé tes propres frères au fil de l'épée! Aurais-tu oublié Rodrik et Moron? Eux étaient ton propre sang!

— Je n'oublie rien.» Ned Stark n'avait tué aucun de ses frères, à la vérité. Rodrik était tombé sous les coups de Jason Mallister à Salvemer, Moron avait péri écrasé lors de l'effondrement de la tour du sud…, mais Stark s'en *serait* aussi bien chargé si la marée des combats ne les avait d'aventure tous deux balayés d'abord. «Je me rappelle fort bien mes frères», insista-t-il. Notamment les taloches de cet ivrogne de Rodrik et, de Moron, les blagues cruelles et les mensonges incessants. «Et je me rappelle aussi l'époque où mon père était roi.» Il exhiba la lettre de Robb, la tendit. «Voici. Lisez…, Sire.»

Lord Balon rompit le sceau, déroula le parchemin. Ses yeux noirs papillonnèrent des allers-retours. «Alors, comme ça, le gamin me rendrait ma couronne, dit-il, sous la simple réserve que j'anéantisse ses ennemis.» Ses lèvres se tordirent en une sorte de sourire.

«Robb se trouve pour l'heure à la Dent d'Or, expliqua Theon. Une fois que la place sera tombée, le franchissement des cols ne prendra qu'un jour. L'armée de lord Tywin campe à Harrenhal, coupée de ses communications avec l'ouest. Le Régicide est prisonnier à Vivesaigues. Dans sa marche, Robb ne rencontrera d'autre obstacle que les troupes de bleus levées à la hâte par ser Stafford Lannister. Celui-ci cherchera à l'intercepter avant qu'il n'atteigne Port-Lannis. Ce qui revient à dire que la ville se retrouvera sans défenseurs quand nous l'attaquerons par mer. Avec l'aide des dieux, Castral Roc lui-même pourrait tomber entre nos mains avant que les Lannister ne se doutent seulement que nous fondons sur eux.»

Lord Balon grogna. «Castral Roc n'a jamais été pris.

— Jusqu'à nos jours.» Theon sourit. *Et quel régal ce sera.*

Son père ne lui rendit pas son sourire. «Voilà donc pourquoi Robb Stark me restitue mon fils après tant d'années? Pour que mon fils me fasse adhérer à son plan?

— C'est mon plan, non le sien», se rengorgea Theon. *Le mien, tout comme miennes seront la victoire et, le moment venu, la couronne.* «Je conduirai moi-même les opérations, s'il vous agrée. Je vous prierai de m'en récompenser en m'accordant pour résidence Castral Roc, dès que nous en aurons dépossédé les Lannister.» Du même coup tomberaient dans son escarcelle Port-Lannis et les pays dorés de l'ouest. Et, par là, jamais la maison Greyjoy n'aurait connu pareille opulence ni pareille puissance.

«Tu te récompenses assez joliment, pour quelques gribouillages et une hypothèse en l'air.» Lord Balon relut la lettre. «Le chiot ne pipe mot de récompense, lui. Seulement que tu parles en son nom, que je dois écouter, lui donner mes voiles et mes épées, qu'en retour il me donnera une couronne.» Il reporta sur son fils ses prunelles de silex. «Il me *donnera* une couronne, répéta-t-il d'un ton où perçait l'exaspération.

— Un mot maladroit, peut-être, mais dont le sens…

— Dont le sens est parfaitement explicite. Le gamin me *donnera* une couronne. Et ce qui se donne peut être repris.» La lettre rejoignit la chaîne d'or dans le brasero. Elle ondula, noircit, s'enflamma.

Theon en fut atterré. «Êtes-vous devenu fou?»

D'un revers de main cuisant, son père le souffleta. «Surveille ta langue. Tu n'es plus à Winterfell, et je ne suis pas Robb le Gamin pour que tu oses parler de la sorte. Je suis le Greyjoy, lord Ravage de Pyk, roi du Sel et du Roc, fils du Vent de mer, et personne ne me donne de couronne. Je paie le fer-prix. Ma couronne, je la *prendrai*, comme le fit Urron Mainrouge voilà cinq mille ans.»

Theon recula, hors de portée de la fureur qui faisait vibrer la voix de son père. «Alors, prenez-la, cracha-t-il, la joue lui piquant encore. Appelez-vous roi des îles de Fer, nul n'en aura cure… jusqu'à ce que, les hostilités terminées, le vainqueur jette un regard circulaire et aperçoive le vieux bouffon juché sur sa grève et couronné de fer.»

Lord Balon se mit à rire. «Eh bien, du moins n'es-tu pas couard! Pas plus que je ne suis bouffon. Dans quel but t'imagines-tu que je concentre mes bateaux? Pour les regarder danser sur leurs ancres? J'entends me tailler un royaume par le fer et par le feu…, mais pas dans l'ouest, et pas sur ordre du roi Robb le Gamin. Castral Roc est trop fort, et lord Tywin deux fois trop futé. Ouais, nous pourrions prendre Port-Lannis, mais nous ne pourrions le garder. Non. J'ai faim d'une tout autre prune…, pas si sucrée ni si juteuse, assurément, mais qui pend mûre sur la branche, mûre et sans défense.»

Où? faillit étourdiment demander Theon. Mais il connaissait la réponse.

DAENERYS

Les Dothrakis nommaient la comète *shierak qiya*, l'Étoile sanglante. Les vieux ronchonnaient qu'elle était un présage funeste mais, pour l'avoir vue paraître la nuit même où le bûcher de Khal Drogo avait réveillé les dragons, Daenerys Targaryen s'émerveillait en son cœur de la contempler au firmament. *C'est le héraut proclamant ma venue*, se dit-elle, *les dieux l'ont envoyée pour me montrer la voie*.

Mais à peine eut-elle formulé cette pensée que Doreah gémit, défaillante : « De ce côté sont les pays rouges, *Khaleesi*. Un lieu terrible et sinistre, disent les cavaliers.

— La voie qu'indique la comète est la voie que nous devons suivre », affirma-t-elle, d'autant plus péremptoire qu'à la vérité… toute autre lui était fermée.

Elle n'osait, au nord, s'engager sur l'océan d'herbe de la mer Dothrak. Le premier *khalasar* venu ne ferait qu'une bouchée de sa maigre troupe de loqueteux, tuerait les guerriers et réduirait les autres en esclavage. Au sud du fleuve, les terres des Agnelets ne leur étaient pas moins interdites. Ils étaient trop peu nombreux pour se défendre même contre un peuple aussi pacifique, lequel n'avait cependant guère motif de les aimer. Quant à descendre le courant jusqu'aux ports de Meeren, Yukai et Astapor, c'est, à en croire Rakharo, ce que faisaient déjà Pono et son *khala-*

sar, poussant devant eux les milliers de captifs qu'ils comptaient vendre dans les innombrables comptoirs de traite qui, comme autant de pustules, infestaient le pourtour de la baie des Esclaves. «Et qu'aurais-je à craindre de Pono ? s'était étonnée Daenerys. Il était le *ko* de Drogo et me parlait si gentiment…

— Ko Pono vous parlait peut-être gentiment, répliqua ser Jorah Mormont, Khal Pono vous tuerait. Il a été le premier à abandonner Drogo. Dix mille guerriers l'ont suivi. Vous n'en avez qu'une centaine. »

Non, songea-t-elle. *J'en ai quatre. Les autres ne sont que des femmes, des vieillards malades et des bambins dont on n'a toujours pas tressé la chevelure.* « J'ai les dragons, objecta-t-elle.

— Des poussins, riposta ser Jorah. Une simple taloche d'*arakh* les anéantirait, encore que Pono soit plutôt du genre à se les adjuger. Vos œufs de dragon étaient plus précieux que des rubis, mais un dragon vivant, voilà qui est inestimable. Il n'y en a que trois au monde. Quiconque les verra les voudra, ma reine.

— Ils sont à *moi* », dit-elle d'un ton farouche. Ils étaient nés de sa foi et de son dénuement, venus au monde par la mort de son mari, de son fils avorté et de la *maegi* Mirri Maz Duur. Elle avait marché dans les flammes au-devant d'eux, et ils avaient bu son lait. « Moi vivante, personne ne me les prendra.

— Vous ne vivrez pas longtemps si vous rencontrez Khal Pono. Ou Khal Jhaqo, ou aucun des autres. Il vous faut aller où ils ne vont pas. »

Elle l'avait nommé premier de sa Garde Régine…, et puisque le conseil bourru qu'il lui donnait concordait avec les présages, sa voie était toute tracée. Les flammes ayant entièrement brûlé sa chevelure, ses femmes l'enveloppèrent dans la fourrure du lion blanc naguère tué par Drogo.

Le mufle effrayant du fauve s'ajustait comme un capuchon sur son crâne nu, et sa peau lui drapait les épaules et, tel un manteau, flottait dans son dos. Enroulant sa queue autour de son bras, le dragon crème planta ses griffes noires acérées dans la crinière du *hrakkar*. Alors, elle enfourcha l'argenté et, tandis que ser Jorah venait occuper sa place ordinaire à ses côtés, convoqua le *khalasar*.

« Nous suivons la comète », annonça-t-elle sans susciter la moindre espèce de protestation. Tous s'étaient donnés à elle comme auparavant à Drogo. Ils l'appelaient tantôt *l'Imbrûlée*, tantôt *la Mère des Dragons*, et sa parole était leur loi.

Chevauchant de nuit, on s'abritait tant bien que mal du soleil, le jour, en se réfugiant sous les tentes. La véracité de Doreah, Daenerys ne l'avait reconnue que trop tôt. Ces parages n'étaient pas des plus hospitaliers. Sa progression y traçait un sillage de chevaux morts ou mourants, car Pono, Jhaqo et les autres s'étaient emparés des plus belles bêtes, ne lui abandonnant que les fourbues, boiteuses, étiques, mal en point, rétives ou débiles. Et de même en allait-il des gens. *Je dois d'autant plus leur tenir lieu de force*, se disait-elle, *qu'ils en sont plus dépourvus. Je ne dois montrer ni peur ni faiblesse ni doute. Si pantelant que soit mon cœur, ils ne doivent lire sur mon visage qu'intrépidité, voir en moi que l'épouse de Drogo, leur reine.* Elle se sentait plus mûre que ses quatorze ans. Si tant est qu'elle eût jamais été une simple fillette, révolue, cette époque-là.

À peine avait-on marché trois jours que le premier homme mourut. Un vieillard édenté, aux prunelles bleuâtres, qui tomba de selle, trop épuisé pour se relever. Au bout d'une heure, les mouches-à-sang qui grouillaient sur lui dénoncèrent sa male chance aux vivants. « Il avait dépassé son temps, commenta Irri. Personne ne devrait vivre plus que ses dents. » L'assistance acquiesça. Daenerys ordonna d'abattre le plus moribond des chevaux mourants pour servir de monture au mort jusqu'aux contrées nocturnes.

Deux nuits plus tard, c'est une toute petite fille qui succomba. Vainement retentirent toute la journée les lamentations de la mère. Morte trop jeune pour avoir monté, pauvrette, l'enfant ne pouvait accéder aux noirs pâturages infinis des contrées nocturnes; il lui faudrait à nouveau naître pour cela.

Le fourrage était rare, dans le désert rouge, et plus rare encore l'eau. On ne voyait jusqu'à l'horizon que vagues collines arides et désolées, plaines stériles et battues des vents. Le lit des rivières que l'on traversait avait l'aspect sec de squelettes humains. Les montures ne subsistaient vaille que vaille qu'en grignotant les maigres touffes brunes et rêches d'herbe-au-diable qui végétaient au pied des arbres morts et des rochers. Daenerys eut beau envoyer des éclaireurs en exploration, ils ne découvrirent ni puits ni sources, uniquement des mares saumâtres et stagnantes, des flaques plutôt, que rétrécissait sans cesse l'ardeur du soleil. Et plus on s'enfonçait dans le désert, plus elles s'amenuisaient, plus s'accroissait la distance de l'une à l'autre. S'il y avait des dieux, dans cette désolation vierge de pierre et de sable et d'argile rouges, c'étaient des dieux secs et durs et sourds aux prières de pluie.

Le vin manqua le premier, puis le lait caillé de jument que les seigneurs du cheval préféraient même à l'hydromel. Puis les réserves de galettes d'orge et de viande séchée s'épuisèrent à leur tour. Les chasseurs ne trouvant aucun gibier, seule la viande des chevaux crevés servit à garnir les ventres. La mort suivait la mort. Enfants faiblards, vieillardes ratatinées, crétins, malades, écervelés, tous les revendiquait le pays féroce. Doreah se décharna, l'œil cave, et l'or soyeux de sa chevelure s'effritait comme de la paille.

Daenerys avait aussi soif et faim que ses compagnons. Son lait se tarit, ses tétons se craquelèrent au sang, sa chair s'évapora si bien de jour en jour qu'elle finit par devenir aussi maigre et dure qu'un bâton, mais c'est à ses dragons qu'allaient toutes ses craintes. Son père avait été tué avant qu'elle ne naisse, et son splendide frère, Rhaegar, aussi. Sa mère était morte en lui donnant le jour, tandis que tout autour le typhon faisait rage. Le noble ser Willem Darry qui devait, à sa manière, l'aimer de son mieux, lui avait été ravi, miné par son mal, quand elle était encore toute jeune. Et les dieux lui avaient encore ôté coup sur coup Viserys, son frère, et le soleil étoilé de sa vie, Khal Drogo, tous, tous, et même son fils avorté. *Ils n'auront pas mes dragons*, jura-t-elle. *Ils ne les auront pas.*

Ses dragons n'étaient pas plus grands que les matous étiques qu'elle voyait autrefois rôder le long des murs de maître Illyrio, à Pentos, non, pas plus grands…, tant qu'ils ne déployaient pas leurs ailes. L'envergure de ces dernières était trois fois supérieure à la longueur totale du corps, et chacune se présentait comme un éventail exquis de peau translucide aux coloris somptueux tendue sur une fine membrure d'os. Un examen attentif révélait qu'ils étaient pour l'essentiel col, queue et ailes. *De si petites choses*, se disait-elle, tout en les nourrissant à la main. En tentant, du moins, car ils refusaient de manger. Ils sifflaient, crachaient, dès que s'approchait un morceau saignant de viande de cheval, leurs narines lançaient des jets de vapeur, mais ils refusaient de prendre la nourriture… – et, tout à coup, elle se souvint de ce que lui avait dit Viserys des années plus tôt.

Seuls les dragons mangent comme les hommes la viande cuite.

Et, de fait, aussitôt que ses femmes l'eurent quasiment carbonisée, ils l'engloutirent avec voracité, ondulant de la tête comme des serpents. Du moment que la viande ne saignait pas, ils en ingurgitaient plusieurs fois par jour l'équivalent de leur propre poids, si bien qu'ils commencèrent enfin à grandir et à prendre des forces. Ils émerveillaient Daenerys par le moelleux de leurs écailles et la *chaleur* qu'ils dégageaient, une chaleur si intense que, par les nuits froides, leur corps tout entier paraissait fumer.

Avant que ne s'ébranle, au crépuscule, le *khalasar*, elle élisait l'un d'eux pour compagnon de route et, tandis qu'il se lovait sur son épaule, les deux autres prenaient place dans une cage de bois tressé qu'Irri et Jhiqui transportaient suspendue entre leurs montures et d'où ils pouvaient en permanence, juste devant eux, voir leur maîtresse, faute de quoi ils ne connaissaient pas de repos.

«Les dragons d'Aegon portaient les noms des dieux de l'antique Valyria, confia-t-elle à ses sang-coureurs au terme d'une longue chevauchée nocturne. Visenya montait Vhagar, Rhaenys Meraxès, Aegon Balerion, la Terreur noire. On raconte que l'ardeur du souffle de Vhagar était susceptible de faire fondre une armure de chevalier et d'en cuire le porteur, que Meraxès gobait les chevaux comme un rien, que Balerion… vomissait des flammes aussi noires que ses écailles, et que telle était l'ampleur de ses ailes qu'il lui suffisait de survoler une ville pour que celle-ci se retrouvât tout entière plongée dans l'ombre.»

L'aspect des poussins mettait les Dothrakis mal à l'aise. D'un noir étincelant, le plus gros des trois avait les écailles flammées de la vive écarlate qui lui peignait ailes et cornes. «*Khaleesi*, murmura Aggo, c'est Balerion ressuscité.

— Tu dis peut-être vrai, sang de mon sang, opina-t-elle d'un ton grave, mais il lui faut un nom nouveau pour sa nouvelle existence. J'entends les baptiser tous d'après les êtres que m'ont enlevés les dieux. Le vert s'appellera Rhaegal, en souvenir de mon vaillant frère mort sur les bords verdoyants du Trident. Le crème-et-or, je le baptise Viserion. Tout cruel et mauviette et froussard qu'il était, Viserys n'en demeurait pas moins mon frère. Son dragon accomplira ce dont lui-même était incapable.

— Et le noir? s'enquit ser Jorah.

— Le noir, dit-elle, est Drogon.»

Or, si prospéraient ses dragons, son *khalasar*, lui, s'amenuisait et se mourait. Le paysage se faisait, autour, de plus en plus désolé. Il n'était jusqu'à l'herbe-au-diable qui ne se raréfiât; tant de carcasses de chevaux jonchaient les traces de la colonne que déjà certains en étaient réduits à la suivre à pied. L'état de Doreah, minée par la fièvre, ne cessait d'empirer. Des gerçures sanguinolentes lui crevassaient les lèvres et les mains, ses cheveux tombaient à poignées et, un soir, elle n'eut plus même la force d'enfourcher sa bête. Jhogo parla de l'abandonner ou de l'attacher à sa selle mais, en mémoire de la nuit où, sur la mer Dothrak, la jeune fille lui avait enseigné l'art de se faire aimer mieux de Drogo, Daenerys refusa. Elle lui fit boire l'eau de sa propre gourde, bassina son front d'un linge humide et lui tint la main jusqu'à son dernier souffle avant de permettre qu'on reprît la marche.

Comme ne s'apercevait aucun indice que personne eût passé par là, les Dothrakis se mirent à chuchoter, terrifiés, que la comète les menait en enfer. Un matin qu'on dressait le camp parmi un chaos de roches noires érodées par le vent, Daenerys s'en fut consulter ser Jorah. «Nous sommes-nous égarés? demanda-t-elle. Ou bien ce désert n'a-t-il pas de fin?

— Il en a une, répondit-il d'un ton accablé. J'ai vu les cartes dessinées par les négociants. Peu de caravanes empruntent cette voie, certes, mais il y a de grands royaumes à l'est, et des cités pleines de merveilles. Yi Ti, Qarth, Asshai-lès-l'Ombre…

— Vivrons-nous assez pour les voir ?

— Je ne vais pas vous mentir. La rudesse de ces contrées-ci dépasse mes prévisions. »

Son teint gris trahissait qu'il n'en pouvait plus. Depuis le soir où il s'était battu contre les sang-coureurs de Drogo, la plaie de sa hanche ne s'était jamais vraiment refermée ; elle lui arrachait une grimace quand il enfourchait son cheval et lui donnait en selle une allure désarticulée. « Persévérer nous condamne peut-être…, mais retourner sur nos pas nous condamne à coup sûr. »

Elle lui effleura la joue d'un baiser. Le voir sourire la réconforta. *Je dois me montrer forte également pour lui*, se morigéna-t-elle. *Tout chevalier qu'il est, le sang du dragon, c'est moi.*

L'eau de la mare suivante était quasiment bouillante et puait le soufre, mais celle des gourdes touchant à sa fin, les Dothrakis en remplirent des jarres et des pots de terre où elle se rafraîchit – s'attiédit, du moins –, sans que son goût devînt certes moins infect, mais toujours était-ce de l'eau, et tous avaient soif. Daenerys scrutait l'horizon avec désespoir. Un tiers de sa troupe avait déjà péri, et le désert se poursuivait à l'infini, morne et rouge. *Elle se joue de mes illusions*, se dit-elle en levant les yeux vers le point du ciel qu'écorchait la comète. *N'aurai-je traversé la moitié du monde et vu renaître les dragons que pour succomber avec eux dans cet épouvantable désert torride ?* Elle refusait de le croire.

Le lendemain, l'aube les surprit au moment où ils traversaient une plaine rouge à la croûte crevassée, fissurée, et Daenerys était sur le point d'ordonner la halte quand ses éclaireurs revinrent au triple galop. « Une ville, *Khaleesi* ! crièrent-ils. Une ville pâle comme la lune et gracieuse comme une adolescente. À une heure de route au plus.

— Guidez-moi », dit-elle.

Lorsque la ville s'offrit à ses regards, avec la blancheur de ses murs et de ses tours comme dépolie par un voile de chaleur, elle lui parut trop belle pour être autre chose qu'un mirage. «De quelle cité s'agit-il? demanda-t-elle à Mormont. En avez-vous une idée?»

Il secoua lentement la tête. «Non, ma reine. Jamais je ne me suis tant aventuré à l'est.»

Dans le lointain, les murailles blanches promettaient si bien repos et sécurité, convalescence et retour des forces que Daenerys n'aspirait à rien tant qu'à se précipiter vers elles. Elle se contenta néanmoins de dire à ses sang-coureurs: «Sang de mon sang, prenez les devants et tâchez d'apprendre quelle est cette ville et quel accueil elle nous réserve.

— *Ai, Khaleesi*», dit Aggo.

Ils ne tardèrent pas à revenir, et Rakharo ne fit qu'un bond de sa selle à terre. À sa ceinture alourdie de médaillons pendait le grand *arakh* courbe que Daenerys lui avait offert avec la dignité de sang-coureur. «C'est une ville morte, *Khaleesi*. Nous l'avons trouvée sans nom ni dieux, portes fracassées, rues abandonnées aux mouches et au vent.»

Jhiqui frissonna. «Quand les dieux sont partis, les mauvais fantômes festoient la nuit. On fait mieux d'éviter ce genre de lieux. C'est connu.

— C'est connu, confirma Irri.

— Pas de moi.» Éperonnant sa monture, Daenerys ouvrit la route et franchit au petit trot l'arche brisée d'une ancienne porte, descendit une rue muette. Ser Jorah et les sang-coureurs suivirent et, plus mollement, le restant de la troupe.

Depuis combien de temps la ville avait été désertée, impossible à dire, hormis que, vus de près, ses remparts blancs, si beaux de loin, se révélaient lézardés, croulants. Ils renfermaient un dédale de venelles sinueuses que bordaient, quasi nez à nez, des façades blanches, d'un blanc crayeux, dépourvues de fenêtres. Partout régnait sans partage le blanc, comme si les anciens habitants avaient ignoré la couleur. De-ci de-là ne demeuraient des maisons effondrées que monceaux de décombres écrasés de soleil, ailleurs se discernaient de vagues traces d'incendie. Au carrefour de six ruelles se dressait un socle de marbre vacant. S'il fallait imputer pareil abandon à quelque incursion lointaine des Dothrakis, la statue absente figurait peut-être, à présent, parmi les dieux volés de Vaes Dothrak. Daenerys l'aurait dès lors côtoyée des centaines de fois sans se douter de sa provenance. Sur son épaule, Viserion ne cessait de *siffler*.

Ils établirent leur camp sur une place battue des vents que surplombait la carcasse vide d'un palais, et entre les pavés de laquelle foisonnait l'herbe-au-diable. Daenerys envoya les hommes en exploration. Certains manifestèrent leur répugnance, mais tous finirent par obtempérer. Peu après reparut un vieillard cousu de cicatrices qui, tout épanoui, rapportait en cabriolant des brassées de figues. Des figues ridées, minuscules, mais sur lesquelles les affamés se ruèrent voracement, jouant des coudes et se bousculant pour en enfourner une et, les joues gonflées, la mastiquer d'un air béat.

D'autres revinrent leur vanter la trouvaille d'arbres fruitiers dissimulés derrière des portes closes en des jardins secrets. Aggo mena Daenerys dans une cour envahie par une treille exubérante qui portait de menues grappes vertes. Jhogo découvrit un puits d'eau pure et glacée. Mais partout gisaient aussi les crânes et les ossements blanchis, fracassés de victimes sans sépulture. « Spectres, maugréa Irri. Terribles spectres. Il ne faut pas rester ici, *Khaleesi*, leur domaine.

— Je ne crains pas les spectres. Les dragons sont plus puissants que les spectres. » *Et les figues m'importent davantage.* « Va plutôt me chercher avec Jhiqui du sable propre pour mon bain, et cesse de m'importuner avec ces niaiseries. »

Et, là-dessus, tout en faisant griller de la viande de cheval sur le brasero, dans l'ombre fraîche de sa tente, elle se mit à réfléchir aux décisions qu'il convenait de prendre. Ces lieux fournissaient suffisamment de nourriture et d'eau pour sustenter ses gens, suffisamment d'herbe pour permettre aux bêtes de se refaire. Quel plaisir ce serait que de s'éveiller chaque jour au même endroit, de flâner parmi des jardins ombreux, de déguster des figues, boire frais, séjourner là aussi longtemps qu'elle le souhaiterait...

Irri et Jhiqui de retour avec leurs vases emplis de sable blanc, elle se dévêtit et s'abandonna entre leurs mains. « Vos cheveux repoussent, *Khaleesi* », dit Jhiqui tout en lui étrillant le dos. Daenerys porta les doigts sur son crâne et constata le fait. *Ne devrais-je pas les laisser croître à la façon des guerriers dothrakis, les natter, les huiler dorénavant, comme eux, sans jamais les couper qu'en cas de défaite, afin de rappeler à tous que je suis désormais la dépositaire de l'énergie de Drogo ?*

À l'autre bout de la tente, Rhaegal déploya ses ailes vertes et, à force d'en battre, décolla d'un demi-pied avant de retomber, pataud, sur le tapis, la queue fouettante de colère, puis dressa la tête et se mit à piauler. *Que n'ai-je des ailes pour voler aussi*, songea-t-elle. Par le passé, les Targaryens guerroyaient montés sur leurs dragons. Elle tenta de se figurer quelle impression l'on éprouvait à s'élever au plus haut des airs à califourchon sur leur nuque. *Celle de se tenir sur la cime d'une montagne, mais en plus grisant. L'univers entier se déroulerait à mes pieds. Et si je m'élevais suf-*

fisamment haut, j'apercevrais jusqu'aux Sept Couronnes, et je n'aurais qu'à tendre la main pour toucher la comète.

Irri la tira brusquement de sa rêverie en lui annonçant que ser Jorah Mormont se trouvait dehors, n'attendant que son bon plaisir. «Fais-le entrer», commanda-t-elle, la peau cuisante encore du décapage, avant de se draper dans la fourrure du lion blanc qui, bien plus grande qu'elle, couvrait facilement tout ce qui devait l'être.

«Je vous apporte une pêche», dit-il en s'agenouillant. Le fruit était si petit qu'elle pouvait presque l'enfermer dans sa paume, et blet au surplus, mais il se révéla si sucré lorsqu'elle y planta ses dents qu'elle en eut presque les larmes aux yeux. Aussi le dégusta-t-elle à petites bouchées, pendant que Mormont lui parlait de l'arbre où il l'avait cueilli, dans un jardin proche du mur ouest.

«Des fruits, de l'eau, de l'ombre, dit-elle, les lèvres empoissées de jus. Les dieux ont été bons de nous conduire ici.

— Nous devrions nous y reposer le temps de restaurer nos forces, enchaîna-t-il. Les terres rouges sont impitoyables aux faibles.

— Mes femmes prétendent la ville infestée de spectres.

— Ils ne sont pas plus nombreux ici qu'ailleurs, objecta-t-il doucement. Nous les emmenons partout avec nous.»

Oui, pensa-t-elle. *Viserys, Khal Drogo, mon fils Rhaego m'accompagnent en permanence.* «Dites-moi donc le nom de votre propre spectre, Jorah. Vous savez tout des miens, vous.»

Son visage se pétrifia. «Elle se nommait Lynce.

— Votre femme?

— Ma seconde femme.»

Il lui est douloureux d'en parler, s'aperçut-elle, mais le désir de connaître la vérité la fit insister. «N'en voulez-vous rien dire d'autre ? » La peau de lion glissant de l'une de ses épaules, elle la rajusta. « Elle était belle ?

— Très belle. » Les yeux de ser Jorah remontèrent de son épaule vers son visage. « La première fois que je l'entrevis, je la pris pour une déesse descendue parmi les mortels, pour la Jouvencelle elle-même incarnée. D'une naissance très supérieure à la mienne, elle était la dernière fille de lord Leyton Hightower de Villevieille. La petite-nièce du Taureau Blanc qui commandait la Garde de votre père. Bref, issue d'une maison fort ancienne, fort riche et des plus hautaine.

— Et loyale, ajouta Daenerys. Je me rappelle que Viserys citait toujours les Hightower parmi les gens restés fidèles à notre père.

— En effet, convint-il.

— Et vos pères respectifs décidèrent de vous unir ?

— Non. Notre mariage…, mais c'est une longue histoire, Votre Grâce, et navrante. Je crains qu'elle ne vous ennuie.

— Je n'ai rien de mieux à faire, insista-t-elle. Poursuivez, je vous en prie.

— J'obéirai, ma reine. » Il se rembrunit. « Chez moi…, ces détails sont nécessaires pour comprendre la suite. Si belle soit-elle, l'île-aux-Ours se trouve à l'écart de tout. Imaginez de vieux chênes tourmentés, de grands pins, des buissons d'épineux en fleurs, des rochers gris tout barbus de mousse, des torrents glacés cascadant le long de collines abruptes. La demeure de mes ancêtres est bâtie de rondins et entourée d'un remblai de terre. Exception faite de quelques menus fermiers, la population vit le long des côtes et se consacre à la pêche. Et comme nous nous trouvons au septentrion, nos hivers sont plus rigoureux que vous ne pouvez vous le figurer, *Khaleesi*.

« En dépit de cela, l'île m'agréait assez, et je n'y manquais pas de femmes. Avant comme après mon mariage, je puisai parmi les épouses de pêcheurs et les filles de paysans. Mon père m'avait fait épouser, tout jeune, une Glover de Motte-la-Forêt avec qui je vécus peu ou prou dix ans. Elle ne manquait pas, malgré son visage épaté, d'une certaine bonne grâce, et je finis, je crois, par lui vouer une espèce d'affection, bien que le devoir tînt plus de place que la passion dans notre commerce. Trois fausses couches la privèrent de me donner un héritier. La dernière lui fut fatale. Elle y succomba peu après. »

Daenerys lui pressa doucement la main. « J'en suis fâchée pour vous, sincèrement. »

Il hocha la tête. « À l'époque, mon père ayant pris le noir, je me trouvais légitime maître et seigneur de l'île-aux-Ours. Les offres de mariage ne me laissaient que l'embarras du choix quand lord Balon Greyjoy se rebella contre l'Usurpateur, en faveur de qui son ami Ned Stark convoqua le ban de Winterfell. La bataille finale se déroula à Pyk. Après que les pierriers de Robert eurent ouvert la brèche, c'est un prêtre de Myr qui se jeta le premier dans la place, mais je le talonnai d'assez près pour être alors fait chevalier.

« Afin de célébrer sa victoire, Robert fit donner un tournoi sous les remparts de Port-Lannis, et c'est en cette occasion que j'aperçus Lynce. Toute jeunette – elle avait la moitié de mon âge –, elle était venue de Villevieille en compagnie de son père voir jouter ses frères. Je ne parvenais pas à détacher d'elle mes yeux. Dans un accès de démence, je la priai de me laisser porter ses couleurs durant le tournoi, et je m'attendais à essuyer un refus quand, passant même mon rêve, elle y consentit.

« Si je me bats aussi bien que quiconque, *Khaleesi*, je n'ai pourtant jamais été un champion de tournoi. Mais arborer les couleurs de Lynce à mon bras suffit à me métamorphoser. Je remportai joute après joute. Lord Jason Mallister tomba devant moi, ainsi que Yohn Royce le Bronzé. Ser

Ryman Frey puis son frère, ser Hosteen, lord Whent le Sanglier, tous, et même ser Boros Blount, de la Garde, je les démontai tour à tour. Lors de la dernière épreuve, je rompis neuf lances indécises contre Jaime Lannister, et le roi Robert m'attribua la palme. Après avoir couronné Lynce reine d'amour et de beauté, j'allai le soir même trouver son père et demandai sa main. J'étais ivre, mais de gloire autant que de vin. Or, tandis que j'aurais dû me voir dédaigneusement repoussé, lord Leyton agréa mes vœux. Nos noces furent célébrées sur place et, durant quinze jours, l'univers ne connut pas d'homme plus heureux que moi.

— Quinze jours seulement ?» s'étonna Daenerys. *Mon propre bonheur lui-même a duré davantage, avec le soleil étoilé de mes jours que fut Drogo.*

«Une quinzaine… Le temps que mit notre bateau pour aller de Port-Lannis à l'île-aux-Ours. Mon chez moi désappointa grièvement Lynce. Il était trop froid, trop humide, trop loin de tout, mon château n'était qu'un hangar de planches. On n'y avait ni fêtes ni bals ni spectacles comiques ou féeriques. Les saisons pouvaient se succéder sans qu'y vînt vous divertir ombre de chanteur, et l'île ne possède point d'orfèvre. Les repas eux-mêmes devinrent une épreuve. Sorti des rôtis et ragoûts, mon cuisinier ne savait pas grand-chose, et Lynce ne tarda guère à se blaser du poisson et de la venaison.

«Ses sourires étant toute mon existence, j'envoyai jusqu'à Villevieille quérir un nouveau chef et ramener un harpiste de Port-Lannis. Orfèvres, joailliers, couturières, rien ne me parut trop beau pour la satisfaire, et rien ne la satisfaisait. Les ours et les arbres abondent dans l'île-aux-Ours, mais elle manque de tout le reste. J'armai un beau navire à bord duquel nous courûmes fêtes et festins, poussant même une fois jusqu'à Braavos, où je m'endettai lourdement chez les usuriers. Et comme j'avais conquis son cœur et sa main par ma victoire lors d'un tournoi, je tournoyai pour lui complaire, mais le charme n'agissait plus. Jamais plus je ne me distinguai, et chacune de mes défaites se soldait par la perte d'un nouveau coursier, d'une nouvelle armure de parade et par l'obligation de les remplacer, bref, par un gouffre de dépenses que je ne pouvais assumer ni combler. Si bien qu'à la fin force nous fut de rentrer chez nous, mais ma situation y devint plus intenable encore que par le passé. Je n'étais plus en mesure d'entretenir le harpiste et le chef, et Lynce m'agonit lorsque je parlai d'engager ses bijoux.

« La suite… Je recourus à des expédients que je rougirais d'avouer. Contre de l'or. Pour permettre à Lynce de conserver ses joyaux, son chef, son harpiste. Et je finis par tout y perdre. En apprenant qu'Eddard Stark marchait sur l'île-aux-Ours, je me trouvais déjà si perdu d'honneur qu'au lieu de rester pour affronter son verdict, je préférai prendre avec Lynce le chemin de l'exil. Hormis notre amour, me disais-je, rien n'importait. Nous nous enfuîmes à Lys, où je vendis mon bateau pour que nous ayons de quoi vivre. »

Le chagrin le suffoqua. Malgré ses scrupules à le presser davantage, Daenerys voulut en avoir le fin mot. « Et c'est là qu'elle mourut ? demanda-t-elle avec sollicitude.

— À moi seulement, répondit-il. Quelques mois suffirent à épuiser mon or, et je fus contraint à m'enrôler comme mercenaire. Profitant de ce que je combattais les gens de Braavos sur la Rhoyne, Lynce alla loger chez un prince négociant nommé Tregar Ormollen. Il paraît qu'elle est devenue sa concubine favorite et fait trembler jusqu'à l'épouse légitime. »

Daenerys frémissait d'horreur. « Vous devez la haïr ?

— Presqu'autant que je l'aime, avoua-t-il. Je vous prie de m'excuser, ma reine. Il se trouve que je me sens éreinté. »

Elle lui permit de se retirer mais, comme il soulevait la portière de la tente, elle ne put s'empêcher de lui poser une dernière question : « Comment était-elle, physiquement, votre lady Lynce ? »

Il sourit tristement. « Eh bien, elle vous ressemblait un peu, Daenerys. » Il s'inclina bien bas. « Dormez bien, ma reine. »

Un frisson la prit. Elle s'emmitoufla plus étroitement dans la peau de lion. *Elle me ressemblait.* Cela lui faisait l'effet d'une brusque illumination. *Il me désire*, songeat-elle. *Il m'aime comme il l'aimait, non pas comme un chevalier sa reine mais comme un homme une femme.* Elle essaya de s'imaginer dans les bras de ser Jorah, l'embrassant, le faisant jouir, se laissant pénétrer par lui. Cela n'allait pas. Elle ferma les yeux, et l'image de Drogo se substitua à celle de Mormont.

Khal Drogo qui, ayant été le soleil étoilé de sa vie, son premier, serait peut-être son dernier. La *maegi* Mirri Maz Duur le lui avait prédit, elle ne porterait plus d'enfant vivant, et quel homme voudrait d'une épouse stérile ? Puis quel homme pouvait se flatter de rivaliser avec un Khal Drogo, mort sans avoir jamais coupé sa chevelure, et qui maintenant menait à travers les contrées nocturnes et les étoiles son *khalasar* ?

Elle avait perçu dans la voix de ser Jorah la nostalgie que lui inspirait son île-aux-Ours. *Je ne saurais me donner à lui mais, un jour, je lui rendrai sa demeure et son honneur. Cela, je puis le faire en sa faveur.*

Aucun spectre ne vint hanter son sommeil, cette nuit-là. Elle rêva simplement de Drogo et de la première chevauchée qu'elle avait faite en sa compagnie, lors de leur nuit de noces. Et, dans son rêve, ils montaient tous deux non des chevaux mais des dragons.

Le matin venu, elle manda ses trois sang-coureurs. « Sang de mon sang, leur dit-elle, j'ai besoin de vous. Que chacun de vous prenne trois des chevaux les plus résistants et sains qui nous restent, les charge d'autant de vivres et d'eau qu'ils en pourront porter et parte en éclaireur. Aggo se dirigera vers le sud-ouest, Rakharo droit au sud. Quant à toi, Jhogo, tu suivras *shierak qiya* vers le sud-est.

— Que rechercherons-nous, *Khaleesi*? demanda ce dernier.

— Tout ce que nous trouverions sur notre route, répondit-elle. D'autres cités, vivantes ou mortes. Caravanes et peuples. Rivières, lacs et grande mer salée. Découvrez jusqu'où s'étend ce désert-ci, et ce qui se trouve au-delà. À mon départ d'ici, j'entends ne plus marcher à l'aveuglette. Je veux connaître ma destination et le meilleur moyen d'y parvenir. »

Et c'est avec ce viatique qu'ils s'éloignèrent, au doux tintement des clochettes de leur chevelure, cependant que Daenerys et la petite troupe de survivants s'installaient dans ce qu'ils nommèrent *Vaes Tolorro*, la cité des os. Après quoi les jours succédèrent aux nuits et les nuits aux jours. Les femmes cueillaient les fruits dans les jardins des morts. Les hommes pansaient les montures et ravaudaient selles, étriers, chaussures. Les enfants vagabondaient de par les ruelles et y glanaient d'antiques pièces de bronze, des tessons de verre incarnat, des flacons de pierre aux anses ciselées en forme de serpents. Une femme fut mordue par un scorpion rouge, mais sa mort fut la seule que l'on déplora. Les chevaux recouvraient peu à peu leur chair. Daenerys soigna personnellement la blessure de ser Jorah, dont la hanche entreprit dès lors de se cicatriser.

Rakharo reparut le premier. Plein sud, le désert se poursuivait, rapporta-t-il, sur des lieues et des lieues avant de venir s'enliser dans les dunes blêmes du rivage de l'océan. Dans l'intervalle, il n'avait vu que tourbillons de sable, rochers rongés par le vent, plantes hérissées d'épines acérées. Il avait aussi rencontré le squelette d'un dragon, jura-t-il, tellement colossal qu'il en avait franchi les noires mâchoires sans descendre de son cheval. Hormis cela, rien à signaler.

Daenerys lui confia la tâche de faire dépaver la place par une douzaine de ses hommes les plus valides. Là où poussait l'herbe-au-diable en pousseraient bien d'autres, une fois la terre à découvert. Comme on avait de l'eau à suffisance, il suffirait d'ensemencer l'espace dégagé pour le transformer en un bon pâturage.

Aggo revint là-dessus. Le sud-ouest était, selon ses dires, stérile et calciné. Deux autres cités s'y trouvaient, semblables, en plus modeste, à Vaes Tolorro. S'il n'avait osé pénétrer dans la première, que cernaient en guise de gardes des squelettes empalés sur des pointes de fer rouillées, il avait en revanche exploré de son mieux la seconde et découvert, outre un bracelet de fer serti d'une opale de feu brute grosse comme le pouce qu'il exhiba, des rouleaux de manuscrits tellement secs et friables qu'il avait dû renoncer à en rapporter.

Après l'avoir remercié, Daenerys l'affecta à la réparation des portes. Puisque quelque horde avait jadis traversé le désert afin d'anéantir ces villes, une nouvelle incursion n'avait rien d'impossible. « Nous devons nous tenir prêts à toute éventualité », déclara-t-elle.

Quant à Jhogo, il était parti depuis si longtemps qu'elle le craignait à tout jamais perdu, et l'on avait cessé de l'attendre lorsqu'une des sentinelles postées par Aggo signala d'un cri son retour. Daenerys se précipita sur les murs s'en assurer par elle-même. Il revenait effectivement du sud-est, mais pas seul. Le suivaient trois inconnus bizarrement accoutrés et juchés tout en haut de vilaines créatures bossues auprès desquelles son cheval paraissait nain.

Tous quatre s'immobilisèrent devant l'enceinte et levèrent les yeux vers Daenerys. «Sang de mon sang, cria Jhogo, j'arrive de la grande ville de Qarth avec trois de ses habitants qui désiraient vous voir de leurs propres yeux. »

Elle dévisagea les étrangers. «Me voici. Regardez-moi, si tel est votre désir…, mais dites-moi d'abord vos noms. »

De teint pâle avec des lèvres bleues, l'un répondit d'une voix gutturale, en langue dothrak: «Je suis le grand conjurateur Pyat Pree. »

Le chauve aux narines étincelantes de joyaux s'exprima, lui, en valyrien des cités libres: «Je suis Xaro Xhoan Daxos des Treize, prince négociant de Qarth. »

Quant à la femme masquée de bois laqué, c'est dans le vernaculaire des Sept Couronnes qu'elle se présenta. «Je suis Quaithe de l'Ombre. Nous sommes à la recherche des dragons.

— Ne cherchez plus, répondit Daenerys Targaryen. Vous venez de les trouver. »

JON

L'Arbre blanc, tel était le nom du village, d'après les vieilles cartes de Sam. Moins qu'un village, aux yeux de Jon. Chacune composée d'une pièce unique, quatre bicoques délabrées de pierres sèches, au centre d'un enclos à moutons désert, et un puits. Toitures en terre gazonnée, fenêtres obturées par des haillons de peaux. Là-dessus planait la silhouette monstrueuse d'un gigantesque barral, membrure blême et feuillage lie-de-vin.

Le plus gros arbre qu'eût jamais contemplé Jon Snow. Un tronc de près de huit pieds de large, et des frondaisons d'une telle envergure qu'elles ensevelissaient dans leur ombre tout le hameau. Mais ses dimensions exception-nelles vous chamboulaient moins que sa face…, la bouche dentelée surtout, qui, loin d'être une simple estafilade, béait, vaste à gober un bélier.

Reste que ce ne sont pas là des os de bélier. Et que ce crâne, dans les cendres, n'est pas d'un bélier non plus.

«Vieux, cet arbre», commenta Mormont, rembruni, du haut de son cheval. «*Vieux*, approuva le corbeau perché sur son épaule, *vieux, vieux, vieux.*

— Et puissant.» Cette puissance, Jon la percevait char-nellement.

Assombri de plate et de maille, Thoren Petibois mit pied à terre auprès du tronc. «Visez-moi c'te gueule. Pas étonnant que les hommes en aient eu peur, la première fois qu'ils débarquèrent à Westeros. Je manierais moi-même volontiers la hache contre cette saloperie.

— Le seigneur mon père, intervint Jon, croyait que personne ne pouvait mentir en présence d'un arbre-cœur. Les anciens dieux n'étaient pas dupes des mensonges.

— Mon père le croyait aussi, dit le Vieil Ours. Va donc m'examiner ce tronc.»

Jon démonta. Enfilée à un baudrier d'épaule dans son fourreau de cuir noir, Grand-Griffe, l'épée bâtarde offerte par Mormont en gage de gratitude après l'agression du mort-vivant, lui battait le dos. *Une lame idéale pour un bâtard*, plaisantaient les hommes.

Il s'agenouilla et aventura sa main gantée dans la gueule du monstre. L'intérieur en était rougi de sève sèche et noirci de feu. Sous le premier crâne s'en discernait un second, plus petit, qui, mâchoire brisée, se trouvait à demi enfoui dans les cendres et les débris d'os.

Quand il l'eut remis à Mormont, celui-ci l'éleva entre ses deux mains pour en scruter les orbites vides. «Les sauvageons brûlent leurs défunts. Nous le savons depuis toujours. N'empêche que j'aurais bien aimé leur demander pourquoi, s'il s'en trouvait encore dans le coin.»

Cette explication, Jon n'en avait que faire. Il lui suffisait de se rappeler la manière dont la créature se relevait toujours, avec sa face blême de mort où étincelait le bleu glacé des yeux.

«Dommage que des os ne puissent causer, grommela le Vieil Ours. Ce type-là aurait pas mal de choses à nous conter. Comment il est mort. Qui l'a brûlé, et dans quel but. Où sont partis les sauvageons.» Il soupira. «Paraît que les enfants de la forêt savaient parler aux morts. Moi pas.» Il rejeta le crâne dans la bouche de l'arbre, qui répliqua par une bouffée de cendres vaporeuses. « Allez m'explorer ces maisons. Toi, Géant, grimpe en haut de l'arbre m'examiner les environs. Vous, amenez les limiers. Au cas où, ce coup-ci, la piste serait plus fraîche. » Son ton trahissait qu'à ce dernier égard il ne nourrissait guère d'illusions.

Pour s'assurer qu'aucun détail n'y soit négligé, chaque masure reçut la visite de deux hommes. Jon fit équipe avec Eddison Tallett, un écuyer gris de poil et aussi mince qu'une pique à qui sa mine austère avait valu le sobriquet d'Edd-la-Douleur. « Suffisait pas que les morts se baladent, dit-il à Jon comme ils traversaient le village, faut encore que le Vieil Ours ait envie de leur faire la conversation ? Sortira rien de bon de ça, ma tête à couper. Puis va savoir si les os ne mentiraient pas. Pourquoi la mort rendrait-elle les gens véridiques ou même rien qu'intelligents ? Probable que les morts sont des types sinistres, toujours à râler pour des conneries – la terre est trop froide, je méritais une dalle plus imposante, pourquoi il a, lui, plus d'asticots que moi… ? »

La porte était si basse que Jon dut se courber pour entrer. Sol de terre battue, pas un meuble, pas un ustensile, aucun indice qu'on eût vécu là, sauf un vague tas de cendres sous le trou de fumée. « Lugubre, comme habitation, dit-il.

— Pas si différente de celle où je suis né, déclara Edd-la-Douleur. Mes années enchanteresses. Après, que j'ai bouffé de la vache enragée. » De la paille jonchait un angle de la pièce. Edd la regarda d'un air mélancolique. « Je donnerais tout l'or de Castral Roc pour dormir à nouveau dans un lit.

— Tu appelles ça un lit ?

— Si c'est moins dur que le sol et qu'y a un toit dessus, j'appelle ça un lit. » Il huma l'air. « Sent le fumier. »

L'odeur était imperceptible. « Un vieux relent », dit Jon. Les lieux donnaient l'impression d'un abandon qui ne datait pas d'hier. À genoux, il fouilla dans la litière pour s'assurer qu'on n'y avait rien dissimulé, puis il fit le tour des murs, ce qui ne lui prit guère de temps. « Il n'y a rien, là-dedans. »

Rien de ce qu'il avait escompté ; quatrième village à se trouver sur leur route, L'Arbre blanc se révélait identique aux précédents. Les gens étaient partis, évanouis avec leurs pauvres hardes et tout ce qu'ils pouvaient posséder de bêtes. Nulle part on n'avait relevé le moindre indice de bataille. Partout, le vide…, simplement. « Que leur est-il arrivé, d'après toi ? demanda-t-il.

— Quelque chose de pire que tout ce que nous pouvons imaginer, avança Edd-la-Douleur. Enfin, *moi*, j'en serais bien capable, mais je préfère pas. Bien assez pénible de savoir qu'on va vers une fin abominable sans la ruminer prématurément. »

Quand ils ressortirent, deux des chiens flairaient les abords du seuil, les autres patrouillaient de toutes parts, violemment agonis par Chett du ton colère dont il semblait incapable de se départir. La lumière que laissaient filtrer les feuilles du barral donnait aux pustules de sa trogne un air encore plus enflammé qu'à l'ordinaire. En apercevant Jon, ses yeux se rétrécirent ; l'aversion était réciproque, d'ailleurs.

Les autres maisons n'avaient pas davantage éclairé la situation. « *Partis*, cria le corbeau de Mormont en allant d'un coup d'aile se percher dans le barral au-dessus des têtes, *partis, partis, partis*. »

« Des sauvageons habitaient encore L'Arbre blanc voilà seulement un an. » Paré de la reluisante maille noire et du pectoral de plates ciselé de ser Jaremy Rykker, Thoren Petibois faisait plus lord que Mormont. Une broche d'argent aux armes des Rykker – les marteaux croisés – fermait son lourd manteau richement bordé de martre. Les dépouilles du chevalier tombé contre le mort-vivant… La Garde de Nuit n'avait garde de rien gaspiller.

« Il y a un an, Robert était roi et le royaume en paix, commenta Jarman Buckwell, chef aussi carré que flegmatique des éclaireurs. Bien des choses peuvent changer en un an.

— Il en est une qui n'a pas changé, précisa ser Mallador Locke. Moins il y a de sauvageons, mieux nous nous portons. Quoi qu'il soit advenu d'eux, je ne les pleurerai pas. Des pillards et des meurtriers, tous tant qu'ils sont. »

Un léger bruissement de feuilles fit lever la tête à Jon. Deux rameaux s'écartèrent, un bout d'homme allait de branche en branche avec l'aisance d'un écureuil. Bedwyck, alias Géant, n'avait guère que cinq pieds de haut, mais l'argent qui filetait ses cheveux indiquait son âge. Il se cala dans une fourche au-dessus des têtes et déclara : « De l'eau, vers le nord. Un lac, peut-être. À l'ouest, des collines de silex, altitude médiocre. Rien d'autre de notable, messeigneurs.

— Si nous campions ici, ce soir ? » suggéra Petibois.

Le Vieil Ours chercha une échappée de ciel au travers de la membrure blême et du feuillage lie-de-vin. « Non, trancha-t-il. Combien d'heures de jour nous reste-t-il, Géant ?

— Trois, messire.

— Nous irons vers le nord, annonça Mormont. Si nous atteignons ce lac, nous dresserons le camp sur ses berges et, d'aventure, prendrons du poisson frais. Du papier, Jon, il n'est que temps d'écrire à mestre Aemon. »

Jon alla chercher dans ses fontes ce que de besoin et le lui rapporta. *À L'Arbre blanc*, griffonna Mormont, *quatrième village. Tous vides. Sauvageons partis*. « Déniche-moi Tarly, et veille à ce qu'il m'expédie ceci dûment », dit-il à Jon en lui tendant le message. Sur un simple sifflement, son corbeau prit l'air et vint se poser sur la tête de son cheval. « *Grain ?* » suggéra-t-il d'un air penché. Le cheval s'ébroua.

Jon enfourcha le sien et, tournant bride, s'en fut, en deçà de l'ombre du barral, rejoindre le gros de la troupe qui, sous des arbres plus raisonnables, patientait en pansant les bêtes, mâchouillant des lichettes de bœuf salé, pissant, se grattant, bavardant. Sitôt ordonné le départ, tout fit silence et se mit en selle. En tête, les éclaireurs de Jarman Buckwell et l'avant-garde qui, commandée par Thoren Petibois, ouvrait la marche de la colonne proprement dite, menée par le Vieil Ours, puis ser Mallador Locke, avec le train et les bêtes de bât, enfin l'arrière-garde, conduite par ser Ottyn Wythers. En tout, deux cents hommes et moitié plus de chevaux.

Le jour, on suivait des sentes à gibier et des lits de cours d'eau, toutes «routes de patrouille» qui s'enfonçaient toujours plus avant dans le chaos de racines et de feuilles. La nuit, on campait à la belle étoile, fascinés par la comète. Si les frères noirs avaient quitté Châteaunoir dans la bonne humeur, la bouche fleurie de blagues et de parlotes, le silence angoissant des bois semblait depuis peu les contaminer. Les plaisanteries s'étaient raréfiées, les nerfs tendus. Sans que quiconque avouât sa peur – n'était-on pas de la Garde de Nuit ? –, Jon percevait le malaise général. Quatre villages déserts, pas l'ombre d'un sauvageon nulle part, le gibier lui-même enfui, semblait-il. Jamais la forêt hantée n'avait paru si fort hantée, de l'aveu même des vétérans.

Tout en avançant vers ses compagnons, Jon retira son gant pour aérer ses doigts brûlés. *Pas joli joli.* Il se rappela soudain la manière qu'il avait d'ébouriffer Arya. Son petit brin de sœur. Comment se portait-elle ? L'idée que peut-être il n'aurait plus jamais l'occasion de l'ébouriffer lui pinça le cœur. Il se mit à ouvrir, reployer ses doigts pour les assouplir. La main de l'épée. Il ne pouvait se permettre de la laisser s'ankyloser sans courir le risque de le payer cher – très cher. L'épée n'était un luxe pour personne, au-delà du Mur.

Mêlé aux autres auxiliaires, Samwell Tarly faisait boire les trois chevaux dont il avait la charge : le sien et les deux qui portaient chacun une cage de fer et d'osier pleine de corbeaux. Lesquels battirent des ailes à l'approche de Jon et l'apostrophèrent à travers les barreaux. Certains de leurs cris pouvaient plus ou moins passer pour des mots. « Tu leur as appris à parler ? demanda-t-il.

— Quelques mots. Trois d'entre eux savent dire *snow*.

— Déjà trop qu'un seul croasse mon nom…, bougonna Jon, surtout que voilà bien le dernier mot qu'un frère noir ait envie d'entendre. » On utilisait souvent ce terme, au nord, pour éviter de dire *mort*.

« Vous avez découvert quelque chose ?

— Des ossements, des cendres, des maisons vides. » Il brandit le rouleau. « Le Vieil Ours veut que tu transmettes à Aemon. »

Sam retira un oiseau de sa cage, lui caressa les plumes, attacha le message et dit : « Rentre à la maison, mon brave. À la maison. » Le corbeau lui retourna un *croâ* inintelligible et, une fois que Sam l'eut lancé en l'air, il prit son essor à travers les arbres droit vers le ciel. « S'il pouvait m'emporter…

— Encore ?

— Eh bien, oui, quoique… Je suis moins froussard qu'avant, vraiment. La première nuit, chaque fois que quelqu'un se levait pour aller pisser, je croyais entendre ramper des sauvageons venus me trancher la gorge. Je me disais, affolé : "Si je ferme les yeux, jamais plus, peut-être, je ne les rouvrirai." Et puis…, bon…, l'aube se levait tout de même. » Il s'extirpa un pâle sourire. « Couard, soit, mais pas *crétin*. J'en ai plein les fesses et le dos, de chevaucher et de coucher à la dure, mais c'est à peine si j'ai la trouille. Regarde. » Il tendit une main devant lui pour montrer comme elle était ferme. « J'ai travaillé à mes cartes. »

Quelle chose étrange que le monde, se dit Jon. Des deux cents hommes partis du Mur, Sam était le seul dont la peur ne se fût pas aggravée, Sam, le pleutre avoué. «Nous finirons par faire un patrouilleur de toi, blagua-t-il. Et, après, tu voudras être éclaireur comme Grenn. J'en parle au Vieil Ours?

— Garde-t'en bien!» Sam releva le capuchon de son énorme manteau noir et se hissa pesamment en selle. Il montait une grande bête de labour balourde et lambine, mais mieux apte à véhiculer pareil faix que les chétifs bidets communs. «J'avais espéré que nous passerions la nuit au village, soupira-t-il. Ce serait si bon de coucher de nouveau sous un toit…

— Pas assez pour nous héberger tous.» Jon se remit en selle et, prenant congé par un sourire, s'élança. Mais comme la colonne embouteillait déjà pas mal le chemin, il contourna d'assez loin le village pour s'épargner le plus gros du bouchon. Il avait du reste assez vu L'Arbre blanc.

Fantôme émergea du sous-bois si subitement que le cheval broncha et se cabra. Il avait beau chasser fort en avant de la colonne, la chance ne lui souriait guère plus qu'aux fourrageurs expédiés par Petibois en quête de gibier. Les bois n'étaient pas moins déserts que les villages, avait confié Dywen à Jon, un soir, au coin du feu. «Nous sommes très nombreux, objecta celui-ci. Le gibier a probablement pris le large, effrayé par tout le tapage que nous faisions.

— Effrayé par *quelque chose*, de toute façon», répliqua Dywen.

Une fois le cheval remis, la présence du loup courant à ses côtés ne l'alarma plus. Jon rattrapa Mormont alors que celui-ci longeait un inextricable roncier. «L'oiseau est parti? demanda-t-il.

— Oui, messire. Sam leur enseigne à parler.»

Le Vieil Ours renifla. «S'en repentira. Ces maudites choses font un boucan du diable mais ne disent jamais rien d'intéressant.»

Ils poursuivirent en silence jusqu'à ce que Jon reprît : «Si mon oncle avait lui aussi trouvé vides tous ces villages…

— … il se serait proposé de savoir pourquoi, acheva Mormont à sa place, et il se pourrait fort que quelqu'un ou bien quelque chose ne tienne pas à voir le mystère éclairci. En tout cas, nous serons trois cents lorsque Qhorin nous aura rejoints. Et l'ennemi qui nous attend dans ces parages ne nous trouvera pas, quel qu'il soit, si traitables. Nous le découvrirons, Jon, je te le promets.»

À moins qu'il ne nous découvre, lui, se dit Jon.

ARYA

La rivière scintillait tel un ruban bleu-vert sous les premiers rayons du soleil. Les roseaux se pressaient dans chaque creux des berges, un serpent sinuait à la surface des eaux, suscitant dans son sillage des risées qui allaient sans cesse s'élargissant. Un faucon décrivait au zénith des cercles nonchalants.

Tout respirait la paix…, mais c'est alors que Koss repéra le cadavre. « Là, dans les roseaux. » Il tendit l'index, et Arya le vit, informe et ballonné. Celui d'un soldat. Son manteau vert détrempé s'était accroché à une souche pourrie, un banc de minuscules poissons d'argent lui grignotaient la face. « Quand je vous disais qu'y a des charognes, claironna Lommy. C't' eau avait un goût. »

En voyant la chose, Yoren cracha. « Dobber ? vois s'y a rien à récupérer d'sus. Maille, couteau, quèqu' sous, c' qu'y aura. » Il éperonna son hongre, entra dans la rivière, mais le cheval manqua s'embourber, se débattit, et, passé les roseaux, le lit se creusait brusquement. Avec colère, Yoren regagna le bord, sa bête crottée jusqu'à mi-jambes. « Pourra pas traverser ici. Toi et moi, Koss, on va vers l'amont chercher un gué. Woth et Gerren, vers l'aval. Les autres, bougez pas. Mettez des sentinelles. »

Dans la ceinture du mort, Dobber découvrit une bourse de cuir. À l'intérieur, quelques piécettes et une mèche de cheveux blonds noués d'une faveur rouge. Lommy et Tarber se mirent à poil pour aller patauger, et le premier en profita pour bombarder Tourte de boue vaseuse en gueulant : « Tourbe ! Tourbe ! » Du fourgon des captifs provenaient les injures et les menaces de Rorge exigeant qu'on le libérât, lui et ses compagnons de chaîne, en l'absence de Yoren, mais nul n'en tint compte. Kurz ayant attrapé un poisson, Arya regarda comment il s'y prenait pour pêcher à la main. Penché sur un bas-fond, il se tenait là, calme comme l'eau qui dort, et, prestes comme un serpent, ses doigts fondaient sur la proie qui s'aventurait à portée. Cela semblait moins malaisé que d'attraper des chats. Surtout que les poissons n'avaient pas de griffes.

Les autres ne revinrent qu'à midi. À un demi-mille vers l'aval, rapporta Woth, se trouvait un pont de bois, mais quelqu'un l'avait incendié. Yoren préleva une feuille de surelle dans le ballot. « S'pourrait qu' les ch'vaux passent à la nage, et p't-êt' l's ânes, mais pas mèche p' les fourgons. Pis y a d' la fumée au nord et l'ouest, des tas d' feux, que p't-êt' faut mieux rester c' côté-ci. » Un long bout de bois lui servit à tracer au sol un cercle approximatif puis un trait vertical qui en dérivait. « L'Œildieu, 'vec la rivière qui coule au sud. Ici, nous. » Il creusa un point sous le cercle, à côté du trait. « Peut pas contourner l' lac par l'ouest, com' j' comptais. Par l'est, on r'vient vers la grand-route. » Son bâton se déplaça vers le point de jonction du cercle et du trait. « P'r autant qu' j' m'en rappelle, y a un' vill', là. 'vec un fort de pierre, et aussi l' manoir d'un nobliau, rien d'aut' qu'un' tour, mais 'l aura un' garde, 't-êt' un ch'valier ou deux. En longeant la rivière vers l' nord, on d'vrait y êt' avant la nuit. Z'auront des bateaux. Suffira d' vend' c' qu'on a p'r en louer un. » Le bâton traversa le lac de part en part. « 'vec l'aide des dieux, l' vent nous port'ra jusqu'à Ville-Harren. » Il piqua un point tout en haut du cercle. « On y achèt'ra d'aut' montures, ou ben 'n ira d'mander asile à Harrenhal. C' la résidenc' d'lady Whent, qu'a t'jours protégé la Garde. »

Les yeux de Tourte s'arrondirent. « Y a des fantômes, à Harrenhal… »

Yoren cracha. « V'là p' tes fantômes. » Il jeta le bâton. « En selle. »

Harrenhal… À ce seul nom, toutes les histoires de Vieille Nan affluaient à la mémoire d'Arya. Le méchant roi Harren s'étant renfermé dans ses murs, Aegon lança ses dragons contre le château, et ils l'embrasèrent. Nan affirmait que des spectres ardents persistaient à hanter les tours carbonisées. Il arrivait que, le soir, des hôtes allaient se coucher paisiblement et, au matin, on les découvrait calcinés. Arya n'y croyait pas véritablement, et, de toute manière, ces événements-là dataient du déluge. Tourte n'était qu'un imbécile ; ce n'est pas des fantômes que l'on trouverait à Harrenhal mais des *chevaliers*. Ce qui la mettrait en mesure, elle, de révéler son identité à lady Whent, laquelle ne manquerait pas de lui procurer une escorte de chevaliers pour la ramener saine et sauve à la maison. Ainsi se comportaient les chevaliers ; ils vous sauvegardaient, notamment les femmes. Et il se pourrait même que lady Whent accepte de se charger de la petite chialeuse.

Sans valoir la route royale, le chemin qui longeait la rivière était bien moins mauvais que les précédents, de sorte que, pour une fois, les fourgons roulaient gentiment et qu'une petite heure avant le crépuscule on aperçut la première maison – une modeste chaumière douillettement blottie parmi des champs de blé. Yoren prit les devants, mais il eut beau appeler à grands cris, point d'écho. « Morts, 't-êt'. Ou s' cachent. Dobber, Rey ? Avec moi. » Ils entrèrent tous trois. « Tout déménagé, maugréa-t-il en ressortant, pas un sou qui traîne. Ni d'animaux. Enfuis, probab'. 't-êt' d' ceux qu'on a croisés s' la grand-rout'. » Du moins la demeure comme les champs n'avaient-ils pas été brûlés, et il n'y avait pas de cadavres dans les parages. Sur les arrières, Tarber découvrit un potager où l'on arracha des oignons, des radis et où l'on emplit un sac de choux avant de se remettre en route.

Un peu plus loin se distingua une cabane de bûcheron environnée de vieux arbres et auprès de laquelle s'empilaient en bon ordre des troncs prêts à débiter, puis, encore au-delà, une bicoque perchée sur des pilotis de dix pieds de haut qui s'inclinait, passablement branlante, sur la rivière. Abandonnées toutes deux. Les champs succédaient aux champs, champs de blé, de maïs et d'orge qui mûrissaient doucement au soleil, mais il n'y avait pas dans le coin d'hommes juchés dans les arbres ou arpentant la campagne, armés de faux. Enfin se discerna la ville, avec son amas de maisons blanches blotties sur tout le pourtour du fort, avec son bon gros septuaire couvert de bardeaux, son manoir seigneurial planté sur une modeste éminence, à l'ouest…, mais nul signe de vie, nulle part.

Campé sur son cheval, Yoren se renfrogna, du fond de son poil en bataille. « J'aim' pas ça, dit-il, mais c'est com' c'est. Allons j'ter un coup d'œil. Un coup d'œil *prudent*. Voir s'y aurait pas des gens qui s' cachent. S'y-z-auraient pas laissé un bateau, des fois, ou des armes qu'on pourrait s' servir. »

Après avoir préposé dix hommes à la garde des fourgons et de la chialeuse, il expédia les autres explorer la ville par groupes de cinq. « 'vrez vos yeux et vos oreilles », ordonna-t-il avant de se diriger lui-même vers la tour pour voir ce qu'il était advenu du maître des lieux ou de sa garde.

Arya se retrouva dans le groupe que formaient Gendry, Tourte et Lommy sous les ordres de Woth. Trapu, ventru comme une bouilloire, ce dernier avait autrefois ramé à bord d'une galère, ce qui faisait de lui le futur atout majeur de la bande comme marinier. Aussi Yoren l'avait-il spécialement affecté à la recherche d'une embarcation sur les bords du lac. Comme ils avançaient tous les cinq entre les façades blanches et muettes, la chair de poule hérissa les bras d'Arya. Cette ville déserte lui paraissait presque aussi lugubre que les décombres fumants du fortin dans lequel on avait découvert la femme manchote et la mioche aux cris suraigus. Pourquoi les gens s'étaient-ils enfuis, abandonnant tout ce qu'ils possédaient ? Qu'est-ce qui avait bien pu les terroriser à ce point ?

Le soleil s'abaissait sur l'horizon, les maisons projetaient de longues ombres sombres. À un claquement subit, la main d'Arya se porta vers Aiguille, mais c'était simplement le vent faisant battre un volet. Et l'impression d'enfermement que lui causait la ville, au sortir de la plaine ouverte où coulait la rivière, lui mettait les nerfs à vif.

Aussi pressa-t-elle sa monture quand se discerna, droit devant, parmi les édifices et la végétation, le lac et, dépassant en trombe Woth et Gendry, elle déboucha bride abattue sur une espèce de prairie qui bordait la grève de galets. Sous les feux du soir, la nappe d'eau paisible avait des miroitements de cuivre martelé. Jamais Arya n'avait vu de lac si vaste. On ne devinait même pas la rive opposée. À gauche, une auberge biscornue s'avançait sur l'eau, portée par de puissants pilotis de bois. À droite, une longue jetée courait sur le lac et, plus loin, d'autres prolongeaient la ville, tels des doigts de bois. Mais le seul bateau visible, une barque, gisait cul par-dessus tête au bas de l'auberge, abandonné sur les rochers, dans un état des plus piteux. « Ils sont partis », dit-elle, découragée. Que faire, dorénavant ?

« Y a une auberge, dit Lommy, quand il l'eut rejointe avec les autres. S'y z-avaient laissé quèqu' chose à bouffer, dites ? Ou d' la bière ?

— Allons-y voir, suggéra Tourte.

— T'occupe d'auberge ! aboya Woth. Yoren veut qu'on cherche un bateau.

— Ils ont emmené les bateaux. » Arya était sûre de son fait. On pouvait bien passer la ville entière au peigne fin, on n'y trouverait rien d'autre que cette épave ventre en l'air. D'un air abattu, elle mit pied à terre et alla s'age-nouiller au bord du lac. Avec un murmure soyeux, l'eau venait lui lécher les jambes. Des phalènes voletaient de-ci de-là, clignotant par intermittence. L'eau verte avait la tié-deur des larmes, mais elle n'était pas salée. Elle avait un goût d'été, de limon, de machins qui poussent. Arya y plon-gea son visage pour le débarbouiller de la poussière et de la crasse et de la sueur du jour. Quand elle le releva, des gouttelettes lui coururent le long de l'échine et de la poi-trine. Que ne pouvait-elle, hélas, se dévêtir et nager, fendre les flots tièdes comme une loutre maigrichonne et rose. Peut-être en aurait-elle l'occasion, d'ici à Winterfell ?

Comme Woth lui gueulait de venir se joindre aux recherches, elle s'exécuta, jetant un œil dans les hangars et les abris à bateaux tandis que son cheval broutait le long du rivage. On dénicha quelques voiles, quelques clous, des baquets de goudron durci, une chatte et sa portée de nou-veau-nés, mais de bateaux, point.

La ville était aussi noire qu'une forêt lorsque reparurent Yoren et les autres. « La tour est vide, dit-il. Parti, l' seigneur, ou s' batt' ou mett' à l'abri t' ses 'tit' gens, va savoir. En ville, z'ont pas laissé un ch'val ni un cochon, mais on aura d' quoi. Vu rôder une oie et quèq' poulets, puis y a d' bon pois-son, dans l'Œildieu.

— Les bateaux sont partis, dit Arya.

« — On pourrait réparer le fond de cette barque, proposa Koss.

— Irait qu' pour quat', objecta Yoren.

— Mais y a des clous, spécifia Lommy. Et des arbres partout. On pourrait s' faire des bateaux. »

Yoren cracha. « Pasque tu sais quèq' chose d'en faire, apprenti teinturier ?

— Et un radeau ? suggéra Gendry. N'importe qui peut en construire et faire des perches pour le pousser. »

Yoren prit un air pensif. « L' lac est trop profond p' traverser à la perche, mais à condition d' pas trop s'éloigner du bord, 't-êt' ben…, sauf qu'y faudrait laisser l' fourgons. Faut 't-êt' mieux. J' vais y roupiller d'sus.

— On peut coucher à l'auberge ? demanda Lommy.

— On couch'ra dans l'fort, et les port' barrées, mêm', répondit le vieux. J'aim' ben sentir des murs d' pierre autour d' moi quand j' dors. »

Arya ne put se contenir davantage. « Nous ne devrions pas rester, lâcha-t-elle. Les gens s'en sont bien gardés. Ils ont tous décampé, leur seigneur inclus.

— Arry qu'a les j'tons ! s'esclaffa Lommy.

— Pas moi, riposta-t-elle vertement, mais eux les avaient.

— Futé, mon gars, dit Yoren. Fait est, les gens qu'habitaient ici s' trouvaient en guerre, qu' ça leur plaise ou pas. Pas nous. Pisque la Garde d' Nuit prend pas parti, personne est not' enn'mi. »

Et personne notre ami, songea-t-elle, mais en retenant cette fois sa langue. Lommy et les autres la dévisageaient, et elle ne voulait à aucun prix qu'ils la soupçonnent de lâcheté.

Derrière les portes cloutées du fort se trouvaient deux barres de fer aussi longues et larges que des baliveaux qui, s'ajustant tout à la fois dans des loges de pierre au chambranle et, sur les battants, dans des consoles de métal, formaient, une fois en place, un grand X. Si le fort n'était pas le Donjon Rouge, observa Yoren après visite de fond en comble, il valait mieux que la plupart de ses pareils et conviendrait parfaitement pour une nuit. Grossièrement bâtis en pierres sèches et hauts de dix pieds, les murs comportaient une coursive en bois derrière leurs créneaux. Une poterne s'ouvrait au nord. Et Gerren découvrit sous la paille d'une vieille grange une trappe qui dissimulait l'entrée d'un tunnel étroit et sinueux qui se révéla déboucher, au terme d'une longue trotte, non loin du lac. Afin d'interdire toute incursion de ce côté-là, Yoren en fit bloquer l'accès par l'un des fourgons. Il divisa son monde en trois tours de veille et envoya Tarber, Kurz et Cutjack au manoir abandonné épier d'un peu plus haut les alentours. En cas de menace, Kurz utiliserait son cor de chasse pour donner l'alerte.

Une fois fourgons et bêtes à l'abri, on barra les portes. Malgré son délabrement, la grange était assez vaste pour contenir tous les animaux de la ville; et plus vaste encore était l'hospice destiné à accueillir le menu peuple en temps de troubles : un édifice de pierre bas, tout en longueur et coiffé de chaume. Koss se glissa par la poterne arrière et finit par rapporter la fameuse oie, plus deux poulets en l'honneur desquels Yoren donna l'autorisation d'allumer du feu dans l'énorme cuisine d'où s'étaient évaporés les moindres ustensiles, bouilloires aussi bien que pots. Gendry, Dobber et Arya furent de corvée. Dobber chargea l'une de plumer la volaille tandis que l'autre fendrait du bois. « Pourquoi ne puis-je fendre le bois ? » protestat-elle, mais personne ne s'en soucia. Non sans maussaderie, elle attaqua donc un poulet, pendant que Yoren s'asseyait à l'autre bout du banc pour affûter son éternel poignard.

La cuisson achevée, elle grignota une patte de poulet et un bout d'oignon. Tout le monde était taciturne, même

Lommy. Après le repas, Gendry se retira dans son coin et se mit à polir une fois encore son heaume d'un air totalement absent. La petite piaulait et geignait toujours, mais lorsque Tourte lui offrit un peu d'oie, elle l'avala goulûment et guetta la suite.

Comme elle était de la deuxième veille, Arya se trouva un tas de paille dans l'hospice. Mais le sommeil ne venant pas, elle emprunta la pierre de Yoren et entreprit de fourbir Aiguille. Syrio Forel l'avait bien mise en garde, lame émoussée vaut cheval boiteux. Tourte vint s'accroupir près d'elle et la regarda opérer. « D'où tu tiens une bonne épée comme ça ? » demanda-t-il. Au regard qu'elle lui décocha, il mit les mains en avant pour se protéger. « J'ai jamais dit que tu l'avais volée, je voulais juste savoir d'où tu la tenais, rien plus.

— C'est mon frère qui me l'a donnée, marmonna-t-elle.

— Je savais pas que t'avais un frère. »

Elle interrompit sa besogne pour se gratter sous sa chemise. Il y avait des puces dans la litière, mais, à dire vrai, quelques-unes de plus…, pas de quoi en faire une affaire. « J'ai plein de frères.

— Ah bon ? Plus petits ou plus grands que toi ? »

Je ne devrais pas bavarder de la sorte. Yoren m'a conseillé de la boucler. « Plus grands, mentit-elle. Eux aussi possèdent des épées, mais des grandes, des longues, et ils m'ont montré comment tuer les gens qui me cherchent noise.

— Je te cherchais pas noise, je causais. » Il s'éloigna, la laissant seule, et elle se pelotonna dans la paille. À l'autre extrémité de l'hospice, la mioche braillait à nouveau. *Si elle pouvait seulement se taire, un peu… ! Pourquoi lui faut-il chialer tout le temps ?*

Sans qu'elle se souvînt d'avoir clos les paupières, elle avait dû s'assoupir, car – était-ce en rêve ? – le hurlement d'un loup, un hurlement effroyable, la réveilla en sursaut. Le

cœur battant, elle se mit sur son séant. «Tourte, réveille-toi!»
Elle rassembla ses pieds, se leva. «Woth! Gendry! vous
n'avez pas entendu?» Elle enfila une botte.

Tout autour, les hommes et les garçons s'agitaient, ram-
paient dans la litière. «Qu'y a-t-il?» demanda Tourte.
«Entendu quoi?» s'enquit Gendry. «Arry qu'a fait un cauchemar, grogna quelqu'un d'autre.

— Non, protesta-t-elle, j'ai bel et bien entendu. Un loup.

— C'est dans ta tête, Arry, les loups, ricana Lommy.

— Laisse-les hurler, dit Gerren. Y sont dehors, et nous
dedans.» Woth acquiesça : «Jamais vu un loup attaquer un
fort.» Tourte ronchonnait : «Rien entendu, moi.

— C'était un loup! s'emporta-t-elle tout en tirant sur sa
seconde botte. Quelque chose cloche, quelqu'un vient,
debout, *zut!*»

Ils n'eurent pas le loisir de la chahuter davantage, l'appel
ébranla la nuit – mais il s'agissait non pas d'un loup, cette
fois, mais de Kurz qui, sur son cor de chasse, sonnait l'alerte
et, instantanément, tous se retrouvèrent en train de s'habiller, de saisir à tâtons ce qu'ils pouvaient posséder
d'armes. Arya se ruait déjà vers les portes quand retentit à
nouveau le cor. Comme elle dépassait la grange, Mordeur
tira comme un forcené sur ses chaînes, et Jaqen H'ghar la
héla du fourgon : «Petit! mon mignon! c'est la guerre? la
guerre rouge? Délivre-nous, petit! Un homme peut se
battre. *Petit!*» Mais elle l'ignora et poursuivit sa course. Au-
delà des murs se percevaient désormais des cris, des hennissements.

À croupetons, elle grimpa jusqu'à la coursive. Mais le
parapet étant un rien trop haut, elle un rien trop courte, il
lui fallut glisser ses orteils dans les interstices des pierres
avant de pouvoir risquer un œil vers l'extérieur. La ville lui
parut un instant foisonner de phalènes. De cavaliers, en
fait, qui, torche au poing, parcouraient les rues au galop. Un

toit se souleva, de longues langues orange léchèrent le ventre de la nuit, le chaume s'embrasait. Puis c'en fut un autre, et un autre et encore un autre et, bientôt, l'incendie gronda de toutes parts.

Coiffé de son heaume, Gendry vint la rejoindre. « Combien ? »

Elle essaya de compter, mais tout allait trop vite, les torches tournoyaient en l'air comme si on les lançait. « Une centaine, estima-t-elle. Ou deux cents, je ne sais. » Des glapissements perçaient le rugissement des flammes. « Notre tour, bientôt.

— Là », dit-il en pointant le doigt.

Parmi les édifices en feu, une colonne de cavaliers faisait effectivement mouvement vers le fort. L'incendie faisait miroiter les heaumes et scintiller de reflets jaunes et orange la maille et la plate. Tout en haut d'une lance se discernait un étendard. Rouge ? il était difficile de l'affirmer dans la nuit peuplée de brasiers rugissants. Tout avait l'air rouge ou noir ou orange.

Le feu sautait de maison en maison. Un arbre s'embrasa peu à peu sous les yeux d'Arya, la flamme rampait d'une branche à l'autre, et il finit par n'être plus contre la nuit qu'une silhouette drapée de voiles orange et mouvants. Nul ne songeait plus à dormir, maintenant. En haut, la coursive se garnissait, en bas, des ombres se démenaient pour maîtriser les bêtes affolées. Yoren beuglait des ordres dans le tapage. Quelque chose heurta la jambe d'Arya – la chialeuse qui se cramponnait à elle. « Va-t'en ! » Elle se dégagea sans ménagements. « Qu'est-ce que tu viens fiche ici ? Cours te cacher, bougre d'idiote ! » Elle la repoussa.

Les cavaliers s'immobilisèrent devant les portes. « *Holà, vous, là-dedans !* cria un chevalier dont le heaume s'achevait en pointe, *ouvrez ! au nom du roi !*

— Mmmouais, mais d'quel roi, dis ? » répliqua d'en haut le vieux Reysen, avant que Woth ne le fît taire d'une taloche.

Yoren se hissa jusqu'à un créneau proche de la porte, son manteau noir pisseux noué à un bâton. « *Du calme, en bas, vous !* tonna-t-il, *y a pus personne d'la ville.*

— Et qui es-tu, le vieux ? L'un des pleutres de lord Béric ? cria le chevalier. Si ce gros pitre de Thoros est des vôtres, demande-lui voir si *nos* feux lui plaisent.

— Rien d'pareil ici ! riposta Yoren sur le même ton. Que des gars p'la Garde d'Nuit. 'cune part à vot'foutue guerre. » Il brandit son bâton pour bien montrer la couleur du manteau. « Visez ça. Noir. L'noir d'la Garde.

— Ou l'noir Dondarrion ! » clama l'homme à l'étendard. L'éclat de l'incendie permettait à présent de mieux voir l'emblème et ses couleurs : un lion d'or sur champ cramoisi. « Lord Béric porte à l'éclair pourpre sur champ noir. »

Arya se souvint tout à coup du matin où elle avait jeté l'orange à la tête de Sansa et maculé de jus toute sa stupide robe de soie ivoire. Au tournoi figurait un hobereau du sud dont cette gourde de Jeyne s'était amourachée et dont la foudre zébrait l'écu. C'est lui que Père avait chargé d'aller raccourcir le frère du Limier. Tout cela semblait maintenant remonter à des milliers d'années, comme quelque chose qui serait arrivé à quelqu'un d'autre, et dans une autre existence…, à une certaine Arya Stark, fille de la Main du roi, pas à l'orphelin Arry. D'où vouliez-vous qu'il connaisse des lords et autre gratin de la haute, Arry ?

« T''s aveug' ou quoi ? » Yoren agita son bâton de manière à déployer vaille que vaille le manteau. « Où tu l'vois, ton putain d'éclair ?

— Toutes les bannières ont l'air noires, la nuit, rétorqua le heaume à pointe. Ouvre, ou nous vous tiendrons pour des hors-la-loi de mèche avec les ennemis du roi. »

Yoren cracha. «C'est qui, vot' chef?

— Moi.» Les rangs s'écartèrent devant un destrier dont le caparaçon reflétait lugubrement l'incendie de la ville. Le cavalier massif qui le montait arborait une manticore sur son écu, et des arabesques niellaient son pectoral de plates en acier. «Ser Amory Lorch, banneret de lord Tywin Lannister de Castral Roc, Main du roi. Du *vrai* roi, Joffrey.» Il avait une voix perchée, ténue. «En son nom, je vous ordonne d'ouvrir ces portes.»

La ville brûlait, tout autour. L'air nocturne empestait la fumée, des escarbilles rougeoyantes y voletaient, plus nombreuses que les étoiles. Yoren se renfrogna. «Vois pas la nécessité. Faites à la ville c' qui vous chante, j' m'en fous, mais laissez-nous tranquilles. 'n est pas d's adversaires à vous.»

Regarde avec tes yeux, avait envie de crier Arya à toute la clique d'en bas. «Pas capables de *voir* qu'on n'est ni des lords ni des chevaliers? murmura-t-elle.

— Je pense qu'ils s'en foutent, Arry», souffla Gendry.

Alors, elle dévisagea ser Amory comme Syrio lui avait appris à le faire, et elle reconnut que son voisin avait raison.

«Si vous n'êtes pas des traîtres, ouvrez vos portes, reprit Lorch. Une fois sûrs que vous dites la vérité, nous repartirons de notre côté.»

Yoren mastiquait sa surelle. «V's ai dit, nous rien que, ici. Donne ma parole.»

Le heaume à pointe se mit à rire. «Le corbeau nous donne sa *parole*!

— T'es paumé, l' vioque? lança une pique, goguenard. C't au nord, l' Mur…, pas la porte à côté!

— Une dernière fois, je vous l'ordonne au nom du roi Joffrey, prouvez la loyauté dont vous vous targuez en ouvrant ces portes», répéta Lorch.

Yoren réfléchit un bon moment sans cesser de mastiquer. « J' crois pas que j' vais.

— Soit. Puisque vous bravez les ordres du roi, vous vous proclamez vous-mêmes rebelles, manteaux noirs ou pas.

— J'ai qu' des gamins 'vec moi ! lui gueula Yoren.

— Gamins et vieux meurent de même. » Ser Amory leva un poing languide, et une lance fusa des ombres qui grouillaient, rougeâtres, derrière lui. Elle devait viser Yoren, mais c'est son voisin, Woth, qu'elle atteignit en pleine gorge avant de ressortir, sombre et luisante, en lui ravageant l'échine. Des deux mains, il agrippa la hampe et, tel un pantin de son, tomba de la coursive.

« À l'attaque, et tuez-les tous », reprit ser Amory d'un ton d'ennui. De nouvelles lances grêlèrent. Arya contraignit Tourte à se baisser en le tirant par sa tunique. De l'extérieur leur parvinrent des cliquetis d'armures, le crissement d'épées qu'on dégainait, le choc retentissant des lances contre les écus, le tout confusément mêlé d'imprécations et de sabots martelant le sol au galop. Une torche survola leurs têtes en tournoyant, qui éparpilla des flammèches en s'écrasant dans la cour, en bas.

« *Lames !* cria Yoren, disséminez-vous et défendez le mur partout où ils frapperont. Koss ? Urreg ? tenez la poterne. Lommy ? retire de Woth cette lance, et prends la place qu'il occupait. »

En s'efforçant de dégainer, Tourte laissa choir son branc. Arya le lui remit au poing. « Sais pas m'en servir, dit-il, l'œil blanc.

— Facile », répliqua-t-elle, mais le mensonge mourut dans sa gorge quand une *main* se cramponna sur le parapet. L'éclat de la ville en flammes la lui fit voir aussi nettement que si le temps s'était arrêté. Les doigts en étaient carrés, calleux, hérissés de poils noirs sur chaque phalange, l'ongle du pouce était en deuil. *La peur est plus tran-*

chante qu'aucune épée, se rappela-t-elle, comme émergeait derrière la main la calotte d'un bassinet.

De toutes ses forces, elle frappa de haut en bas, et l'acier château d'Aiguille mordit les doigts crispés entre les articulations. « *Winterfell !* » cria-t-elle. Le sang gicla, les doigts volèrent, et la tête casquée disparut aussi vite qu'elle était apparue. « Derrière ! » hurla Tourte. Elle pivota. Son nouvel adversaire était barbu, nu-tête et, afin d'avoir les mains libres pour l'escalade, serrait les dents sur son poignard. Comme il passait la jambe par-dessus le parapet, elle lui poussa une pointe droit aux yeux… mais ne rencontra que le vide. En se rejetant en arrière, l'homme avait basculé tout seul. *Je lui souhaite de tomber sur le pif et de se couper la langue.* « Mais c'est eux qu'il faut regarder, pas moi ! » cria-t-elle à Tourte. Et, du coup, le garçon hacha les mains du suivant qui tentait de franchir leur portion de mur jusqu'à ce qu'il lâche prise.

Bien que ser Amory fût dépourvu d'échelles, les murs grossiers du fort ne s'en prêtaient pas moins à l'escalade, et les assaillants paraissaient innombrables. Pour chacun de ceux que taillait, coupait, repoussait Arya, surgissait un remplaçant. Le chevalier au casque à pointe atteignit le rempart, mais Yoren lui entortilla la tête dans son drapeau noir et, pendant qu'il se démenait contre le tissu, le poignarda au défaut de l'armure. Pour peu qu'Arya levât les yeux, de plus en plus de torches la survolaient dans un long sillage de flammes qui se prolongeait indéfiniment dans son dos. La vue d'un lion d'or sur une bannière écarlate lui évoqua Joffrey, et elle déplora qu'il ne fût pas là, ricanant, pour prendre Aiguille en pleine gueule. Quatre hommes attaquèrent la porte à la hache, Koss les abattit d'une flèche, un par un. Au terme d'un corps à corps acharné, Dobber éjecta de la coursive un type auquel Lommy ne laissa pas le temps de se relever : il lui écrabouilla le crâne avec une pierre et poussa un cri de triomphe qui s'étrangla lorsqu'il vit que Dobber, un couteau dans le ventre, ne se relèverait pas non plus. Arya enjamba le cadavre d'un garçon pas plus vieux que Jon et à qui manquait un bras. Son œuvre ? elle ne le croyait pas mais n'était pas sûre. Elle entendit Qyle demander merci à un chevalier dont une guêpe ornait le bouclier et qui lui fracassa la figure avec sa plommée. Tout puait le sang, la pisse, le fer, la fumée, puis on finissait par ne plus sentir qu'une puanteur uniforme. Sans l'avoir seulement vu franchir le mur, elle n'aperçut l'adversaire suivant, un type décharné, qu'au moment même où elle et Tourte et Gendry fondaient sur lui. L'épée de Gendry l'atteignit au heaume et l'en décoiffa, révélant une boule chauve, effarée, une barbe mouchetée de gris où manquaient des dents, mais, tout en se sentant désolée pour lui, elle le tuait, gueulait : « *Winterfell ! Winterfell !* » tandis qu'à ses côtés Tourte glapissait : « *Tourte !* » et faisait un hachis de cou tendineux.

Une fois mort et bien mort le type décharné, Gendry lui vola son épée et bondit dans la cour se battre encore un peu. Arya le suivit des yeux et, apercevant des ombres d'acier, des reflets flamboyants de maille et de lames qui parcouraient en tous sens le fort, comprit que le rempart avait été franchi quelque part, ou emportée la poterne arrière. Elle sauta rejoindre Gendry, atterrit en souplesse ainsi que Syrio le lui avait appris. La nuit résonnait du fracas de l'acier, des cris des blessés, de râles d'agonie. Pendant un moment, Arya demeura là, balançant sur la route à prendre. De toutes parts sévissait la mort.

Et, brusquement, Yoren fut là, qui la secouait, lui vociférait en pleine figure. « *Gars !* gueulait-il, du ton dont il le gueulait toujours, *zou !* mon gars ! c'est foutu, 'n a perdu ! Rassemb' tous ceux qu' tu peux, toi, lui et les aut', les gosses, et zou, filez. *Main'nant !*

— Mais comment ? demanda-t-elle.

— C'te trappe ! hurla-t-il. S' la grang' ! »

Déjà il était reparti se battre, l'épée au poing. Arya empoigna le bras de Gendry. « Il a dit *filez*, cria-t-elle, la grange, l'issue. » Par la fente de la visière, l'incendie faisait flamboyer les yeux de Taureau. Il branla du chef. D'en bas, ils hélèrent Tourte, toujours au créneau, relevèrent Lommy Mains-vertes qui gisait, le mollet percé d'une lance, retrouvèrent aussi Gerren, mais trop grièvement blessé, lui, pour pouvoir bouger. Pendant qu'ils détalaient tous quatre vers la grange, Arya repéra la chialeuse assise au beau milieu du chaos, dans le carnage et la fumée. Elle lui saisit la main, la remit sur pied d'une secousse, tandis que les autres poursuivaient leur course, mais elle eut beau la gifler, la mioche refusait de marcher. Elle dut l'entraîner de force avec la main droite, la gauche crispée sur Aiguille. Là-bas devant, la nuit était d'un rouge sinistre. *La grange brûle*, songeat-elle. À l'endroit où une torche avait embrasé la paille, des flammes en léchaient effectivement les flancs, et l'on entendait les cris affolés des bêtes piégées dedans. Tourte en sortit en trombe. « *Dépêche*, Arry ! Lommy est *parti*, laisse la gosse si veut pas v'nir ! »

Mais Arya s'entêta, tirant d'autant plus durement sa chialeuse qu'il fallait même la traîner. Du coup, Tourte déguerpit, les abandonnant à leur sort…, mais Gendry ressortit à son tour et courut vers elles, son heaume poli réfléchissant les flammes avec tant d'éclat que les cornes en étaient orange vif, et hissa la mioche sur son épaule. « *Vite !* »

Se précipiter dans la grange, c'était se précipiter dans une fournaise. Les tourbillons de fumée ne laissaient entrevoir que le mur du fond, telle une nappe de feu verticale, du sol au toit, et des silhouettes de chevaux, d'ânes qui ruaient, se cabraient, hennissaient, brayaient. *Pauvres bêtes*, se dit Arya. Et, là-dessus, elle discerna le fourgon et les trois hommes enchaînés aux montants. Mordeur se démenait pour rompre ses fers, le sang dégoulinait de sous les menottes qui l'entravaient. Rorge tentait de démolir à coups de pied le bois et tonitruait des jurons. « Petit ? appela Jaqen H'ghar. Mon mignon ? »

La trappe ouverte n'était plus qu'à deux pas de là, mais le feu se diffusait à une vitesse effrayante, consumant le vieux bois et la paille sèche en bien moins de temps qu'Arya ne l'eût cru. Elle se rappela l'horrible face brûlée du Limier. « Le tunnel est étroit, cria Gendry. Comment va-t-on faire avec elle ?

— Tire-la, dit Arya, pousse-la.

— Bons gars ? gentils gars ? appela Jaqen H'ghar entre deux quintes de toux.

— *Ôtez-nous ces putains de chaînes !* » beugla Rorge.

Gendry les ignora. « Passe le premier, puis elle, et puis moi. Dépêche, on est pas arrivé...

— Après avoir fendu le bois, demanda-t-elle, où tu as mis la hache ?

— Devant l'hospice. » Il n'accorda même pas un coup d'œil aux captifs. « Je sauverais d'abord les ânes. On a pas le temps.

— Tu la prends ! cria-t-elle. Tu la sors de là ! Tu le fais ! » Les ailes rouges et brûlantes du feu lui battirent le dos quand elle sortit à toutes jambes de la grange. Il faisait divinement frais, dehors, mais des hommes mouraient, tout autour. Elle vit Koss jeter son épée pour se rendre, et elle vit les autres le tuer quand il se leva. De Yoren, pas trace, mais elle trouva la hache là où l'avait laissée Gendry, devant l'hospice, plantée dans le tas de bois. Comme elle la libérait, une main tapissée de maille lui saisit le bras. Le temps de toupiller, elle abattait la hache entre les jambes de l'agresseur. Elle n'en vit pas la figure, ne vit rien d'autre que le sang noir qui dégouttait entre les mailles du haubert. Rentrer dans la grange était le truc le plus difficile qu'elle eût jamais fait. La fumée se déversait par la porte ouverte avec des contorsions noires de serpent, et de l'intérieur provenaient les cris de détresse des animaux qui s'y trouvaient, ânes et chevaux et hommes. Elle se mâchouilla la lèvre puis s'élança, courbée en deux pour s'épargner le plus épais de la fumée.

Enveloppé dans un cercle de feu, un âne brayait d'épouvante et de douleur. L'air empestait le poil brûlé. La toiture s'était envolée, des choses en flammes, débris de bois, bouchons de paille et de foin, pleuvaient de partout. D'une main, Arya se couvrit la bouche et le nez. La fumée l'empêchait de voir le fourgon, mais les hurlements inarticulés de Mordeur la guidèrent au jugé.

Enfin s'esquissa l'ombre d'une roue. À chacun des élans forcenés de Mordeur contre ses chaînes, le fourgon *tressautait* et se déportait d'un demi-pied. Jaqen vit Arya mais, tout au supplice de respirer, ne souffla mot. Elle jeta la hache dans le véhicule, Rorge s'en saisit, l'éleva au-dessus de sa tête, des ruisseaux de sueur noire de suie dévalaient son mufle sans nez. Mais déjà Arya détalait, suffoquant, toussant. Elle entendit une fois le choc de l'acier contre le bois, et une autre, une autre, puis un *crrrac!* aussi formidable qu'un coup de tonnerre, et tout l'arrière du fourgon explosa dans une volée d'échardes.

Elle boula tête en avant dans le tunnel, dégringola de quelque cinq pieds de haut, se retrouva la bouche pleine de terre, mais peu lui importait, la terre avait même une merveilleuse saveur, une saveur d'humus et d'eau et de vers et de vie. Dans le boyau régnaient l'ombre et la fraîcheur. Alors que, là-haut dessus, tout n'était que sang, rugissement rouge, étouffement, fumée, hennissements d'agonie. Après avoir fait tourner sa ceinture pour qu'Aiguille ne pût la gêner, elle commença à ramper. Mais à peine avait-elle un peu progressé que vint l'assourdir quelque chose comme le hurlement d'un fauve monstrueux et que la talonna une nuée de fumée chaude et de poussière noire dont les ondes successives puaient l'enfer. Elle retint son souffle et, tout en baisant convulsivement la terre du tunnel, se mit à pleurer. Sur qui, elle n'eût su dire.

TYRION

La reine ne se montrait pas d'humeur à patienter jusqu'à l'arrivée de Varys. «Trahir est déjà bien assez scélérat, s'emporta-t-elle, mais, là, il s'agit d'une scélératesse impudente, éhontée! et je n'ai que faire des avis de cet eunuque minaudier pour savoir comment l'on doit traiter les scélérats.»

Tyrion prit les lettres qu'elle tenait pour les comparer côte à côte. Il s'agissait de deux copies qui, pour être d'une main différente, se révélaient identiques, mot pour mot.

«Mestre Frenken a reçu la première à Castelfoyer, commenta le Grand Mestre Pycelle. Nous devons la seconde à lord Gyles.»

Littlefinger tripota sa barbe. «Si Stannis s'est donné la peine d'informer *ceux-là*, c'est que tous les autres seigneurs des Sept Couronnes ont l'équivalent sous les yeux.

— Je veux qu'on brûle ces lettres, toutes, reprit Cersei. Pas l'ombre d'une rumeur n'en doit parvenir aux oreilles de mon fils ou de mon père.

— J'imagine que Père en a déjà perçu plus que l'ombre, intervint sèchement Tyrion. Stannis n'aura pas manqué d'expédier un oiseau à Castral Roc et un autre à Harrenhal. Quant à brûler les lettres, à quoi bon? La chanson est chantée, le vin versé, la gueuse engrossée. Et il n'y a rien là de si terrible, à la vérité. »

Elle reporta contre lui la fureur de ses prunelles vertes. « Es-tu complètement bouché ? Tu as lu ce qu'il dit ? *Le prétendu prince Joffrey*, voilà comment il qualifie mon fils ! Et il ose m'accuser, *moi*, d'inceste, d'adultère et de félonie ! »

Parce que tu t'en es rendue coupable, voilà tout. L'indignation avec laquelle elle rejetait des accusations qu'elle savait pertinemment fondées ne manquait pas d'époustoufler Tyrion. *Si nous perdons la guerre, elle fera bien de monter sur les planches, elle est douée pour la comédie.* Il attendit qu'elle eût fini son numéro pour reprendre : « Il fallait à Stannis un prétexte pour justifier sa rébellion. T'attendais-tu à lui voir écrire : "Joffrey est le fils et l'héritier légitime de mon frère, et voilà précisément pourquoi j'entends lui piquer son trône" ?

— Je ne souffrirai pas que l'on me traite de putain.

Voyons, ma sœur, il n'affirme nullement que Jaime te payait... Non sans affectation, il se replongea dans l'examen du texte. Une phrase l'y faisait tiquer... « "Fait en la lumière du Maître", lut-il. Bizarre, ce choix de termes... »

Pycelle s'éclaircit la gorge. « Ces mots se retrouvent souvent dans les missives et documents en provenance des cités libres. Ils signifient simplement, disons, *rédigé au regard du dieu*. Du dieu des prêtres rouges. Tel est leur usage, je crois.

— Varys nous a informés voilà quelques années, rappela Littlefinger, que lady Selyse s'était entichée de l'un d'eux. »

Tyrion tapota les lettres. « Apparemment, son seigneur et maître en est venu là, lui aussi. Nous pouvons retourner cela contre lui. Pressez le Grand Septon de révéler qu'il s'attaque autant aux dieux qu'à son souverain légitime, et...

— Oui oui, coupa la reine d'un ton impatienté, mais il nous faut d'abord mettre un terme à la diffusion de ces immondices. Le Conseil doit publier un édit. On tranchera la langue à tout individu surpris à parler d'inceste ou à traiter Joffrey de bâtard.

— Une sage mesure, opina Pycelle en faisant quincailler sa chaîne à chaque hochement.

— Une sottise, soupira Tyrion. Quand vous arrachez la langue d'un homme, vous ne prouvez pas qu'il est un menteur, vous avertissez seulement le monde que vous redoutez ce qu'il proférerait.

— Que devrions-nous faire alors, selon *toi*? demanda sa sœur.

— Très peu de chose. Les laisser chuchoter. Ils se lasseront bien assez vite de cette histoire. Tout homme ayant un grain de bon sens n'y verra qu'un mauvais procès pour tenter de légitimer l'usurpation du trône. Stannis fournit-il la moindre preuve? Comment le pourrait-il, quand tout n'est qu'invention? » Il offrit à sa sœur son sourire le plus suave.

« Certes, dut-elle admettre, et cependant…

— Votre frère a raison sur ce point, Votre Grâce. » Petyr Baelish joignit ses doigts en pointe. « Si nous essayons d'étouffer la rumeur, nous ne lui donnerons que davantage de créance. Mieux vaut la mépriser pour ce qu'elle est, un mensonge des plus pitoyable. Sans pour autant renoncer à combattre le feu par le feu. »

Cersei le gratifia d'un regard interrogatif. « Quel genre de feu?

— Des balivernes de même nature, peut-être. Mais en plus crédible. Lord Stannis a vécu la plus grande partie de son existence conjugale loin de sa femme. Non que je songe à l'en blâmer, j'eusse agi de même, affublé de lady Selyse. Néanmoins, si nous faisons courir le bruit qu'il est cocu, qu'elle a eu sa fille de n'importe qui, ma foi…, la populace ne demandera qu'à le croire – elle est si avide des pires ragots, quand ils rabaissent ses seigneurs, surtout ceux de l'acabit âcre et sévère et pourri de morgue à la Stannis Baratheon.

— On ne l'aime guère, c'est un fait.» Cersei médita un moment. «Ainsi lui rendrions-nous la monnaie de sa pièce. Oui, l'idée me séduit. Qui pourrions-nous donner pour amant à lady Selyse? Elle a deux frères, si je ne me trompe. Et l'un de ses oncles n'a cessé de se trouver près d'elle, à Peyredragon…

— Le gouverneur, ser Axell Florent.» Quelque répugnance qu'eût Tyrion à l'admettre, le stratagème de Littlefinger promettait. Sans avoir jamais été épris de sa femme, Stannis était soupçonneux par nature et se montrait aussi épineux qu'un hérisson quant à son honneur. S'il était possible de semer la discorde entre lui et ses partisans, la cause Lannister ne s'en porterait que mieux. «La petite a les oreilles Florent, m'a-t-on dit.»

Littlefinger eut un geste langoureux. «Un attaché commercial de Lys me fit un jour observer que lord Stannis devait aimer passionnément sa fille pour avoir érigé des centaines d'effigies d'elle le long des remparts de Peyredragon. "Ce sont des gargouilles, messire", fus-je obligé de lui expliquer.» Il gloussa. «Ser Axell pourrait effectivement tenir lieu de père à Shôren, mais l'expérience m'a appris que, plus une histoire est choquante et bizarroïde, plus elle se colporte allégrement. Stannis a chez lui un fou particulièrement grotesque – un parfait crétin tout barbouillé de tatouages.»

Le Grand Mestre béa, stupéfait. «Vous ne comptez tout de même pas suggérer que lady Selyse a mis un *fou* dans son lit?

— Ne faut-il pas être un fou pour vouloir coucher avec lady Selyse? riposta Littlefinger. Sans doute Bariol lui rappelait-il Stannis. Et les meilleurs mensonges recèlent une parcelle de vérité suffisante pour émoustiller la jugeote de l'auditeur. En l'occurrence, ce fou est entièrement attaché au service de la fillette et ne la lâche pas d'une semelle. Ils ne sont d'ailleurs pas sans se ressembler. Tout le côté paralysé du visage de Shôren est en quelque sorte chamarré aussi. »

Pycelle perdait manifestement pied. « Mais ce sont les séquelles de la léprose qui a failli la tuer quand elle était encore au berceau, pauvrette.

— J'aime mieux ma propre version, dit Littlefinger, et la populace fera de même. Elle est généralement convaincue que, si une femme mange du lapin pendant sa grossesse, son enfant naîtra équipé de longues oreilles flasques. »

Cersei eut pour lui le sourire qu'elle réservait d'ordinaire à Jaime. « Vous êtes un pervers, lord Petyr.

— Votre Grâce me comble.

— Et un menteur hors pair », ajouta Tyrion de manière moins chaleureuse. *Infiniment plus dangereux que je ne le savais*, se compléta-t-il, à la réflexion.

Les yeux gris-vert de Littlefinger croisèrent sans la moindre gêne les yeux vairons du nain. « Chacun ses dons, messire. »

L'obsession de sa vengeance empêcha la reine de remarquer cet échange aigre-doux. « Cocufié par un fou niais ! On fera des gorges chaudes de Stannis dans tous les bistrots de ce côté-ci du détroit.

— Mieux vaudrait que ce bobard n'émane pas de nous, représenta Tyrion, sans quoi on y verra un mensonge intéressé. » *Ce qu'il est, en somme*.

La solution vint une fois de plus de Littlefinger. « Les putes adorent cancaner, et il se trouve que je possède un bordel ou deux. Varys est pour sa part à même de semer la bonne parole dans les brasseries et troquets.

— Varys, dit Cersei d'un air sourcilleux. Où peut-il bien *être*, Varys ?

— Je ne cesse de me poser la même question, Votre Grâce.

— L'Araignée tisse nuit et jour ses toiles occultes, pontifia le Grand Mestre d'un ton prophétique. Je me défie de cet être-là, messires.

— Alors qu'il parle si gracieusement de vous. » Tyrion s'extirpa de son siège. Il savait d'aventure de quoi s'occupait l'eunuque, mais cela ne regardait pas les autres conseillers. « Veuillez m'excuser, messires. D'autres affaires me réclament. »

Cersei se mit instantanément sur ses gardes. « Des affaires du roi ?

— Rien qui doive t'inquiéter.

— J'en suis seule juge.

— Tu ne voudrais pas me gâcher ma surprise ? dit-il. Je fais réaliser un présent pour Joffrey. Une petite chaîne.

— Quel besoin a-t-il d'une nouvelle chaîne ? Il a plus de chaînes d'or et d'argent qu'il n'en peut porter. Si tu t'imagines une seconde pouvoir t'acheter son affection avec des cadeaux...

— Oh, mais je ne doute pas que l'affection du roi ne me soit *acquise* autant que la mienne à lui. Et m'est avis qu'il prisera un jour *cette* chaîne-là par-dessus toute autre. » Il s'inclina puis gagna la porte en chaloupant.

Dans l'antichambre l'attendait Bronn, qui le raccompagna jusqu'à la tour de la Main. « Les forgerons se trouvent dans votre salle d'audience, attendant votre bon plaisir, dit-il pendant qu'ils traversaient le poste.

— Attendant mon bon plaisir. Voilà qui me charme l'oreille, Bronn. Tu sonnes presque comme un authentique courtisan. D'ici que tu t'agenouilles...

— Va te faire foutre, nabot.

— Shae s'y emploie.» Il s'entendit héler gaiement du haut de l'escalier serpentin par lady Tanda mais affecta la surdité tout en pressant un rien son chaloupement. «Fais préparer ma litière, je compte quitter le château dès que j'en aurai terminé ici.» Deux des Sélénites gardaient le seuil de la tour. Il les régala d'une gaudriole et grimaça au bas des marches. La grimpette jusqu'à sa chambre mettait chaque fois ses jambes à rude épreuve.

Le gamin de douze ans qui lui tenait lieu d'écuyer était en train d'étaler des vêtements sur le lit. La seule vue de ce Podrick Payne aussi timoré que sournois entretenait le soupçon de Tyrion qu'en l'en affligeant Père n'avait songé qu'à se gausser de lui.

«Vos habits, messire», bredouilla-t-il en le voyant entrer, ou plutôt ses bottes. Lors même qu'il trouvait le courage de proférer trois mots, celui de vous regarder en face lui faisait toujours défaut. «Pour l'audience. Et votre chaîne. La chaîne de la Main.

— Parfait. Aide-moi à me changer.» Le pourpoint était de velours noir tapissé de clous d'or en mufles léonins, la chaîne un entrelacs de mains d'or massif aux doigts refermés sur le poignet les unes des autres. Pod le drapa enfin dans un manteau de soie cramoisie frangé d'or qui, sur un homme de taille normale, n'eût guère été qu'une demi-cape.

Sans être aussi grande que celle du roi – ou, à plus forte raison, que l'immense salle du Trône –, la chambre d'audience personnelle de la Main charmait Tyrion par ses tapis de Myr, ses tentures murales et son espèce d'intimité. Quand il y pénétra, l'huissier proclama : «Tyrion Lannister, Main du roi», et cela aussi le charmait. Ainsi que de voir aussitôt s'agenouiller le troupeau de forgerons, d'armuriers et de ferronniers regroupés par Bronn.

Il attendit de s'être hissé sur les hauteurs du siège que dominait un oculus doré pour permettre à l'assistance de se relever. « Vous sachant tous fort occupés, bonnes gens, je serai bref. S'il te plaît, Pod. » Le gamin lui tendit un sac de toile dont il desserra le cordon avant de le retourner. Le contenu s'en déversa sur le tapis de laine avec un ferraillement feutré. « J'ai fait fabriquer ceci à la forge du château. J'en veux mille autres absolument identiques. »

L'un des forgerons s'agenouilla pour examiner les objets : trois énormes anneaux de fer reliés entre eux. « Une chaîne puissante.

— Puissante mais courte, répliqua le nain. En quelque sorte comme moi. J'en désire une beaucoup plus longue. Tu t'appelles comment ?

— On me surnomme Ventre-en-fer, messire. » Il était large et trapu, vêtu simplement de laine et de cuir, mais avait des bras aussi épais qu'un cou de taureau.

« Je veux que chacune des forges de Port-Réal se consacre toutes affaires cessantes à la fabrication de ces chaînons et à leur assemblage. Exclusivement. Je veux que tout homme expert dans l'art de travailler le métal, et qu'il soit maître, compagnon ou apprenti, s'attelle à cette tâche. Rue de l'Acier, je veux entendre battre les marteaux, que je la remonte de jour ou de nuit. Et je veux un homme, un homme énergique, pour veiller sur l'exécution de l'ensemble. Es-tu cet homme, Ventre-en-fer ?

— Je pourrais l'être, m'seigneur, mais la maille et les épées que voulait la reine ? »

Un de ses semblables prit la parole. « Sa Grâce nous a ordonné de forger des hauberts et des armures, des épées, des poignards, des haches, et ce en grande quantité. Pour équiper ses nouveaux manteaux d'or, m'seigneur.

— Ce travail peut attendre. La chaîne d'abord.

— Sauf vot' respect, m'seigneur, Sa Grâce a dit qu' ceux qu'auraient pas fait leur quot'-part, on y écraserait les

mains, insista le bonhomme d'un air angoissé. Écrasées su'
leur prop' enclume, qu'elle a dit. »

*Cette bonne Cersei... Acharnée à nous faire aimer des
manants.* « On n'écrasera les mains de personne. Vous en
avez ma parole.

— Le fer est devenu cher, observa Ventre-en-fer, et cette
chaîne en prendra énormément, sans parler du charbon
pour les feux.

— Lord Baelish pourvoira à vos besoins d'argent », promit-il. À cet égard, il espérait pouvoir se fier à Littlefinger.
« J'ordonnerai au Guet de seconder vos recherches de
métal. Si nécessaire, fondez tous les fers à cheval de la
ville. »

Richement vêtu d'une tunique damassée à fermoirs d'argent et d'un manteau bordé de renard s'avança un homme
d'âge qui, à son tour, s'agenouilla pour examiner le modèle
de chaîne. « Monseigneur, dit-il gravement, ceci est d'un travail on ne peut plus grossier. Il n'y a aucun art, là-dedans.
Cette besogne convient à des forgerons ordinaires, assurément, des maréchaux-ferrants, des ferblantiers mais, ne
vous déplaise, je suis maître armurier. Elle ne saurait me
concerner, moi, ni aucun de mes confrères. Nous élaborons
des lames dignes des chansons de geste, des armures
qu'un dieu se flatterait de revêtir – pas *ça*. »

Tyrion pencha la tête de côté et distilla à l'homme un
regard vairon. « Quel est ton nom, maître armurier ?

— Salloreon, monseigneur, pour vous servir. Si Son
Excellence la Main daigne me le permettre, je me ferai un
immense honneur de lui façonner une armure aussi digne
de sa maison que de ses hautes fonctions. » Deux des assis-
tants ricanèrent, mais il n'en fonça que plus étourdiment.
« De plates et d'écailles, je pense. Les écailles dorées, tout
l'éclat du soleil, la plate émaillée de la somptueuse écarlate Lannister. Je suggérerais un heaume à tête de démon,

surmontée de grandes cornes d'or. De quoi terrifier tous vos adversaires, durant la bataille. »

À tête de démon, s'attrista Tyrion, *en quoi diable ceci s'applique-t-il à moi ?* « Voyez-vous, maître Salloreon, mes batailles à venir, je projette de les mener toutes de ce fauteuil. C'est de maillons que j'ai besoin, et non de cornes démoniaques. Aussi m'accorderez-vous ma requête. Vous ferez des chaînes, ou bien vous en porterez. Libre à vous de choisir. » Sur ce, il se leva et se retira sans même un regard en arrière.

Bronn l'attendait près de la poterne avec la litière et une escorte d'Oreilles Noires. « Tu connais l'adresse », lui dit Tyrion en acceptant son aide pour s'installer. Bien qu'il eût fait tout son possible pour approvisionner la ville affamée – affectant plusieurs centaines de charpentiers requis pour les catapultes à la construction de bateaux de pêche, ouvrant le Bois-du-Roi à tout chasseur assez hardi pour se risquer sur l'autre rive de la Néra, expédiant même des manteaux d'or fourrager au sud et à l'ouest –, des regards accusateurs le traquaient toujours, où qu'il se rendît. Les rideaux de la litière le préservaient de ce désagrément tout en le laissant méditer à loisir.

Ainsi, tout en descendant lentement la sinueuse allée Sombrenoir, au pied de la colline d'Aegon, réfléchissait-il aux événements de la matinée. La colère avait amené sa sœur à méconnaître la véritable portée de la lettre de Stannis Baratheon. Faute de preuves, les accusations de celui-ci ne valaient pas un clou ; autrement capital était le fait qu'il se fût proclamé roi. *Et comment Renly va-t-il réagir en l'apprenant ?* Il n'y avait pas de place pour *tous deux* sur le Trône de Fer.

D'une main paresseuse, il entrebâilla le rideau pour lorgner les rues. Les Oreilles Noires flanquaient la litière, le col paré de leurs hideux trophées. Bronn ouvrait la marche en éclaireur. Fixant les passants qui le fixaient, il s'amusa au petit jeu d'essayer de distinguer les mouchards des autres. *Les mines les plus soupçonneuses sont probablement innocentes*, conclut-il. *Ce sont les mines innocentes qu'il faut soupçonner.*

L'endroit où il se rendait se trouvait derrière la colline de Rhaenys, et les ruelles grouillaient de monde. Près d'une heure s'était écoulée et Tyrion assoupi quand le balancement de la litière annonça l'arrêt, mais c'est la fin du tangage qui le réveilla en sursaut. Il se frotta les yeux, et Bronn lui prêta la main pour débarquer.

La maison n'avait qu'un étage, rez-de-chaussée de pierre et premier de bois. À l'un de ses angles saillait une échauguette ronde. Nombre des fenêtres étaient résillées de plomb. Au-dessus de la porte oscillait une lanterne ouvragée composée d'un globe de métal doré et de verre écarlate.

« Un bordel, dit Bronn. Qu'allez-vous foutre là-dedans ?

— Que fout-on d'habitude dans un bordel ? »

Le reître se mit à rire. « Shae suffit pas ?

— Elle suffisait gentiment pour la vie de camp, mais j'ai changé d'existence. Les petits hommes ont des appétits d'ogre, et je me suis laissé dire que les filles de cet établissement sont des morceaux de roi.

— Le gosse est assez vieux pour ça ?

— Pas Joffrey. Robert. L'une de ses adresses favorites. » *Au fait, Joffrey doit être assez vieux pour ça. Une idée à creuser, ma foi.* « Si ça vous tente de vous amuser, toi et les Oreilles Noires, quartier libre, mais les pensionnaires de Chataya coûtent la peau des fesses. Vous trouverez meilleur marché tout le long de la rue. Laissez-moi seulement quelqu'un qui sache où vous trouver lorsque je désirerai repartir. »

Bronn acquiesça. « Entendu. » Les barbares étaient tout sourires.

À l'intérieur, une grande femme enveloppée de soieries flottantes l'attendait, peau d'ébène et prunelles de santal. « Je suis Chataya, déclara-t-elle avec une profonde révérence. Et vous êtes…

— Ne prenons pas la manie des noms. Les noms sont dangereux. » L'air embaumait une épice exotique, le sol était orné d'une mosaïque représentant deux femmes accouplées. « Tu as un charmant établissement.

— Le résultat d'un long labeur. Je suis ravie qu'il plaise à la Main. » Elle avait une voix d'ambre fluide et vaporeuse et les intonations des lointaines îles d'Été.

« Les titres peuvent être aussi dangereux que les noms, la tança Tyrion. Montre-moi quelques échantillons de ton pensionnat.

— Avec le plus grand plaisir. Vous les trouverez toutes aussi délicieuses que belles et expertes aux raffinements de l'amour, quel qu'il soit. » Elle s'évapora, gracieuse, le laissant vaille que vaille chalouper dans son sillage sur ses jambes deux fois moins longues.

De derrière un superbe paravent de Myr ciselé de fleurs, de rinceaux capricieux, de vierges rêveuses, ils guignèrent, invisibles, le salon dans lequel un vieillard jouait sur sa cornemuse un air entraînant. Dans une alcôve capitonnée, un Tyroshi saoul à la barbe pourpre faisait sauter sur son genou une jeune putain dodue ; il lui avait délacé le corsage et s'apprêtait à y faire couler un filet de vin pour le laper entre ses seins. Assises devant une fenêtre à réseaux de plomb, deux autres filles jouaient aux cartes ; l'une, mouchetée de taches de rousseur, avait dans ses cheveux de miel une guirlande de corolles bleues ; l'autre, la peau aussi soyeuse et noire que du jais poli, d'immenses yeux sombres et de petits tétons pointus ; toutes deux portaient des soieries flottantes nouées à la taille par des ceintures de perles. Le soleil que filtraient les verres de couleur soulignait par transparence la délicatesse juvénile des corps, et Tyrion sentit s'émouvoir son aine. «Révérence gardée, dit Chataya, je vous conseillerais la noire.

— Elle est bien jeune…

— Elle a seize ans, monseigneur.»

L'âge idéal pour Joffrey, se dit-il en repensant à la réflexion de Bronn. Sa première, se rappela-t-il, était plus jeune encore. Et comme elle semblait timide en retirant sa robe par-dessus sa tête, la première fois. De longs cheveux noirs, des yeux d'un bleu à s'y noyer – et il s'y était noyé. Si loin, tout ça… *Quel maudit corniaud tu fais, nabot.* «Elle vient de votre propre patrie, cette enfant ?

— Son sang est bien le sang de l'Été, monseigneur, mais ma fille est née ici même, à Port-Réal.» Le visage de Tyrion dut trahir sa stupeur, car elle reprit : «L'appartenance à une maison de plaisir n'a rien d'infamant, pour mon peuple. Aux îles d'Été, les êtres doués pour faire jouir sont au contraire tenus en très haute estime. Beaucoup de garçons et de filles de haute naissance s'y consacrent quelques années, une fois pubères, afin d'honorer les dieux.

— Que viennent faire les dieux là-dedans ?

— Les dieux ont fait nos corps tout autant que nos âmes, non ? Ils nous donnent des voix pour les adorer par nos chants. Ils nous donnent des mains pour leur bâtir des temples. Et ils nous donnent le désir pour les adorer par nos accouplements.

— Fais-moi penser à en aviser le Grand Septon, dit Tyrion. S'il m'était possible de prier avec ma queue, je serais d'une piété beaucoup plus ardente.» Il agita la main. «Je serai heureux de suivre ton conseil.

— Je vais appeler ma fille. Venez.»

La gamine le rejoignit au pied de l'escalier. Moins grande que sa mère mais plus que Shae, elle dut se mettre à genoux pour que Tyrion pût l'embrasser. «Je m'appelle

Alayaya, dit-elle, avec une pointe imperceptible de l'accent maternel. Venez, monseigneur. » Elle lui prit la main et lui fit monter deux volées de marches avant de l'entraîner dans un long corridor. Des cris, des hoquets de plaisir se faisaient entendre derrière une porte, de petits rires et des chuchotements derrière une autre. Tyrion suffoquait dans ses braies. *Cela pourrait être humiliant*, songea-t-il tout en empruntant derrière elle un autre escalier qui menait à la chambre de l'échauguette. Il n'y avait qu'une porte qu'Alayaya referma derrière lui. La pièce contenait un immense lit capitonné, une haute armoire sculptée de motifs érotiques et une fenêtre étroite dont le vitrail semblait composé de diamants rouges et jaunes.

« Tu es très belle, Alayaya, se hâta-t-il de lui dire. De la tête aux pieds, je te trouve adorable. Mais pour l'heure, c'est à ta langue que se porte l'essentiel de mon intérêt.

— Monseigneur trouvera ma langue des mieux stylée. Dès ma petite enfance, j'ai appris quand l'utiliser et quand non.

— Voilà qui me plaît. » Il sourit. « Qu'allons-nous donc faire maintenant ? Se trouverait-il que tu aies quelque chose à me suggérer ?

— Oui, dit-elle. Si monseigneur veut bien ouvrir l'armoire, il y trouvera ce qu'il cherche. »

Tyrion lui baisa la main et grimpa dans le meuble vide qu'Alayaya referma sur lui. Il palpa le panneau du fond, le sentit bouger sous ses doigts, le fit entièrement glisser de côté. Une noirceur de poix régnait dans la cavité aménagée entre les murs mais, à force de tâtonner, il y rencontra du métal. Sa main reconnut un barreau d'échelle, son pied en trouva un autre, et il entreprit de descendre. Bien au-dessous du niveau de la rue, la cheminée s'ouvrait sur un tunnel de terre en pente où l'attendait Varys, un bougeoir à la main.

Un Varys qui avait cessé d'être Varys. Une figure couturée de cicatrices, hérissée de picots sombres, se devinait sous son armet d'acier à pointe, de la maille couvrait son justaucorps de cuir bouilli, un poignard et un branc pendaient à sa ceinture. « Votre visite chez Chataya vous a-t-elle donné satisfaction, messire ?

— Presque trop, convint Tyrion. Vous êtes certain de la loyauté de cette femme ?

— Je ne suis certain de rien dans ce monde frivole et perfide, messire. Chataya n'a cependant aucun motif d'adorer la reine, et elle sait quelle reconnaissance elle vous doit pour l'avoir débarrassée d'Allar Deem. Nous y allons ? » Il se mit à descendre le long du tunnel.

Même sa démarche n'est plus la même, remarqua Tyrion. Une odeur d'ail et de vinasse avait également supplanté le parfum de lavande. « J'aime bien votre nouvelle tenue, remarqua-t-il tout en avançant.

— Le métier que j'exerce ne me permet pas de parcourir les rues dans une colonne des chevaliers. Aussi adopté-je pour sortir du château des déguisements plus seyants et qui me permettent de prolonger mes jours pour vous servir.

— Le cuir vous va. Vous devriez venir vêtu de la sorte à la prochaine séance du Conseil.

— Votre sœur n'apprécierait point, messire.

— Ma sœur en mouillerait ses sous-vêtements. » Il sourit dans le noir. « Je n'ai vu trace d'aucun de ses espions dans mon ombre.

— Je suis charmé de l'apprendre, messire. Comme certains des gens aux gages de votre sœur sont aussi – à son insu le plus total – aux miens, je me sentirais personnellement outragé s'ils s'étaient avachis au point de se laisser repérer.

— Et quant à moi, je *serais* personnellement outragé de m'être pour des prunes fourré dans des armoires et imposé les affres de la concupiscence frustrée.

— Pas tout à fait pour des prunes, assura Varys. Ils savent que vous êtes là. Je n'affirmerais pas que l'un d'entre eux serait assez hardi pour se présenter travesti en pratique chez Chataya, mais je préfère pécher par excès de prudence.

— Comment se fait-il qu'un bordel dispose d'une entrée secrète ?

— Le tunnel fut creusé pour une Main du roi à qui son honneur interdisait de pénétrer ouvertement dans une telle maison. Chataya n'en a jamais trahi l'existence.

— Et cependant, *vous* êtes au courant.

— Les oisillons volent en maint tunnel noir. Attention, les marches sont raides. »

L'écurie au fond de laquelle ils émergèrent devait se trouver à quelque trois blocs de leur point de départ, sous la colline de Rhaenys. Un cheval hennit dans sa stalle lorsque Tyrion laissa retomber bruyamment la trappe. Pendant que Varys soufflait la bougie et la déposait sur une solive, le nain jeta un regard circulaire. Une mule et trois chevaux occupaient les stalles. Il s'approcha du hongre pie, lui examina les dents. « Vieux, lâcha-t-il, et pas grand souffle, selon moi.

— À ne pas monter un jour de bataille, je vous l'accorde, répliqua Varys, mais il nous sera utile et n'attirera pas l'attention. Pareil pour les autres. Et le palefrenier ne voit et n'entend que les animaux. » Il décrocha un manteau suspendu là comme par hasard. Un manteau d'une étoffe grossière, délavée, usée jusqu'à la corde, mais de coupe très ample. « Si vous permettez ? » Après que Varys lui en eut drapé les épaules, il s'y trouva enfoui jusqu'aux pieds. « Les gens ne voient que ce qu'ils s'attendent à voir, dit l'eunuque, tout en lui rabattant le capuchon jusqu'au nez. Les nains n'étant pas si communs que les gosses, c'est un gosse qu'ils verront en vous. Un gosse enveloppé dans un vieux manteau, montant le cheval de son papa et faisant quelque course pour son papa. Mieux vaudrait néanmoins venir le plus souvent de nuit.

— J'envisage de…, mais pas aujourd'hui. Pour l'heure, Shae m'attend. » De peur d'être suivi, il n'avait pas encore osé lui rendre visite dans la demeure qu'elle occupait à l'extrémité nord-est de Port-Réal, non loin de la mer.

« Quel cheval voulez-vous prendre ? »

Tyrion haussa les épaules. « Celui-ci devrait m'aller.

— Je vous le prépare. » Il détacha d'un piton selle et picotin.

Tyrion se drapa dans le lourd manteau et fit les cent pas d'un air fébrile. « Vous avez raté une séance palpitante. Stannis s'est fait couronner, paraît-il.

— Je sais.

— Il accuse d'inceste mon frère et ma sœur. Je me demande d'où lui est venu ce soupçon.

— D'une lecture, peut-être, et de l'examen des cheveux d'un bâtard. Jon Arryn puis Ned Stark avaient procédé de même. À moins que quelqu'un ne le lui ait soufflé dans le tuyau de l'oreille. » Il se mit à rire, mais d'un rire de gorge et beaucoup plus grave que ses petits rires de tête habituels.

« Quelqu'un comme vous, d'aventure ?

— Me suspectez-vous ? Non, pas moi.

— Dans le cas contraire, l'avoueriez-vous ?

— Non. Mais pourquoi trahir un secret que j'ai si long-temps gardé par-devers moi ? Puis il est infiniment plus facile de tromper un roi que d'échapper au grillon des jon-chées et à l'oisillon du foyer. Sans compter que tout le monde avait les bâtards sous les yeux.

— Les bâtards de Robert ? Qu'en est-il au juste ?

— Pour autant que je sache, il en avait engendré huit, expliqua Varys tout en ajustant les sangles. Les mères avaient beau être cuivre ou miel, beurre ou châtaigne, les petits n'en étaient pas moins d'un noir de corbeau... et, par là, d'aussi fâcheux augure. Aussi était-il enfantin de deviner la vérité lorsque Joffrey, Myrcella et Tommen parurent entre les cuisses de votre sœur aussi dorés que le soleil. »

Tyrion secoua la tête. *Si elle avait mis au monde ne fût-ce qu'un enfant de son mari, cela aurait suffi pour désarmer la suspicion..., mais alors Cersei n'aurait pas été Cersei.* « Si vous n'avez pas joué le rôle du souffleur, qui ?

— Quelque traître, assurément. » Il resserra la sangle.

« Littlefinger !

— Je n'ai point prononcé de nom. »

Tyrion laissa l'eunuque lui tenir lieu d'écuyer. « Lord Varys, reprit-il une fois en selle, il me semble tantôt n'avoir pas à Port-Réal de meilleur ami, tantôt de pire ennemi que vous.

— Comme c'est bizarre. Vous me faites exactement la même impression. »

BRAN

Les premières pâleurs du jour étaient fort loin de s'insérer dans l'interstice des volets qu'il avait déjà les yeux ouverts.

La fête des moissons avait attiré des hôtes à Winterfell. On courait la quintaine dans la cour durant la matinée, mais cette perspective qui l'aurait enflammé naguère – *avant* – le glaçait.

Le glaçait. Car si les Walder allaient rompre des lances avec les écuyers de lord Manderly, lui-même, au lieu de jouter, serait condamné à jouer les princes dans la loggia de Père. Mestre Luwin avait beau dire : « Écoute, et tu t'initieras peu à peu à l'exercice de la souveraineté », belle consolation.

Être prince ne l'avait jamais tenté. Son rêve de toujours, c'était chevalier, c'étaient l'éclat de l'armure et le flottement des bannières, c'étaient la lance et l'épée, c'était entre les cuisses un destrier. Pourquoi lui fallait-il gâcher ses jours à écouter des vieux parler de choses dont à peine comprenait-il la moitié ? *Parce que tu es brisé*, martelait la petite voix insidieuse. Un seigneur pouvait se permettre d'être infirme, une fois étayé par des coussins (les Walder disaient que, vu sa débilité, leur grand-père ne se déplaçait qu'en civière), un seigneur, oui, un chevalier sur sa monture, non. Restait le devoir, bien sûr…, ainsi que le rabâchait ser Rodrik. «Tu es l'héritier de ton frère, le Stark de Winterfell. Lors des visites de bannerets, souviens-toi, Robb siégeait aux côtés de ton père.»

Trop obèse, lui, pour monter à cheval, lord Wyman Manderly était arrivé de Blancport par péniche puis litière deux jours plus tôt, suivi d'une longue file de vassaux : chevaliers, écuyers, hobereaux et dames, hérauts, musiciens et même un jongleur, toute chamarrée d'étendards et de surcots multicolores. La corvée se fût-elle bornée à les accueillir – et d'une manière louée ensuite par ser Rodrik – du haut du trône de pierre aux bras sculptés en forme de loups-garous, Bran s'en serait facilement accommodé. Mais elle débutait seulement…

«La fête fournit un charmant prétexte, avait expliqué ser Rodrik, mais personne ne s'inflige un trajet de cent lieues pour une aiguillette de canard et une gorgée de vin. Seuls les gens qui ont des affaires d'importance à nous soumettre font un tel voyage.»

Les yeux fixés sur le rude plafond de pierre, Bran se morigénait de son mieux. Robb aurait dit : «Ne fais pas l'enfant.» Il l'entendait presque. Et Père aussi. *L'hiver vient. Tu es presque un homme fait, Bran. Tu as des devoirs.*

Aussi était-il résigné à son sort quand Hodor vint, tout sourires et tout fredons discordants, bourdonner dans sa chambre et l'aider à faire sa toilette et à se coiffer. «Le doublet de laine blanc, aujourd'hui, commanda-t-il. Et la broche d'argent. Ser Rodrik va me vouloir l'air seigneurial.» Dans la mesure du possible, il préférait s'habiller lui-même, mais l'humiliation d'enfiler ses chausses ou ses bottes durait moins, à deux. Une fois initié aux gestes nécessaires, Hodor se montrait adroit et, en dépit de sa force prodigieuse, d'une délicatesse jamais démentie. «Tu aurais pu être chevalier, toi aussi, je parie, lui dit Bran, et un grand chevalier, si les dieux ne t'avaient retiré l'esprit.

— Hodor ? s'ébahirent en toute incompréhension les naïves prunelles brunes d'Hodor.

— Oui. Hodor », dit Bran en le désignant du doigt.

Près de la porte était accrochée l'espèce de hotte qui servait à le véhiculer. Après avoir glissé ses bras dans le harnais de cuir et assuré une large sangle autour de son torse, Hodor s'agenouilla auprès du lit, et Bran, s'aidant des barres de fer fixées au mur, hissa ses jambes mortes et les laissa, ballantes, s'insérer tant bien que mal dans les orifices ménagés à leur intention.

« Hodor ! » répéta Hodor en se relevant. Et comme il avait près de sept pieds de haut, peu s'en fallait que la tête de Bran ne frôlât le plafond. Aussi l'enfant se tassa-t-il pour franchir la porte. Émoustillé par l'odeur du pain chaud, le géant s'était une fois mis à *courir* vers les cuisines, et le cuir chevelu de sa charge en avait si bien pâti que mestre Luwin avait dû le recoudre. Quant à coiffer l'antique heaume rouillé, dépourvu de visière que Mikken avait après cela déniché dans l'armurerie, Bran n'y songeait guère. Les Walder s'en étaient chaque fois gaussés.

Les mains cramponnées aux épaules d'Hodor pendant que celui-ci dévalait le colimaçon, Bran percevait déjà, dans la cour, le tapage des sabots, des épées et des boucliers. Cela faisait un délicieux concert. *Je jetterai juste un coup d'œil*, se dit-il, *juste un, vite vite, et pas plus*.

La fine fleur de Blancport ne se montrant, avec ses chevaliers et hommes d'armes, qu'à une heure plus avancée de la matinée, c'est à ses écuyers, des garçons de dix à quatorze ans, qu'appartenait jusque-là la cour. La nostalgie d'être et n'être pas l'un d'eux tourmentait si fort Bran qu'il en avait mal au ventre.

On avait dressé deux quintaines, chacune constituée d'un gros poteau sur lequel s'ajustait une traverse mobile aux extrémités munies l'une d'une trique rembourrée, l'autre d'un bouclier peint d'écarlate et d'or et barbouillé d'un lion contrefait ; les premiers assauts avaient déjà pas mal éraflé l'effigie Lannister.

L'apparition de Bran dans sa hotte écarquilla ceux des participants qui ne l'avaient pas encore vu dans cet appareil, mais il savait désormais dédaigner les écarquillements. Du moins dominait-il son monde, du haut d'Hodor, et jouissait-il d'une vue imprenable. Les Walder étaient en train de se mettre en selle. Ils avaient apporté de leurs Jumeaux de belles armures de plates argentées repoussées d'émaux bleus. Le cimier de Grand Walder avait la forme d'un château, celui de Petit Walder s'ornait de faveurs flottantes de soie grises et bleues. Leurs écus et surcots respectifs achevaient de les différencier. Le sanglier moucheté de sa grand-mère Crakehall et le laboureur Darry de sa mère écartelaient les tours Frey du cadet, celles de l'aîné l'étant par l'arbre-aux-corbeaux Nerbosc et les serpents géminés Paege. *Quelle famine d'honneur*, songea Bran pendant qu'ils empoignaient leurs lances, *un Stark n'a besoin que du loup-garou*.

Sur leurs coursiers gris pommelé vifs et solides et superbement dressés, tous deux chargèrent côte à côte, heurtèrent tous deux de plein fouet les boucliers, s'esquivèrent tous deux bien avant que les triques n'eussent pivoté. Petit Walder avait frappé plus vigoureusement, mais Grand Walder se tenait mieux en selle, au gré de Bran, qui aurait volontiers donné ses deux jambes vaines contre l'aventure de leur courir sus, à l'un comme à l'autre.

Petit Walder se débarrassa de sa lance rompue puis, apercevant Bran, immobilisa sa monture. « Le vilain cheval que voilà ! dit-il d'Hodor.

— Hodor n'est pas un cheval, riposta Bran.

— Hodor!» lâcha Hodor.

Grand Walder se rapprocha de son cousin. «Oh, sûr qu'il n'est pas si *joli* qu'un cheval.» Quelques gars de Blancport se bourrèrent les côtes en pouffant.

«Hodor!» Rayonnant de cordialité, le regard d'Hodor se portait d'un Walder à l'autre. Leurs sarcasmes lui échappaient. «Hodor Hodor?»

Le coursier de Petit Walder émit un hennissement. «Regarde, ils se parlent! Peut-être qu'*hodor* veut dire "Je t'aime" en cheval.

— La ferme, Frey!» Bran se sentit voir rouge.

Petit Walder poussa son cheval de manière que le choc fît reculer Hodor. «Et que feras-tu, si je n'obéis pas?

— Il lâchera son loup sur toi, cousin, prévint Grand Walder.

— Tant mieux. J'ai toujours eu envie d'une pelisse en loup.

— Été t'arrachera ta tête de lard», dit Bran.

Petit Walder fit sonner son pectoral de plates sous son poing maillé. «Il a des dents d'acier, ton loup, pour mordre à travers plate et maille?

— *Assez!*» La voix de mestre Luwin surmonta le tumulte de la cour avec le fracas d'un coup de tonnerre. Ce qu'il avait exactement perçu de l'échange, Bran n'aurait su dire…, mais assez, de toute manière, pour être à l'évidence hors de lui. «Ces menaces sont indécentes, et je ne souffrirai pas d'entendre un mot de plus. Est-ce ainsi, Walder Frey, que vous vous comportez aux Jumeaux?

— Si j'en ai envie.» Du haut de son coursier, Petit Walder toisait Luwin d'un regard importuné comme pour dire : *Vous n'êtes qu'un vulgaire mestre. De quel front osez-vous réprimander un Frey du Pont?*

«Eh bien, ce n'est pas ainsi qu'à Winterfell devrait se comporter un pupille de lady Stark. D'où est partie cette querelle?» Il scruta tour à tour chacun des garçons. «L'un de vous va me le dire, ou je vous jure que…

— Nous étions en train de taquiner Hodor, avoua Grand Walder. Désolé, si nous avons offensé le prince Bran. Nous voulions seulement blaguer.» Lui du moins avait la bonne grâce de se montrer confus.

Tandis que Petit Walder se montrait seulement maussade. «Moi aussi, ronchonna-t-il. Je blaguais moi aussi.»

Au sommet du crâne du mestre, la clairière s'était empourprée. La colère de Luwin s'aggravait, si possible. «Un seigneur digne de ce nom protège les faibles et les démunis, dit-il aux Frey. Je ne tolérerai pas que vous preniez Hodor pour cible de vos sarcasmes, entendez-vous? je ne le tolérerai pas! C'est un bon cœur, docile et respectueux. Je ne saurais en dire autant de vous deux.» Il agita l'index en direction de Petit Walder. «Quant à toi, garde-toi d'entrer dans le bois sacré et de t'approcher des loups, ou il t'en cuira.» Sur ce, il tourna vivement les talons dans un grand envol de manches, fit trois pas, jeta un regard en arrière. «Bran. Viens. Lord Wyman attend.

— En route, Hodor, ordonna Bran.

— Hodor!» dit Hodor, et ses longues foulées rattrapèrent le trottinement rageur du mestre sur le perron du Grand Donjon. Luwin lui tint la porte, et Bran n'eut qu'à s'agripper au cou du colosse et à se tasser pour franchir indemne le seuil.

«Les Walder…, commença-t-il.

— Plus un mot là-dessus. L'incident est clos.» Le mestre avait l'air vanné, à bout. «Tu as eu raison de défendre Hodor, mais tu n'aurais pas dû te trouver là. Ser Rodrik et lord Wyman ont fini de déjeuner pendant que tu t'attardais. Me faut-il encore venir te chercher moi-même, comme si tu étais un bambin?

— Non, reconnut Bran, honteux. Je suis navré. Je voulais seulement…

— Je sais ce que tu voulais, coupa Luwin, mais d'un ton radouci. Plaise aux dieux que ce fût possible. As-tu des questions à me poser avant le début de l'audience ?

— Allons-nous parler de la guerre ?

— Tu ne parleras de rien. » Le ton s'était à nouveau durci. « Tu n'as encore que huit ans…

— Presque neuf !

— Huit, maintint le mestre. À moins que ser Rodrik ou lord Wyman ne t'interrogent, contente-toi des formules de courtoisie. »

Bran hocha la tête. « Bien.

— Je n'informerai pas ser Rodrik de ton différend avec les Frey.

— Merci. »

Après qu'on l'eut calé dans la cathèdre en chêne de Père avec des coussins de velours gris au haut bout de la longue table dressée sur des tréteaux, ser Rodrik prit place à sa droite, et mestre Luwin à sa gauche, muni de plumes, d'encriers et de parchemin vierge afin de dresser le procès-verbal de la séance. Tout en caressant d'une main le bois noueux du plateau, Bran pria lord Wyman d'excuser son retard.

« Un prince n'est jamais en retard, voyons, répliqua le sire de Blancport avec affabilité. Ceux qui le précèdent sont en avance, voilà tout ! » Il accompagna sa saillie d'un rire retentissant. Que Wyman Manderly fût interdit de selle n'était qu'à demi surprenant, car son poids semblait excéder celui des plus gros chevaux. Aussi verbeux qu'enveloppé, il pria d'abord Winterfell d'entériner la nomination des nouveaux douaniers de Blancport. Les anciens avaient préféré retenir l'argent destiné à Port-Réal plutôt que de le verser au nouveau souverain du Nord. « Du reste, déclara-t-il, le roi Robb doit frapper sa propre monnaie, et le lieu idéal pour ce faire est Blancport. » Il offrit donc de s'en charger, s'il plaisait à Sa Majesté, puis en vint à vanter la manière dont il avait renforcé les défenses de la rade, non sans détailler le coût de chaque amélioration.

En sus de battre la monnaie de Robb, il proposa également de lui construire une flotte de guerre. « Voilà des centaines d'années, très exactement depuis que Brandon l'Incendiaire brûla tous les vaisseaux de son père, que nous n'avons plus de force maritime. Fournissez-moi l'or, et je me fais fort de vous lancer dans l'année suffisamment de galères pour prendre Port-Réal et Peyredragon. »

Ce dernier sujet fit dresser l'oreille à Bran. Nul ne lui demandait son avis, mais il trouvait splendide l'idée de lord Wyman. Il la voyait en imagination déjà réalisée, et se demandait si jamais infirme avait commandé un bateau de guerre. Mais ser Rodrik promit simplement de transmettre à Robb la proposition, tandis que la plume de mestre Luwin égratignait le parchemin.

Midi survint, passa. Mestre Luwin expédia aux cuisines Tym-la-Grêle, et l'on déjeuna dans la loggia de chapons, de fromage et de pain bis. Tout en écartelant une volaille avec ses doigts graisseux, lord Wyman s'enquit poliment de lady Corbois, sa cousine. « Elle est née Manderly, savez-vous. Une fois émoussé son premier chagrin, peut-être lui agréerait-il de le redevenir, hein ? » Il mordit dans une aile, sourit de toute sa large face. « Il se trouve que d'aventure je suis veuf moi-même depuis huit ans. Bien temps que je me remarie, messires, pas votre avis ? On se sent seul, à la longue… » Les os repoussés de côté, il tendit la main vers un pilon. « Et si elle désire un mari plus jeune, mon fils Wendel est disponible aussi. Il se trouve pour l'heure auprès de lady Catelyn, dans le sud, mais je ne doute pas qu'il ne souhaite au retour prendre femme. Un gars vaillant – et gaillard. Juste l'homme qu'il lui faudrait pour réapprendre à rire, hein ? » Il torcha son menton maculé de graisse avec la manche de sa tunique.

Par les fenêtres entrait la rumeur lointaine de cliquetis d'armes. Ces histoires de mariage assommaient Bran. *Je serais tellement mieux dans la cour…*

Sa Seigneurie attendit que l'on eût desservi pour aborder le chapitre de son fils aîné, ser Wylis, fait prisonnier sur la Verfurque. « Lord Tywin Lannister m'a écrit pour me proposer de me le rendre sans rançon, sous réserve que je retire mes troupes à Sa Majesté et jure de ne plus prendre part aux combats.

— Vous allez refuser, naturellement, dit ser Rodrik.

— N'ayez crainte, à cet égard, protesta le lord. Le roi Robb n'a pas de plus loyal serviteur que Wyman Manderly. Il me répugnerait néanmoins de voir mon fils croupir plus que nécessaire à Harrenhal. C'est un sale endroit qu'Harrenhal. Maudit, dit-on. Non que je sois du genre à avaler de telles sornettes mais, bon, c'est un fait. Regardez la mésaventure de ce Janos Slynt. Élevé par la reine à la dignité de sire de Harrenhal, puis abattu par le Lutin. Embarqué pour le Mur, à ce qu'on prétend. Mon vœu le plus cher serait que l'on parvienne sans trop tarder à un échange équitable de prisonniers. Il déplairait fort à Wylis, je le sais, d'attendre sur le cul la fin des hostilités. C'est un brave, mon fils, la férocité d'un molosse. »

Quand l'audience approcha de son terme, l'immobilité forcée avait douloureusement ankylosé les épaules de Bran. Or, le soir même, comme il présidait le souper, le cor sonna l'arrivée d'un nouvel hôte. Lady Donella Corbois n'était suivie ni de vassaux ni de chevaliers ; seuls l'escortaient, en livrée orange poussiéreuse au chef d'orignac, six hommes d'armes las. « Vos deuils nous ont extrêmement peiné, madame », lui dit Bran lorsqu'elle se présenta devant lui. Elle avait perdu son mari à la bataille de la Verfurque et leur fils unique à celle du Bois-aux-Murmures. « Winterfell ne l'oubliera pas.

— J'en suis touchée. » Elle n'était, avec sa pâleur et ses traits creusés de chagrin, qu'une cosse de femme. « Je n'en puis plus, messire. Je vous serais reconnaissante de m'accorder la permission de me reposer.

— Cela va de soi, dame, intervint ser Rodrik. Nous aurons bien le temps de causer demain. »

Le lendemain, la plus grande partie de la matinée s'écoula en discussions de légumes et de céréales et de viande salée. Depuis que les mestres de la Citadelle avaient proclamé l'entrée dans l'automne, les gens avisés mettaient de côté une partie de chaque récolte, mais définir l'ampleur de ladite partie semblait exiger des parlotes interminables. Lady Corbois stockait un cinquième. Sur les instances de mestre Luwin, elle promit d'aller jusqu'au quart.

« Le bâtard de Bolton est en train de masser des hommes à Fort-Terreur, les avisa-t-elle. J'espère qu'il compte les emmener grossir les forces de son père aux Jumeaux, mais, lorsque je me suis informée de ses intentions, il m'a fait répondre qu'aucun Bolton ne daignait répondre aux questions d'une femme. Comme s'il était légitime et avait le moindre droit de porter ce nom…!

— Lord Bolton ne l'a jamais reconnu, que je sache, dit ser Rodrik. J'avoue ne pas le connaître.

— Vous n'êtes pas le seul, reprit-elle. Il a vécu avec sa mère jusqu'au jour où, voilà deux ans, la mort du jeune Domeric l'ayant privé d'héritier, Bolton l'a ramené à Fort-Terreur. C'est un sournois de la pire espèce, et il a pour serviteur un homme presque aussi cruel que lui. Un surnommé Schlingue. Qui ne se baigne jamais, dit-on. Lui et le Bâtard chassent de conserve, et pas le daim. Il court sur eux des tas d'histoires, des choses que j'ai peine à croire, même de la part d'un Bolton. Et maintenant que mon seigneur et maître comme notre cher fils ont rejoint les dieux, mes domaines excitent la voracité du Bâtard. »

Bran aurait volontiers donné cent hommes à la dame pour défenseurs, mais ser Rodrik se contenta de dire : « Libre à lui de les lorgner mais, s'il faisait pis, je vous jure qu'il le paierait cher. Vous ne risquez pas grand-chose, madame, cependant…, peut-être la prudence vous fera-t-elle, une fois remise de vos deuils, songer à vous remarier ?

— J'ai passé l'âge d'avoir des enfants, et ce que je pouvais avoir de charmes m'a dès longtemps fuie, dit-elle avec un demi-sourire exsangue, mais cela n'empêche en effet pas les hommes de venir me renifler comme ils ne le firent jamais quand j'étais jeune fille.

— Vous ne voyez donc pas d'un œil favorable ces prétendants ? demanda mestre Luwin.

— Je me remarierai si Sa Majesté me l'ordonne, répondit-elle, mais Mors Freuxchère est une brute ivrogne et plus vieux que mon père. Quant à mon noble cousin Manderly, le lit de mon époux n'est pas assez large pour en accueillir un de si fastueux, et je suis moi-même trop frêle et menue pour lui servir de reposoir. »

Bran savait qu'au lit les hommes dormaient sur les femmes, mais il imagina la chose : dormir sous lord Manderly devait être comme dormir sous un percheron. Ser Rodrik gratifia la veuve d'un hochement de sympathie. « Vous aurez d'autres poursuivants, madame. Nous tâcherons de vous procurer un avenir qui vous agrée mieux.

— Il n'est peut-être pas nécessaire de chercher bien loin, ser. »

Après qu'elle se fut retirée, mestre Luwin se mit à sourire. « M'est avis, ser Rodrik, que la dame vous trouve à son goût… »

Le chevalier s'éclaircit la gorge d'un air gêné.

« Elle était bien triste », s'apitoya Bran.

Ser Rodrik acquiesça d'un signe. « Triste et gente – et nullement dépourvue de charmes, pour une femme de son âge, ne déplaise à sa modestie. Elle n'en représente pas moins un danger pour la paix du royaume de ton frère.

— Elle ? » s'ébahit Bran.

Mestre Luwin le lui expliqua. « Faute d'héritier direct, les terres Corbois vont sûrement susciter nombre de compétiteurs. Les Tallhart, les Flint et les Karstark sont tous apparentés aux Corbois par les femmes, et les Glover ont pour pupille, à Motte-la-Forêt, le bâtard de lord Harys. À ma connaissance, Fort-Terreur ne saurait fonder de revendication… mais, ses propres domaines étant contigus, Roose Bolton n'est pas homme à dédaigner l'aubaine. »

Ser Rodrik tripotait fébrilement ses favoris. « En telle occurrence, il convient donc que son suzerain lui trouve un parti digne d'elle.

— Et pourquoi ne pas l'épouser, *vous* ? demanda Bran. Vous dites la trouver avenante, et elle servirait de mère à Beth. »

Rodrik lui posa la main sur le bras. « C'est gentil de le penser, mon prince, mais je suis un simple chevalier, et trop vieux, en plus. Je tiendrais ses terres quelques années mais la laisserais, sitôt disparu, dans le même pétrin qu'aujourd'hui, et l'avenir de Beth risquerait d'en être lui-même compromis.

— Alors, laissez le bâtard de lord Corbois hériter d'elle, insista Bran, qui pensait à Jon.

— Cette solution satisferait les Glover et peut-être aussi l'ombre de lord Corbois, objecta ser Rodrik, mais elle nous aliénerait lady Corbois, je pense. Le garçon n'est pas de son sang.

— Encore mérite-t-elle d'être envisagée, dit mestre Luwin. Lady Donella n'est plus d'âge à concevoir, de son propre aveu. À part le bâtard, qui ?

— Me permettez-vous de me retirer ? » De la cour montait vers Bran le chant de l'acier contre l'acier. Les écuyers s'exerçaient, en bas...

« Faites, mon prince, dit ser Rodrik. Vous vous êtes bien comporté. » Bran rougit de plaisir. Faire le seigneur était moins ennuyeux qu'il ne l'avait craint, et comme lady Corbois s'était montrée infiniment plus concise que lord Manderly, cela lui laissait même quelques heures de jour pour aller voir Été. Il aimait consacrer quotidiennement son temps libre au loup, quand le mestre et le chevalier l'y autorisaient.

À peine Hodor eut-il pénétré dans le bois sacré qu'Été, comme averti de leur venue, surgit de sous un chêne. Bran distingua également sous le couvert une fine silhouette noire aux aguets. « Broussaille, appela-t-il, ici, Broussaille, viens. » Mais le loup de Rickon disparut aussi vite qu'il s'était montré.

Connaissant les prédilections de Bran, Hodor le porta spontanément au bord de l'étang, sous l'arbre-cœur, à l'endroit même où lord Eddard avait coutume de s'agenouiller pour prier. À leur arrivée, de longues risées animaient la surface de l'eau, le reflet du barral en avait des frissons dansants. Nul vent ne soufflait, pourtant. Le phénomène interloqua Bran.

Jusqu'à ce que du fond jaillît..., dans une gerbe d'éclaboussures tapageuses et si soudaines qu'Été lui-même cula en grondant, jaillît Osha. Hodor fit une embardée en piaillant des « Hodor ! *Hodor !* » d'épouvante, et Bran dut lui tapoter l'épaule pour le calmer. « Comment peux-tu nager là-dedans ? s'étonna-t-il lui-même. Ce n'est pas trop froid ?

— Dès le berceau, j'ai tété des glaçons, petit. J'aime le froid.» Elle gagna les rochers du bord et, ruisselante, s'y campa. Elle était nue, la peau granulée par la chair de poule. L'échine basse, Été s'approcha pour la flairer. «Je désirais toucher le fond.

— Il y en a un?

— Peut-être pas.» Elle grimaça un sourire. «Que regardes-tu, petit? Jamais vu de femme?

— Si fait.» Il s'était baigné avec ses sœurs des centaines de fois et avait aussi regardé les servantes s'ébattre dans les bassins d'eau chaude. Mais la sauvageonne était différente. Point de courbes, rien de moelleux, des angles secs et durs. La jambe noueuse, le sein plat comme une bourse vide. «Tu es couverte de cicatrices…

— Toutes au prix fort.» Ramassant à terre sa cotte brune, elle la secoua pour en détacher quelques feuilles mortes et l'enfila par-dessus sa tête.

«Contre des géants?» Elle affirmait qu'il en subsistait, au-delà du Mur. *Peut-être en verrai-je un, un jour…*

«Contre des hommes.» Elle se ceignit la taille avec un bout de corde. «Des corbeaux noirs, plus qu'à mon tour. M'en suis même tué un», dit-elle en ébrouant sa chevelure. Celle-ci lui couvrait largement les oreilles, désormais, et adoucissait quelque peu les traits de la rude créature qui l'avait agressé naguère dans le Bois-aux-Loups. «Ça jacasse, aux cuisines, aujourd'hui, sur toi et les Frey.

— Qui ça? Que dit-on?»

Elle lui dédia un rictus chagrin. «Qu'y a un p'tit crétin qui nargue un géant, et que ce monde est fou puisqu'y a qu'un estropié pour lui clouer le bec.

— Hodor n'a pas compris qu'on se moquait de lui. Et, de toute manière, il ne se bat jamais.» Le souvenir, ce disant, lui revint d'un jour où, en compagnie de Mère et de septa Mordane, il s'était rendu, tout petit, sur la place du marché. Censé les escorter pour porter les emplettes, Hodor s'était mis à errer à l'aventure et, lorsqu'on l'avait retrouvé, des gamins l'acculaient au fond d'une impasse et le rouaient de coups de bâton. «*Hodor!* hurlait-il sans discontinuer, *Hodor!*» tout en se pelotonnant pour se protéger, mais il ne levait pas seulement la main contre ses bourreaux. «Septon Chayle dit que c'est un noble cœur.

— Ouais, convint-elle, mais avec des mains capables de dévisser une tête de ses épaules, si la fantaisie lui prenait. En tout cas, fera bien de surveiller son dos, avec ce Walder. Lui et toi, pareil. Pas pour rien qu'on l'appelle petit, ce grand diable-là, maintenant que j'y pense. Grand dehors et dedans petit, mesquin jusqu'aux moelles.

— Il n'a jamais osé me frapper. Il a beau dire, il a peur d'Été.

— Alors, il serait moins stupide qu'il n'a l'air.» Elle ne démordait pas du qui-vive avec les loups-garous. N'avaient-ils pas, à eux deux, mis en pièces trois sauvageons le jour de sa propre capture? «S'il ne l'est autant. Et ça sent mauvais, tout de même.» Elle noua sa chevelure. «Toujours des rêves de loup?

— Non.» Il lui répugnait d'en parler.

«Un prince devrait mentir mieux que ça.» Elle se mit à rire. «Enfin, tes rêves sont tes oignons. Mes oignons à moi sont à la cuisine, et je ferais bien d'y retourner avant que Gage ne commence à gueuler et à démanger de sa grande louche. Avec votre permission, mon prince.»

Elle n'aurait jamais dû parler des rêves de loup, songea Bran tandis qu'Hodor gravissait l'escalier pour le ramener à sa chambre. Une fois couché, il lutta de son mieux contre le sommeil, mais il finit par succomber, comme d'habitude. Et il rêva du barral, cette nuit-là. De ses prunelles ensanglantées, l'arbre le dévisageait, il l'appelait de sa bouche de bois convulsive, et, de ses branches pâles, la corneille aux trois yeux descendait d'un vol mou lui becqueter la face en criant son nom d'une voix blessante comme des épées.

Des sonneries de cor l'éveillèrent. Il se laissa rouler sur le côté, tout heureux du répit. Des chevaux hennissaient, des appels retentissaient. *Nouveaux hôtes, et nouveau tapage pour me griser.* De barre en barre, il s'arracha du lit, se propulsa jusqu'à la banquette de la fenêtre. La bannière au géant déchaîné lui apprit qui étaient les survenants, des Omble, descendus des contrées du nord, au-delà, là-bas, de la rivière Ultime.

Le lendemain se présentèrent ensemble à l'audience, effectivement, deux d'entre eux : des oncles du Lard-Jon, vieillards aussi forts en gueule en leur hiver que lui, et dont la barbe blanche le disputait à la blancheur de leurs manteaux d'ours. Le croyant mort, un corbeau avait jadis picoré l'œil du premier, Mors, qui depuis portait un cabochon de verredragon dans l'orbite vide ; son surnom de Freuxchère lui provenait de ce qu'il s'était vengé de l'oiseau, contait Vieille Nan, en lui arrachant la tête d'un coup de dent. Quant à son lugubre squelette de frère, Hother, Bran n'avait jamais pu obtenir d'elle l'origine de son sobriquet, Pestagaupes.

À peine assis, Mors demanda l'autorisation d'épouser lady Corbois. « Le Lard-Jon est le vigoureux bras droit du Jeune Loup, nul n'en disconvient. Se peut-il rêver meilleur protecteur des terres de la veuve qu'un Omble et, de tous les Omble, meilleur que moi ?

— Lady Donella se trouve encore plongée dans l'affliction, objecta mestre Luwin.

— J'ai sous mes fourrures de quoi calmer l'affliction », s'esclaffa Mors. Ser Rodrik se répandit en formules gracieuses et promit de soumettre la chose à la dame et au roi.

Hother réclama des bateaux. « Il descend du nord plus de pillards sauvageons que je n'en ai jamais vu. Ils traversent en barque la baie des Phoques et déferlent sur nos côtes avec des vivacités de belettes, et les corbeaux de Fort-Levant sont trop peu nombreux pour les arrêter. C'est de frégates qu'on a besoin contre, ouais, plus des marins solides comme équipages. Le Lard-Jon a emmené trop d'hommes. La moitié de nos récoltes s'est perdue, faute de bras pour faucher. »

Ser Rodrik tiralla ses favoris. « Vos forêts foisonnent de vieux chênes et de grands pins. Les caréneurs et les matelots surabondent chez lord Manderly. En vous unissant à lui, vous devriez pouvoir lancer suffisamment de frégates pour préserver votre littoral et le sien.

— Manderly ? renifla Mors Omble. Ce ballot de suif ? M'est parvenu que ses gens eux-mêmes s'en foutent sous le nom de lord Lamproie. Tout juste s'il marche. Un coup d'estoc dans sa bedaine, et vous verrez, ça grouille, des milliers d'anguilles.

— Pour être gras, protesta ser Rodrik, il ne manque pas de jugeote. Vous coopérerez, ou bien le roi saura la raison de votre refus. » À la stupeur de Bran, les deux ogres tombèrent d'accord, non sans maugréer, pour obtempérer.

La séance n'était pas levée que survinrent tour à tour, qui de Motte-la-Forêt, qui de Quart-Torrhen, des Glover et un fort parti de Tallhart. Bien qu'à leur départ pour le sud Galbart et Robett Glover eussent délégué leurs pouvoirs à l'épouse du second, c'est leur intendant que vit arriver Winterfell. « Ma dame vous prie de l'excuser. Ses enfants sont encore trop jeunes pour faire le voyage, et elle répugnait à les abandonner. » Bran ne tarda néanmoins guère à s'apercevoir que le véritable gouverneur de Motte n'était pas lady Glover mais son truchement. De son propre aveu, celui-ci ne mettait de côté qu'un dixième des récoltes. Un mage l'avait, se flatta-t-il, informé qu'un été prodigue précéderait l'installation définitive de l'hiver. Mestre Luwin trouva mille choses pertinentes à redire aux prophéties des mages de canton. Après lui avoir pour sa part intimé de stocker un cinquième de chaque denrée, ser Rodrik pressa l'intendant de questions sur le bâtard de lord Corbois, Larence, alias *Snow*, selon la coutume du Nord. Un garçon de près de douze ans dont le témoin vanta la bravoure et l'intelligence.

« Ce que tu suggérais à son propos pourrait se révéler fondé, Bran, commenta par la suite le mestre. M'est avis qu'un jour Winterfell n'aura qu'à se louer d'un maître tel que toi.

— Il n'en aura pas l'occasion, objecta Bran, conscient qu'il ne serait pas plus lord qu'il ne pouvait être chevalier. Robb doit épouser une Frey, vous m'en avez avisé vous-même, et les Walder ne cessent de le répéter. Il en aura des fils, et ce sont eux, pas moi, qui gouverneront Winterfell après lui.

— Il se peut, Bran, intervint ser Rodrik, mais j'ai eu beau me marier trois fois, mes femmes ne m'ont donné que des filles, et seule Beth m'en reste, à présent. Quant aux quatre fils vigoureux qu'avait engendrés mon frère Martyn, seul Jory parvint à l'âge d'homme. Son meurtre a éteint cette lignée-là. Il ne faut jamais jurer de demain. »

Le tour de Leobald Tallhart vint le jour suivant. Il parla du temps, de présages, de l'abattement des petites gens, de son neveu Benfred qui brûlait de se battre. « Il a monté sa propre compagnie de lances. Avec des garçons dont le plus âgé n'a pas dix-neuf ans, et qui le considèrent tous comme un second louveteau. Si bien qu'ils m'ont ri au nez quand je les ai qualifiés de simples lapereaux. Mais, du coup, ils se sont eux-mêmes dénommés "les Bouquins sauvages" et courent à bride abattue la campagne avec des peaux de lièvre accrochées à leurs hampes, chantant à tue-tête des chansons de chevalerie. »

Bran trouva cela grandiose. Winterfell ayant maintes fois accueilli ce Benfred en compagnie de son père, ser Helman, il revoyait le grand braillard bourru qui traitait de plain-pied Robb et Theon Greyjoy. Ser Rodrik manifesta, lui, sans ambages sa réprobation. « S'il lui fallait davantage d'hommes, le roi le leur manderait. Vous voudrez bien prier votre neveu de rester à Quart-Torrhen, conformément aux ordres du seigneur son père.

— Je n'y manquerai pas, ser », dit Leobald, avant de soulever finalement la question de lady Corbois. La pauvrette, sans époux pour défendre ses terres ni fils pour en hériter. Lui-même avait une Corbois pour femme, n'est-ce pas ? la propre sœur de feu lord Harys, mais à quoi bon le leur rappeler ? « Une demeure déserte, rien de si lugubre… Mon dernier fils pourrait s'y rendre comme pupille auprès de lady Donella. Bientôt dix ans, un caractère aimable, et puis son propre neveu, n'est-ce pas ? Beren saurait la réconforter, j'en suis sûr, et il pourrait même adopter le nom de Corbois…

— Si elle en faisait son héritier, n'est-ce pas ? insinua mestre Luwin.

— … de manière à perpétuer la maison », conclut Leobald.

Là, Bran connaissait la réponse. « Merci de la suggestion, messire, lâcha-t-il avant que ser Rodrik n'eût même ouvert la bouche. Nous la soumettrons au roi mon frère. Oh, et à lady Corbois. »

Son intervention souffla manifestement le visiteur. « Je vous en sais gré, mon prince », articula-t-il, mais Bran surprit dans ses prunelles pâles une lueur apitoyée qui n'allait pas, peut-être, sans la joie secrète que cet estropié ne fût pas, après tout, *son* fils, et qui le lui fit haïr une seconde.

Mestre Luwin s'en montra quant à lui davantage charmé. « Ce Beren Tallhart pourrait bien être notre meilleure carte, leur confia-t-il après que se fut retiré Leobald. Il est à demi Corbois par le sang, et s'il prend le nom de son oncle…

— … il n'en demeurera pas moins un gosse, coupa ser Rodrik, et un gosse harcelé par les rapaces comme Mors Omble ou le bâtard de Roose Bolton. Cela mérite un examen sérieux. Qu'avant de prendre une décision Robb dispose d'éléments solides.

— Elle peut dépendre d'intérêts triviaux, repartit le mestre. Du seigneur qu'il paraîtra le plus nécessaire de cajoler. Surtout à présent que le Conflans fait partie du royaume. Peut-être souhaitera-t-il en cimenter l'intégration en accordant lady Corbois à un lord du Trident. Un Nerbosc, par exemple, ou un Frey…

— Pourquoi ne pas lui donner l'un des nôtres ? suggéra Bran. Voire les deux, si ça lui chante ?

— Voilà qui est vilain, mon prince », le gronda doucement ser Rodrik.

Pas plus que les deux Walder, se renfrogna Bran, les yeux obstinément baissés sur la table et les dents serrées.

Au cours des jours suivants arrivèrent maints corbeaux porteurs des regrets d'autres nobles maisons. Le bâtard de Fort-Terreur ne se souciait pas de venir, les Mormont et Karstark avaient tous accompagné Robb, son grand âge empêchait lord Locke d'oser faire le voyage, lady Flint était grosse, on était malade, à La Veuve… Tant et si bien qu'en fin de compte les principaux vassaux de la maison Stark se manifestèrent tous, à l'exception du maître des paluds, Howland Reed, lequel n'avait pas mis le pied hors de ses tourbières depuis une éternité, et des Cerwyn, dont le château ne se trouvait qu'à une demi-journée de cheval. La captivité de lord Cerwyn n'empêcha cependant pas son fils, quatorze ans, de franchir la porte, un beau matin venteux, suivi d'une bonne vingtaine de lances. Et Bran, qui se trouvait pour lors faire évoluer Danseuse autour de la cour, prit le trot pour se porter au-devant de ce vieux copain.

« Bonjour, toi ! le héla Cley avec chaleur. Ou me faut-il dire "vous" et "mon prince", à présent ?

— Uniquement si tu le désires. »

Cley éclata de rire. « Pourquoi pas ? Tout le monde, ces jours-ci, s'intitule prince ou roi. Stannis vous a écrit, à vous aussi ?

— Stannis ? Pas que je sache.

— Lui aussi est roi, maintenant, lui souffla Cley. Il prétend que la reine Cersei couchait avec son frère, que Joffrey n'est donc qu'un bâtard.

— Joffrey le Mauné, grommela l'un des chevaliers de sa suite. Avec le Régicide pour père, allez vous étonner de sa déloyauté.

— Les dieux vomissent l'inceste, ajouta un autre. Pas pour des prunes qu'ils ont mis bas les Targaryens… »

Pendant un instant, Bran se sentit suffoquer. Une main gigantesque lui étreignait la poitrine. L'impression qu'il tombait lui fit agripper désespérément les rênes.

Son épouvante devait se lire sur son visage. « Bran ! s'exclama Cley, ça ne va pas ? Cela ne fait qu'un roi de plus…

— Robb le battra aussi. » Sans seulement voir les regards abasourdis des Cerwyn, Bran fit pivoter Danseuse en direction des écuries. Les rugissements de son sang l'assourdissaient et, sans les sangles qui le maintenaient en selle, il eût vidé les étriers.

Le soir, il supplia les dieux de Père de lui accorder un sommeil sans rêves. Mais, s'ils l'entendirent, ils ne l'exaucèrent pas, loin de là, car le cauchemar qu'il reçut d'eux dépassait en horreur le pire des rêves de loup.

« *Vole ou meurs !* » piaulait la corneille aux trois yeux tout en le becquetant. Et il avait beau pleurer et la conjurer, elle s'acharnait impitoyablement. Elle lui dévora l'œil gauche puis le droit et, après l'avoir bien aveuglé, dûment plongé dans les ténèbres, s'en prit à son front et se mit à lui fouailler cruellement la cervelle. Et il poussait de tels hurlements que ses poumons, devina-t-il, allaient éclater. La douleur lui fendait la tête à la manière d'une hache, mais, lorsque la corneille extirpa son bec tout barbouillé d'esquilles et de matière grise, il recouvra soudain la vue. Et le spectacle lui arracha un hoquet de terreur. La tour à laquelle il se cramponnait avait des lieues de haut, et ses doigts glissaient, glissaient, ses ongles éraflaient la pierre, ses jambes l'entraînaient inexorablement, des jambes vaines, des jambes stupidement mortes. « À l'aide ! » cria-t-il. Dans le ciel, là-haut, parut un homme doré qui lui tendit la main, le hissa, le hissa. « Ce que me fait faire l'amour, quand même ! » murmura-t-il d'une voix douce en repoussant Bran dans le vide.

TYRION

«Je dors moins que dans ma jeunesse, commenta le Grand Mestre Pycelle en guise d'excuse pour leur entrevue matinale. J'aime mieux me lever, lors même que les ténèbres enveloppent le monde, que de ruminer dans mon lit les tâches en suspens. »

En dépit de cette assertion, ses paupières lourdes lui donnaient l'air d'un homme encore à demi assoupi…

Directement situés sous la roukerie, ses appartements avaient l'air suspendus en plein ciel. Pendant que sa servante disposait œufs durs, prunes en compote et bouillie d'avoine, il crut devoir faire étalage de ses scrupules : « En cette période fâcheuse où tant de gens ont faim, je me flatte que la frugalité s'impose par simple décence.

— Louable, admit Tyrion, tout en rompant un gros œuf brun qui, bizarrement, lui évoqua la calvitie tavelée de son hôte. Je vois quant à moi les choses autrement. Si j'ai de quoi manger, je mange, au cas où je n'aurais rien à manger demain. » Il sourit. « Dites-moi, vos corbeaux sont-ils aussi lève-tôt que vous ? »

La barbe neigeuse de Pycelle acquiesça jusque sur son torse. « Assurément. Me faudra-t-il demander une plume et de l'encre après notre déjeuner ?

— Inutile. » Tyrion déposa les lettres – deux parchemins roulés menu et scellés de cire à chaque extrémité – près de sa bouillie. « Congédiez seulement votre servante.

— Laisse-nous, petite », ordonna Pycelle. Elle s'empressa de quitter la pièce. « Eh bien, ces lettres… ?

— À l'intention de Doran Martell, prince de Dorne, et de lui seul. » Il acheva posément de décortiquer son œuf, y mordit. Manquait de sel. « Une seule lettre ; en deux exemplaires. À expédier par vos oiseaux les plus prompts. C'est très important.

— Je m'y emploierai dès la fin de notre repas.

— Faites-le sur-le-champ. La compote attendra. Pas le royaume. Lord Renly a pris la route de la Rose à la tête de son armée, et nul ne saurait dire quand lord Stannis appareillera de Peyredragon. »

Pycelle cilla. « Si Votre Excellence préfère…

— C'est le cas.

— Votre serviteur. » Le Grand Mestre se leva pesamment, faisant par là tintinnabuler sa chaîne. Une lourde chaîne, composée d'une douzaine de colliers de mestrise torsadés les uns sur les autres et enrichis de pierreries. Et Tyrion eut l'impression que les chaînons de platine, d'or et d'argent y étaient infiniment plus nombreux que ceux des métaux vulgaires.

Pycelle se mouvait avec tant de lenteur que Tyrion eut tout loisir d'achever son œuf et de tâter des prunes – outrageusement cuites et aqueuses… – avant qu'un froufrou d'ailes ne le fît bondir sur ses pieds. Le temps d'un coup d'œil au corbeau qui s'envolait, noir sur la pâleur de l'aube, et il se dirigea vivement vers le fouillis de rayonnages qui occupait la paroi du fond.

L'exposition des drogues du mestre avait un aspect impressionnant : des dizaines de pots cachetés, des centaines de fioles bouchées, autant de bouteilles d'opaline d'innombrables jarres de simples. Nettement libellée de la main même de Pycelle, une étiquette identifiait chacun des récipients. *Un méticuleux*, se dit Tyrion. Et, de fait, sitôt dissipé le premier vertige, on discernait là un ordre impeccable, chaque article occupait sa place. *Et tant de choses passionnantes*. Il y repéra notamment bonsomme et noxombre, lait du pavot, larmes de Lys, poudre de griset, pesteloup, daemonium, venin de basilic, cécite, sang-de-veuve…

En se juchant sur la pointe des pieds, il parvint non sans peine, à force d'extension, à retirer de l'étagère supérieure un petit flacon poussiéreux. La lecture de l'étiquette le fit sourire, et il le fourra dans sa manche.

Il écalait paisiblement un nouvel œuf quand la croupe du Grand Mestre parvint au bas de l'escalier. « Voilà qui est fait, messire. » Le vieillard se rassit. « Une affaire de ce genre…, oui oui, jamais assez tôt…, très importante, disiez-vous ?

— O combien. » Trop épaisse, à son gré, la bouillie manquait de beurre et de miel. Certes, le beurre et le miel étaient devenus plutôt rares à Port-Réal, ces derniers temps, mais, que diable, lord Gyles en approvisionnait le château de manière d'autant plus satisfaisante qu'actuellement la moitié de ce que l'on mangeait provenait de ses propres terres ou de celles de lady Tanda. Rosby et Castelfoyer se trouvant presque aux portes de la ville, au nord, la guerre les avait pour l'heure épargnés.

« Au prince de Dorne en personne… Me serait-il permis de demander… ?

— Mieux vaut pas.

— Soit. » La curiosité de Pycelle faisait à Tyrion l'effet d'un fruit mûr. « Peut-être que… le Conseil du roi… »

De sa cuiller de bois, Tyrion tapota le bord de son écuelle. « Le Conseil a pour fonction d'*aviser* le roi, mestre.

— Précisément, susurra Pycelle, et le roi…

— … est un garçon de treize ans. Je parle avec sa voix.

— Sans doute. Assurément. En qualité de Main. Toutefois…, votre très gracieuse sœur, notre reine régente, elle…

— … porte un poids formidable sur la blancheur exquise de ses épaules. Je ne désire à aucun prix alourdir son fardeau. Et vous ? » Il inclina la tête de côté, darda sur le Grand Mestre un regard scrutateur.

Pycelle baissa les yeux sur son déjeuner. Le noir et vert dépareillé des prunelles de Tyrion mettait invariablement les gens au supplice, et il en jouait en virtuose. « Ah, marmonna le vieux mestre dans sa compote. Vous devez avoir raison, messire. C'est on ne peut plus délicat à vous que… que de lui épargner ce… surcroît.

— Je suis ainsi, voilà tout. » Il retourna à sa bouillie ratée. « Délicat. Après tout, Cersei est ma sœur bien-aimée.

— Et femme, c'est certain… Une femme hors pair, mais…, mais ce n'est pas une mince affaire que d'assumer tous les soins du royaume, en dépit de la fragilité du sexe qui est le sien… »

Oh oui, une frêle colombe, Eddard Stark pourrait témoigner. « Je suis charmé de vous voir partager ma sollicitude. Et je vous sais gré de votre hospitalité. Mais j'ai une longue journée devant moi. » Il balança ses jambes afin de s'extraire de son fauteuil. « S'il advenait que nous reçussions réponse de Dorne, soyez assez aimable pour m'en informer immédiatement ?

— Vous pouvez y compter, messire.

— Et moi *seul* ?

— Mais… évidemment. » Sa main tavelée s'agrippait à sa barbe comme à un cordage celle d'un noyé. Le cœur de Tyrion en bondit de joie. *Et d'un*, pensa-t-il.

Tout en le portant cahin-caha vers la courtine inférieure ses pauvres jambes maudissaient les marches. Sous le soleil à présent bel et bien levé, le château reprenait peu à peu son activité. Des sentinelles arpentaient le chemin de ronde, des chevaliers et des hommes d'armes s'entraînaient à fleuret moucheté. Assis non loin sur la margelle du puits, Bronn ne condescendit pas l'ombre d'un regard à deux servantes accortes qui passaient par là, joliment déhanchées par leur corbeille de joncs commune. « C'est à désespérer de toi, dit Tyrion en les lui désignant d'un geste. D'aussi délicieuses visions sous le nez, et tu n'as d'yeux que pour cette clique de rustres à fracas...

— Il y a cent bordels, en ville, riposta Bronn, où un liard m'achètera tout le con souhaitable, alors qu'un jour ma vie peut dépendre du degré d'attention prêté à vos rustres. » Il se leva. « C'est qui, le mioche en surcot à carreaux bleus qui a trois yeux sur son écu ?

— Un chevalier de bas étage. Un certain Tallad. Pourquoi ? »

Bronn repoussa la mèche qui lui tombait sur le museau. « C'est le meilleur. Mais regardez-le, c'est comme une ritournelle, ses coups se succèdent identiques et dans le même ordre à chaque assaut. » Il ricana doucement. « C'est signer sa mort, le jour où il m'affrontera.

— Improbable que ça lui arrive ; il est à Joffrey. » Ils se mirent à marcher côte à côte, le reître adaptant sa longue foulée au pas trottinant du nain. Il avait depuis quelques jours une dégaine presque honorable. Ses cheveux noirs étaient propres et brossés, sa barbe rasée de frais, et il portait le pectoral de plates noir d'officier du Guet. À ses épaules flottait le manteau écarlate des Lannister, rehaussé de mains d'or. Tyrion le lui avait offert en le nommant capitaine de sa garde privée. « Combien de quémandeurs, aujourd'hui ? demanda-t-il.

— Une trentaine. La plupart pour geindre ou mendigoter, comme à l'ordinaire. Votre toutou est revenu.

— Lady Tanda? grogna-t-il.

— Son page. Elle vous prie de nouveau à souper. Il y aura un cuissot de venaison, dit-elle, une couple d'oies farcies au coulis de mûres et…

— … sa fille », acheva-t-il aigrement. Depuis l'heure où il était arrivé au Donjon Rouge, lady Tanda n'avait cessé de le harceler, bardée d'un inépuisable arsenal de pâtés de lamproie, sanglier, crèmes, ragoûts, sauces, aromates, épices. L'idée saugrenue lui était venue qu'un nabot bien né ferait un mari idéal pour sa Lollys, vaste buse molle et, selon la rumeur, intacte de trente-trois ans. « Transmets mes regrets.

— Vous plaît pas, l'oie farcie ? » Bronn sourit méchamment.

« Que dirais-tu de manger l'oie et d'épouser la vierge ? Ou, mieux encore, d'envoyer Shagga ?

— Shagga serait plutôt du genre à bouffer la vierge et déflorer l'oie, objecta Bronn. Cela dit, Lollys pèse plus que lui.

— C'est un fait, convint Tyrion tandis qu'ils s'engouffraient dans l'ombre d'un ponceau lancé entre deux tours. Qui d'autre demande après moi ? »

Le reître se fit plus sérieux. « Un prêteur de Braavos, les mains pleines de belles paperasses. Il veut voir le roi pour le remboursement de quelque emprunt.

— Comme si Joff savait compter au-delà de vingt. Envoie ce zèbre à Littlefinger, lui saura comment l'éconduire. Après ?

— Un seigneur venu tout exprès du Trident accuser les hommes de votre père d'avoir incendié son fort, violé sa femme et zigouillé tous ses paysans.

— Sauf erreur, on appelle cela *guerre*. » Il subodorait là un coup de Gregor Clegane, de ser Amory Lorch ou de cet autre cerbère chouchou de lord Tywin, Qohorik. « Que réclame-t-il de Joffrey ?

— De nouveaux paysans. Il s'est tapé tout ce voyage pour vous enchanter de sa loyauté et en obtenir récompense.

— Je prendrai demain le temps de m'occuper de lui. » Que l'homme fût authentiquement loyal ou simplement aux abois, sa complaisance dans le Conflans pouvait être utile. « Veille à lui faire attribuer une bonne chambre et servir un repas chaud. Envoie-lui aussi des bottes neuves – de bonnes –, en don gracieux de Sa Majesté Joffrey. » Une démonstration de générosité ne gâchait jamais rien.

Bronn acquiesça d'un hochement sec. « Il y a aussi tout un troupeau de boulangers, bouchers, fruitiers qui réclament audience à grands cris.

— Je leur ai déjà répondu : rien à leur donner. » À Port-Réal n'affluait plus qu'un mince filet de denrées, et réservées pour la plupart au château et à la garnison. Légumes, betteraves, farine, fruits, tout atteignait des prix exorbitants, et Tyrion préférait ne point trop se demander quels genres de viande entraient désormais dans les marmites des gargotes de Culpucier. Du poisson, espérait-il. On avait encore la rivière et la mer…, tant que Stannis du moins n'appareillerait pas.

« Ils exigent qu'on les protège. La nuit dernière, on a rôti un boulanger dans son propre four. La populace lui reprochait de vendre le pain trop cher.

— Et qu'en était-il ?

— Il n'est plus en mesure de le nier.

— On ne l'a pas mangé, si ?

— Pas que je sache.

— On le fera la prochaine fois, s'assombrit Tyrion. Je les protège déjà de mon mieux. Les manteaux d'or…

— Ils affirment qu'il y avait des manteaux d'or dans la populace. Ils exigent d'en parler au roi en personne.

— Les idiots. » Il leur avait exprimé ses regrets en les congédiant ; Joffrey les ferait chasser à coups de pique et de fouet. Il fut à demi tenté de permettre…, mais non, il n'osait. Tôt ou tard, des ennemis viendraient assiéger Port-Réal, et du diable s'il voulait voir dans l'enceinte de la ville se dresser des traîtres prêts à tout. «Dis-leur que le roi partage de tout cœur leurs craintes et fera tout son possible en leur faveur.

— C'est du solide qu'ils veulent, pas des promesses.

— Que je leur donne du solide aujourd'hui, demain ils seront deux fois plus nombreux aux portes. Qui d'autre ?

— Un frère noir venu du Mur. L'intendant prétend qu'il apporte dans un bocal une espèce de main pourrie. »

Tyrion sourit tristement. « Étonnant que personne ne l'ait mangée. Il me faudrait le recevoir, je présume. Ce ne serait pas Yoren, des fois ?

— Non. Un chevalier. Thorne.

— Ser *Alliser* Thorne ? » De tous les hommes qu'il avait côtoyés au Mur, celui-là était bien le dernier qu'il eût apprécié. Amer, mesquin et boursouflé de sa médiocrité. «Tout bien réfléchi, je ne me sens pas grande envie de le voir tout de suite. Déniche-lui une cellule bien douillette où l'on n'ait pas changé la jonchée cette année, et laisses-y sa main pourrir encore un tantinet. »

Avec un gros rire de nez, Bronn partit de son côté, et Tyrion gravit seul l'escalier serpentin. Comme il débouchait sur la cour extérieure, il entendit grincer les chaînes de la herse. Escortée de pas mal de monde, Cersei attendait devant la porte principale.

Telle une déesse drapée de vert sur son palefroi blanc, elle le dominait de très haut. «Frère ? » appela-t-elle d'un ton dépourvu de chaleur. Elle n'avait toujours pas digéré la manière dont il avait traité Janos Slynt.

«Votre Grâce. » Il s'inclina poliment. «Vous êtes ravissante, ce matin. » Sa couronne était d'or, son manteau d'hermine. Derrière elle piaffaient ses suivants : ser Boros

Blount, de la Garde, tout tapissé d'écaille blanche, avec son air revêche de prédilection ; ser Balon Swann, un arc à sa selle niellée d'argent ; lord Gyles Rosby, plus asthmatique et quinteux que jamais ; Hallyne, le pyromant de la guilde des Alchimistes ; et le tout dernier favori, le cousin ser Lancel, ancien écuyer du feu roi Robert, bombardé chevalier sur les instances de la veuve. Vylar et une vingtaine de gardes les accompagnaient. « Et où comptes-tu te rendre aujourd'hui, sœur ? s'enquit-il.

— Je vais faire la tournée des portes afin d'y inspecter les nouveaux scorpions et feux grégeois. Il me déplairait de laisser accroire que nous sommes tous aussi indifférents à la défense de la ville que toi-même, à ce qu'il semblerait. » Elle dardait sur lui ses claires prunelles vertes dont le mépris même n'altérait pas la splendeur. « J'ai appris que Renly Baratheon avait quitté Hautjardin. Il est en train de remonter la route de la Rose, à la tête de toutes ses forces.

— Je tiens la même chose de Varys.

— Il pourrait survenir vers la pleine lune.

— Pas s'il flâne comme à présent, lui affirma-t-il. Il banquette chaque soir dans un nouveau château et tient sa cour dans tous les carrefours qu'il croise en chemin.

— Et, chaque jour, davantage d'hommes rallient ses bannières. Son armée en compterait cent mille maintenant, dit-on.

— Cela semble un rien excessif.

— Il a derrière lui les forces conjointes d'Accalmie et de Hautjardin, petit sot que tu es ! lui jappa-t-elle de son haut. Tous les bannerets Tyrell – moins les Redwyne, mais c'est à moi que tu le dois. Parce que, tant que je tiendrai ses scrofuleux de jumeaux, lord Paxter demeurera tapi dans sa Treille, trop heureux de n'être mêlé à rien.

— Dommage que tes jolis doigts aient laissé filer le chevalier des Fleurs. Avec Père à Harrenhal et Robb Stark à

Vivesaigues, cependant, Renly n'a pas que nous sur les bras… Si j'étais lui, j'agirais pas mal comme il le fait. Progresser avec mes forces de manière à en épater le royaume, observer, patienter ; laisser mes rivaux s'entre-déchirer tout en guettant gentiment mon heure. Que Stark nous batte, et, sans qu'il lui en coûte un seul homme, le sud tombe aux mains de Renly comme un fruit mûri par les dieux. Et il lui suffit, dans le cas contraire, de nous fondre dessus sitôt que la victoire nous aura épuisés. »

Cette analyse n'était pas faite pour tranquilliser Cersei. « Je veux que tu fasses ramener à Père son armée sur Port-Réal. »

Où elle ne servirait qu'à te donner un sentiment de sécurité. « Ai-je jamais été à même de lui faire faire quoi que ce soit ? »

Elle dédaigna l'objection. « Et quand projettes-tu de libérer Jaime ? Il vaut cent de tes pareils. »

Un sourire lui tordit la bouche. « Ne le dis pas à lady Stark, je t'en prie. Nous n'avons pas cent de mes pareils à lui offrir en contrepartie.

— Il faut que Père délire pour t'avoir envoyé. Tu es pire qu'inutile. » Tournant sèchement bride, elle mit sa monture au trot et franchit la porte dans une envolée d'hermines. L'escorte se jeta dans son sillage.

À la vérité, Tyrion redoutait bien moins Renly que Stannis. Tout idolâtré du vulgaire qu'il était, le premier n'avait aucune expérience comme meneur d'hommes. D'une autre trempe était le second : froid, dur, inexorable. Et pas moyen de savoir, en plus, ce qui se passait à Peyredragon… Aucun des pêcheurs soudoyés pour aller espionner l'île n'était revenu, et les mouches que l'eunuque se targuait d'avoir disposées dans l'entourage de Stannis n'avaient elles-mêmes, mauvais présage, pas seulement bourdonné. On avait toutefois aperçu au large les coques zébrées de galères de guerre lysiennes, et Varys appris de Myr que des capitaines louaient leurs services au Baratheon. *S'il attaque par mer pendant que son frère assiège nos portes, la tête de Joffrey ne tardera pas à orner la pointe d'une pique. Et, plus fâcheux, la mienne la jouxtera.* La perspective le déprimait. Dans le cas trop probable où le pire adviendrait, des plans s'imposaient pour expédier Shae saine et sauve hors les murs.

Fasciné par l'étude du plancher, Podrick Payne se tenait à la porte de la loggia. « Il est là, dit-il à la boucle de ceinture de Tyrion. Dedans. Messire. Désolé. »

Tyrion soupira. « *Regarde-moi*, Pod. Ça m'horripile, que tu t'adresses à ma braguette, surtout quand je n'en porte pas. Qui donc se trouve dans ma loggia ?

— Lord Littlefinger. » Podrick ne parvint à le regarder en face que le temps de baisser à nouveau les yeux. « Je veux dire lord Petyr. Lord Baelish. L'argentier.

— Tu en fais une foule. » En voyant le garçon se ratatiner comme s'il l'avait frappé, un absurde sentiment de culpabilité submergea Tyrion.

Languissamment affalé dans l'embrasure d'une baie, l'élégant visiteur portait un doublet de peluche prune et une cape de satin jaune. L'une de ses mains reposait, gantée, sur son genou. « Le roi est en train de chasser le lièvre à l'arbalète, dit-il. Et les lièvres sont en train de gagner. Venez voir. »

Tyrion dut se dresser sur les orteils pour jeter un œil en bas. Un lièvre mort gisait à terre ; un autre, ses longues oreilles agitées de spasmes, agonisait, le flanc percé d'un carreau. Hérissée, jonchée de traits perdus, la cour avait tout d'éteules après un orage de grêle. « Là ! » cria Joff. Le garde-chasse libéra le lièvre qu'il tenait, bondit à l'écart, Joffrey relâcha le ressort, rata sa cible de deux bons pieds. Juché sur son postérieur, le lièvre tortilla son nez en direction du roi. Lequel eut beau, non sans jurer, tourner bien vite la manivelle pour tendre à nouveau la corde, l'animal avait déjà détalé. «Un autre!» Le garde-chasse fourragea dans la cage mais il n'en fusa, cette fois, qu'un éclair brun, et le coup précipité de Joffrey faillit atteindre à l'aine ser Preston.

Littlefinger se détourna. «Te chante, mon gars, interrogea-t-il Podrick Payne à brûle-pourpoint, le lièvre en conserve?»

Aussitôt, ses bottes, un délicieux travail de cuir teint en rouge et rehaussé de broderies noires, obnubilèrent Pod. «À manger, messire?

— À mettre en pots, spécifia l'intrus. Sous peu, le lièvre va pulluler dans le château. Nous en mangerons trois fois par jour.

— Toujours mieux que des rats en brochette, intervint Tyrion. Laisse-nous, Pod. À moins que lord Petyr ne souhaite prendre un rafraîchissement?

— Non, merci.» Son sourire goguenard flamboya. «Buvez avec le nain, dit-on, et vous vous retrouverez arpentant le Mur à votre réveil. Le noir souligne outrageusement ma pâleur maladive.»

N'ayez crainte, messire, songea Tyrion, *le Mur n'est point ce que je vous mijote.* Se hissant dans un grand fauteuil rembourré de coussins, il reprit: «Je vous trouve aujourd'hui bien élégant, messire.

— Vous me blessez. Je vise *toujours* à l'élégance.

— Ce doublet n'est-il pas nouveau?

— Si fait. On ne saurait se montrer plus observateur.

— Prune et jaune… Seraient-ce là les couleurs de votre maison?

— Non pas. Mais on se lasse, moi du moins, de porter jour après jour les mêmes, invariablement.

— Et quel beau poignard, aussi.

— Ah bon ? » Une lueur maligne anima ses yeux. Il tira son poignard et l'examina sous tous les angles comme s'il le découvrait à l'instant. « Acier valyrien. Poignée d'os de dragon. Un rien simplet, tout de même. Il est à vous, s'il vous fait plaisir.

— À moi ? » Le regard de Tyrion se fit insistant. « Non. Je pense que non. Jamais à moi. » *Il sait, le maudit impudent. Il sait, et il sait que je sais, et il se figure que je ne puis toucher à lui.*

Si jamais homme s'était véritablement équipé d'une armure d'or, c'était Petyr Baelish et non Jaime Lannister. La fameuse armure de Jaime n'était que de l'acier doré, mais celle de Littlefinger, hum… Les quelques détails recueillis sur le charmant Petyr aggravaient le malaise de Tyrion.

Il s'était vu, dix ans plus tôt, confier par Jon Arryn un poste subalterne aux douanes et rapidement distingué en faisant rentrer trois fois plus d'argent qu'aucun autre percepteur du Trésor. Le roi Robert se montrant d'une épouvantable prodigalité, sa Main ne pouvait manquer de trouver inestimables les dons d'un Baelish pour amener par frotti-frotta deux dragons d'or à en procréer un troisième. Aussi l'ascension de ce dernier fut-elle fulgurante. Trois années de présence à la cour lui suffirent pour devenir Grand Argentier, siéger au Conseil restreint et multiplier par dix les revenus antérieurs de la Couronne…, tout en endettant celle-ci de manière faramineuse. Un maître escamoteur, rien d'autre.

Oh, futé. Il ne se contentait pas de collecter l'or et de le renfermer dans des caves voûtées, non non, s'il remboursait en promesses les emprunts du roi, il savait aussi les faire travailler. En achetant fourgons, boutiques, bateaux, maisons. En achetant des céréales quand elles surabondaient pour trafiquer du pain en période de pénurie. En achetant de la laine dans le nord, du lin dans le sud, des dentelles à Lys pour les stocker, les teindre, en régir la circulation, les vendre. Et, tandis que les dragons d'or croissaient et multipliaient, le Littlefinger les prêtait au-dehors et les rapatriait avec leurs poussins.

Ce faisant, il introduisait ses hommes dans la place. Des créatures à lui, les garde-clefs – les quatre. Et nommés par lui, le Comptable ainsi que le Trébuchet du roi. Les fonctionnaires chargés des trois frappes. Et, dans chaque état ou corporation, commandants de ports, fermiers des impôts, sergents des douanes, manufacturiers de la laine, collecteurs de taxes, financiers, vinificateurs…, neuf hommes sur dix lui appartenaient. Recrutés dans la classe moyenne au sens large, ils étaient fils qui de négociants, qui de hobereaux, voire étrangers, mais, à en juger par leurs résultats, infiniment plus aptes que leurs prédécesseurs issus du grand monde.

Critiquer ces nominations, nul ne s'en était seulement soucié, mais aussi à quoi bon ? Littlefinger n'était une menace pour personne. Intelligent, tout sourires et tout égalité d'humeur, tout à tous et jamais en peine de trouver autant d'or que le roi ou sa Main l'en sommait, ce assorti d'une naissance des plus médiocre, à peine au-dessus d'un simple chevalier, à qui eût-il porté ombrage ? Il ne pouvait convoquer de ban, n'avait point d'armée de vassaux, point de puissante forteresse, point de domaines dignes de mention, point à espérer de grand mariage.

Mais oserai-je toucher à lui ? se demanda Tyrion. *Quelque traître qu'il puisse être ?* Il en doutait fort, surtout dans les circonstances présentes, avec la guerre qui faisait rage. À la longue, il serait en mesure de remplacer les hommes de Littlefinger dans les postes clés par des hommes à lui, mais…

Une clameur monta tout à coup de la cour. « Ah, Sa Majesté vient de tuer un lièvre, observa lord Baelish.

— Un lambin, sans doute, repartit Tyrion. Vous avez été, messire, élevé à Vivesaigues en tant que pupille. On m'a dit que vous étiez intime des Tully.

— Exact. Des filles surtout.

— Très très intime?

— J'ai eu leur pucelage. Est-ce assez intime?»

Le mensonge – car c'était un mensonge évident, pour Tyrion – fut débité d'un air si désinvolte qu'il en devenait presque digne de foi. Se pouvait-il que Catelyn Stark eût menti? Tant à propos de sa défloration que du poignard? Plus il vivait, plus Tyrion se persuadait de la complexité des choses et de la minceur de la vérité. «Les filles de lord Hoster ne me portant pas dans leur cœur, confessa-t-il, je crains fort qu'elles ne récusent la moindre offre émanée de moi. Mais je présume qu'un mot de vous leur chatouillerait l'oreille, en revanche.

— Cela dépendrait du mot. Si vous vous flattez de proposer l'échange de Sansa contre votre frère, faites perdre son temps à un autre. Joffrey ne rendra jamais son joujou, et lady Catelyn n'est pas cruche au point de troquer le Régicide contre un brin d'oiselle.

— J'entends joindre Arya au lot. J'ai lancé des hommes à sa recherche.

— Chercher n'est pas trouver.

— Je m'en souviendrai, messire. De toute manière, c'est lady Lysa que j'espérais vous voir suborner. Je lui destine une proposition plus alléchante.

— Lysa est plus traitable que Catelyn, assurément…, mais plus froussarde aussi, et je crois savoir qu'elle vous exècre.

— Elle se figure en avoir de bonnes raisons. Quand je jouissais de son hospitalité, aux Eyrié, elle m'a sans relâche accusé d'avoir assassiné son mari, sans daigner seulement entendre mes dénégations. » Il se pencha d'un air de confidence. « Si je lui donnais le véritable meurtrier de Jon Arryn, elle aurait peut-être meilleure opinion de moi. »

Littlefinger accusa le coup en se redressant sur son siège. « Le véritable meurtrier ? J'avoue que vous piquez ma curiosité. Quel candidat proposez-vous ? »

Ce fut au tour de Tyrion de sourire. « Mes cadeaux, je les donne à mes amis, libéralement. Voilà ce que devrait comprendre Lysa Arryn.

— Est-ce son amitié que vous sollicitez, ou ses épées ?

— Les deux. »

Littlefinger lissa la fine pointe de sa barbichette. « Lysa a ses propres ennemis. Les clans des montagnes de la Lune. Leurs incursions dans le Val se multiplient. Jamais ils ne s'y sont risqués si nombreux…, ni si bien armés.

— Affligeant, lâcha Tyrion Lannister, bien que ce fût son œuvre. Je pourrais l'aider à régler la question. Un mot de moi…

— Et combien lui coûterait ce mot ?

— J'exige qu'elle et son fils reconnaissent hautement Joffrey pour roi, lui jurent allégeance et…

— … entrent en guerre contre les Stark et les Tully ? » Littlefinger secoua la tête. « Là gît l'os, Lannister. Jamais Lysa ne dépêchera ses chevaliers contre Vivesaigues.

— Aussi m'abstiendrai-je de le demander. Nous ne manquons pas d'ennemis. J'utiliserai ses forces contre lord Renly ; ou contre lord Stannis, s'il se décide à appareiller de Peyredragon. En retour, je lui ferai justice pour lord Arryn et donnerai la paix au Val. J'irai même jusqu'à nommer gouverneur de l'Est, à l'instar du père auparavant, son épouvantail de fils. » *Je veux le voir voler*, piaula quelque part, au fond de sa mémoire, la voix lointaine du marmot. « Enfin, pour sceller le marché, je lui accorderai ma nièce. »

À son grand plaisir, une stupeur sincère apparut dans les prunelles gris-vert de Petyr Baelish. « Myrcella ? »

— Elle pourra, l'âge venu, épouser le petit lord Robert. Lady Lysa lui servira d'ici là de tuteur aux Eyrié.

— Et Sa Grâce la reine, que pense-t-elle de ces bagatelles ? » Le haussement d'épaules de Tyrion fit rire Littlefinger aux éclats. « Suis-je bête ! Vous êtes un petit bout d'homme effarant, Lannister. Eh bien oui, je pourrais chanter cette chansonnette à Lysa. » Le sourire madré reparut, et la lueur méchante. « Si j'en avais cure. »

Tyrion hocha la tête et attendit, certain que Littlefinger ne résisterait pas à l'épreuve d'un long silence.

« Or donc, reprit effectivement celui-ci au bout d'un moment, mais sans se montrer le moins du monde décontenancé, qu'avez-vous pour moi dans la manche ?

— Harrenhal. »

Scruter la physionomie de lord Petyr se révéla d'un rare intérêt. Ayant eu pour père le plus menu des menus lords et pour grand-père un obscur chevalier sans terres, il ne devait à sa naissance que quelques arpents rocailleux sur la côte éventée des Quatre Doigts. Harrenhal était en revanche l'une des prunes les plus pulpeuses des Sept Couronnes, avec ses vastes domaines riches et fertiles, son château, formidable autant que les plus formidables du royaume et tellement colossal, tellement ! qu'à côté... Vivesaigues semblait un hochet – Vivesaigues d'où, pupille des Tully, Petyr Baelish s'était fait carrément vider, dès l'instant où il avait eu le toupet de lever les yeux jusqu'à la fille de lord Hoster.

Littlefinger eut beau s'accorder le loisir de rectifier le drapé de sa cape, Tyrion n'en avait pas moins surpris un éclair famélique dans son regard de matou matois. *Je le tiens*, sut-il. « Harrenhal est maudit, lâcha finalement lord Petyr d'un ton qui se voulait blasé.

— Qui vous empêche de le raser et de le rebâtir à votre gré ? Ce n'est pas le numéraire qui vous manquera. Je prétends vous faire suzerain du Trident. Ces fichus seigneurs riverains se sont révélés des gens sans parole. Autant en faire vos vassaux.

— Tully inclus?

— S'il reste des Tully quand nous en aurons terminé.»

Littlefinger avait la mine d'un marmot qui vient de mordre à la dérobée dans un rayon de miel. Il *tentait* bien de loucher du côté des abeilles, mais le miel était si friand… «Harrenhal et toutes ses terres et ses revenus, murmura-t-il, rêveur. Ainsi, d'un seul coup, vous feriez de moi l'un des tout premiers seigneurs du royaume. Ne voyez pas en moi un ingrat, messire, mais – pourquoi?

— Vous avez bien servi ma sœur, au moment de la succession.

— Tout comme Janos Slynt. À qui ce même château de Harrenhal était échu tout récemment – et qu'une pichenette en a dépossédé sitôt qu'il fut devenu inutile…»

Tyrion se mit à glousser. «Vous m'avez, messire. Que puis-je dire? J'ai besoin de vous pour accoucher la lady Lysa. Je n'avais pas besoin de Janos Slynt.» Il haussa une épaule. «J'aime mieux vous voir siéger à Harrenhal que Renly sur le Trône de Fer. Se peut-il rien de plus simple?

— Rien, en effet. Vous vous doutez qu'il va me falloir à nouveau baiser la Lysa Arryn avant qu'elle ne consente à ce mariage?

— Je ne doute guère que vous ne soyez à la hauteur de la besogne.

— J'ai dit un jour à Ned Stark que la seule chose à faire, si l'on se trouve à poil avec un laideron, est de clore les paupières et de se la taper.» Il joignit ses doigts et sonda les yeux vairons de son vis-à-vis. «Donnez-moi quinze jours pour régler mes affaires et m'entendre avec un bateau qui me débarque à Goëville.

— Ce sera parfait.»

Baelish se leva. «Je vous dois une charmante matinée, Lannister. Et profitable… pour nous deux, ma foi.» Il s'inclina et, satiné d'un tourbillon jaune, se dirigea vers la porte.

Et de deux, se congratula Tyrion.

Il gagna sa chambre, où Varys ne tarderait guère à pointer le bout de son nez. Sur le soir, supposa-t-il. Peut-être pas avant le lever de la lune, ce qui ne laisserait pas que d'être fâcheux, car lui-même nourrissait l'espoir d'aller rendre visite à Shae, cette nuit… Aussi fut-il agréablement surpris lorsque, moins d'une heure après, Galt le Freux vint lui annoncer l'eunuque. «Ce pauvre Grand Mestre, le taquina celui-ci, vous êtes cruel de le torturer. Car ce lui est supplice que d'ignorer un secret…

— Est-ce à la corneille de dénoncer la noirceur du corbeau? Ou dois-je comprendre qu'il vous est indifférent de savoir quelle proposition j'ai faite à Doran Martell?»

Varys eut un rire de gorge. «Mes oisillons me l'ont peut-être dévoilée.

— Vraiment?» La curiosité le prit. «Je vous écoute.

— Jusqu'à présent, les gens de Dorne se sont tenus à l'écart des hostilités. Martell a convoqué ses bannières, mais rien de plus. Son aversion pour la maison Lannister étant de notoriété publique, on lui prête généralement l'intention de rallier lord Renly. Vous désirez l'en dissuader.

— Voilà de simples évidences.

— Reste à deviner ce que vous avez bien pu lui offrir contre son allégeance. Le prince est un sentimental, et il persiste à pleurer sa sœur et son nourrisson de neveu.

— Mon père m'a dit jadis qu'un seigneur ne laissait jamais son cœur se mettre en travers de ses ambitions… Or, maintenant que lord Janos a pris le noir, il se trouve un siège vacant au Conseil restreint.

— Un siège au Conseil n'est certes pas à dédaigner, convint Varys, mais en oublie-t-on pour autant le meurtre d'une sœur, lorsqu'on est homme d'honneur ?

— Qui parle d'oublier ? » Tyrion sourit. « J'ai promis de lui remettre les assassins de sa sœur – morts ou vifs, à lui d'en décider. Une fois la guerre *achevée*, naturellement. »

Un regard pénétrant lui répondit. « Mes oisillons fredonnent qu'en voyant entrer ses meurtriers, la princesse Elia… proféra certain… certain nom…

— Un secret demeure-t-il un secret quand nul ne l'ignore ? » Tout Castral Roc savait que l'enfant puis la mère étaient morts de la main de Gregor Clegane. Et c'est encore tout éclaboussé par la cervelle et le sang du nouveau-né que celui-ci avait, disait-on, violé la princesse.

« Ce secret-*là* concerne un homme lige du seigneur votre père.

— Mon père serait le premier à vous rétorquer qu'entre cinquante mille Dorniens et un chien enragé il n'y a pas à balancer. »

Varys effleura d'une caresse sa joue poudrée. « Et si le prince Doran exige aussi bien la tête du seigneur qui donna l'ordre que celle du chevalier qui l'exécuta… ?

— Robert Baratheon menait la rébellion. En définitive, tous les ordres émanaient de lui.

— Robert ne se trouvait pas à Port-Réal.

— Ni Doran Martell.

— Soit. Du sang pour son orgueil et un fauteuil pour son ambition. Plus de l'or et des terres, cela va de soi. Du bonbon…, mais il arrive que les bonbons soient empoisonnés. Si j'étais le prince, je me garderais d'y goûter avant d'avoir demandé quelque chose d'autre. Un gage de bonne foi, une solide garantie contre toute espèce de fourberie. » Il sourit de son sourire le plus finaud. « Que lui consentirez-vous donc ? »

Tyrion soupira. « Vous le savez pertinemment.

— Puisque vous le prenez sur ce ton – oui. Il ne vous est guère possible d'offrir Myrcella simultanément à Doran Martell et Lysa Arryn.

— Veuillez dorénavant m'avertir de ne plus jouer aux devinettes contre vous. Vous trichez.

— Le prince Tommen est un gentil garçon.

— Si je l'arrache encore jeune à Cersei et Joffrey, il a même de quoi faire un homme de bien.

— Et un bon roi ?

— Le roi, c'est Joffrey.

— Mais Tommen est l'héritier présomptif, s'il advenait malheur à Sa Majesté. Tommen, dont l'exquis caractère est merveilleusement… docile.

— Votre pente est la suspicion, Varys.

— Je prends ceci comme un compliment, messire. En tout cas, le prince Doran ne manquera pas de se montrer sensible au grand honneur que vous lui faites. Voilà qui est d'une suprême habileté, dirais-je…, à un minuscule détail près. »

Le nain se mit à rire. « Un détail nommé Cersei, hein ?

— Que pèse la raison d'État contre l'amour d'une femme pour le fruit de ses entrailles ? Peut-être, à la rigueur, la reine se laisserait-elle, en faveur de la gloire de sa maison et de la sécurité du royaume, convaincre de se priver de Tommen ou de Myrcella…, mais des deux ? jamais.

— Ce qu'ignore Cersei ne saurait m'atteindre.

— Mais si Sa Grâce découvrait vos intentions avant même que vos projets n'eussent abouti ?

— Eh bien, riposta-t-il, je tiendrais dès lors pour mon ennemi avéré l'homme qui les lui aurait révélées. » Et il lui suffit d'entendre glousser Varys pour se dire : *Et de trois.*

SANSA

Rendez-vous au bois sacré cette nuit même, si vous souhaitez rentrer chez vous.

Cent lectures n'en modifiaient rien, le message demeurait tel qu'à la première, après qu'elle l'avait découvert plié sous son oreiller. Comment il était venu là, qui l'avait rédigé, mystère. Point de sceau, point de signature, et une écriture inconnue. Elle chiffonna le billet contre son sein et, dans un souffle, se murmura : « Rendez-vous au bois sacré cette nuit même, si vous souhaitez rentrer chez vous. »

Que pouvait signifier cela ? Que faire ? Rapporter ce billet à la reine pour preuve de son imperturbable loyauté ? D'une main fébrile, elle se massa l'estomac. Quoique passée d'un violet vicieux à un vilain jaunâtre, la contusion qu'y avait faite le poing maillé de ser Meryn restait douloureuse. Oui, douloureuse, mais le tort lui en incombait. Que ne dissimulait-elle mieux ses sentiments pour s'épargner la colère de Joffrey. En apprenant que le Lutin venait d'expédier lord Slynt au Mur, devait-elle s'oublier au point de s'exclamer : « Les Autres l'emportent ! » ? Exactement ce qu'il fallait pour ulcérer le roi...

Rendez-vous au bois sacré cette nuit même, si vous souhaitez rentrer chez vous.

Se pouvait-il que tant et tant de prières ardentes fussent exaucées, à la fin, par l'envoi d'un sauveur ? d'un véritable chevalier ? Mais qui, qui ? L'un des jumeaux Redwyne, peut-être. Ou bien cet effronté de ser Balon Swann. Ou même…, pourquoi non ? le beau damoiseau dont les cheveux d'or rouge et le manteau noir constellé d'étoiles affolaient le cœur de la pauvre Jeyne, Béric Dondarrion.

Rendez-vous au bois sacré cette nuit même, si vous souhaitez rentrer chez vous.

Mais s'il s'agissait d'une méchante farce de Joffrey, comme le jour où il l'avait forcée de monter voir sur les remparts la tête de Père ? Ou d'un stratagème destiné à la convaincre de félonie ? Si elle se rendait dans le bois sacré, n'y trouverait-elle pas, l'attendant en silence sous l'arbre-cœur, Glace au poing, l'œil pâle aux aguets, l'abominable ser Ilyn ?

Rendez-vous au bois sacré cette nuit même, si vous souhaitez rentrer chez vous.

Quand la porte s'ouvrit, Sansa fourra précipitamment le billet sous le drap et posa son séant dessus. L'intrus n'était qu'une camériste – la brune au museau de souris noyée. « Que me veux-tu ?

— Madame désire-t-elle prendre un bain, ce soir ?

— Du feu, je pense… J'ai des frissons. » À la vérité, elle *grelottait*, bien qu'il eût fait très chaud, durant la journée.

« Votre servante. »

Sansa la scruta, soupçonneuse. Avait-elle vu le billet ? L'avait-elle glissé sous l'oreiller ? Il y avait peu d'apparence à cela ; elle semblait stupide et tout sauf le genre à qui l'on confierait le soin de transmettre des messages en catimini, mais comment en jurer sans la connaître ? Pour supprimer tout risque de connivence ou de sympathie, la reine veillait à ce que les femmes attachées au service de sa prisonnière changent tous les quinze jours.

Quand le feu brûla haut et clair, Sansa remercia poliment la fille et la congédia. Mais celle-ci eut beau obéir avec sa promptitude coutumière, Sansa lui trouva un regard vaguement sournois. Voilà. Elle allait se précipiter moucharder chez la reine. Ou bien chez Varys. Oui, sûr et certain, toutes des espionnes.

Une fois seule, elle jeta le billet dans les flammes et le regarda se tordre et s'ourler, noircir. *Rendez-vous au bois sacré cette nuit même, si vous souhaitez rentrer chez vous.* Elle se porta jusqu'à la fenêtre. Armure lunaire et manteau blanc, un chevalier courtaud faisait les cent pas sur le pont-levis. D'après la stature, il ne pouvait s'agir que de ser Preston Verchamps. Bien qu'elle eût, par permission expresse de la reine, toute latitude de circuler dans le château, il ne manquerait pas de s'étonner qu'elle sorte à une heure aussi avancée de la citadelle de Maegor et de lui demander où elle allait. Que répondre ? Dans sa perplexité, elle se réjouit du moins d'avoir brûlé le billet.

Elle se défit de sa chemise et se faufila dans son lit mais ne put trouver le sommeil. *Y est-il encore ?* se demandait-elle. *Combien de temps m'attendra-t-il ?* Mais aussi, lui faire passer ce message sans rien lui dire était par trop cruel. Mille pensées tournaient et retournaient, confuses, dans sa tête.

Si seulement elle avait quelqu'un pour lui dicter la conduite à tenir. Septa Mordane lui manquait, septa Mordane et même Jeyne, son amie la plus sincère. Mais la première avait payé de sa tête, comme les autres, le crime de servir la maison Stark. Quant à la seconde, Sansa ignorait tout de son sort depuis qu'elle avait disparu semblait-il corps et biens. Elle avait beau éviter le plus possible de penser à elles, leur souvenir l'assaillait parfois à l'improviste, et elle avait alors le plus grand mal à refouler ses larmes. Il lui arrivait même, de-ci de-là, de regretter sa sœur.

Arya devait être maintenant de retour à Winterfell, saine et sauve, à danser, coudre, jouer avec Bran et Petit Rickon, voire parcourir à cheval, si cela lui chantait, la ville d'hiver. Tandis qu'elle-même… Oh, on lui permettait bien de monter, mais uniquement dans la cour, et cela devenait vite lassant que d'y tourner en rond.

Elle était parfaitement éveillée quand la fit sursauter la clameur. Des cris d'abord lointains mais qui se rapprochaient. Maints appels qui s'entremêlaient. Sans qu'elle pût distinguer les mots. Et des piaffements de chevaux, des bruits de pas précipités, des ordres véhéments. Elle se coula jusqu'à la fenêtre. Des hommes couraient sur les murs, munis de piques et de torches. *Retourne te coucher*, s'enjoignit-elle, *rien là qui te concerne, quelque nouvelle émeute, rien de plus*. L'agitation de Port-Réal défrayait tous les commérages, autour des puits, depuis quelque temps. Dans la ville déjà bondée ne cessaient d'affluer de nouveaux réfugiés qui n'avaient souvent d'autre moyen de subsister que le vol et le meurtre. *Va te coucher*.

Son regard s'attarda. Parti, le chevalier blanc. Toujours abaissé sur la douve sèche, le pont-levis, mais dégarni de sentinelle.

Sans réfléchir, elle ne se détourna que pour se précipiter vers sa garde-robe. *Mais qu'est-ce que je fais ?* se dit-elle tout en s'habillant, *c'est de la folie !* Des centaines de torches illuminaient l'enceinte extérieure. Stannis et Renly étaient-ils enfin venus revendiquer le trône de leur frère et tuer Joffrey ? Si tel était le cas, on relèverait le pont-levis pour couper la citadelle de Maegor du reste de la forteresse. Elle n'en jeta pas moins un manteau gris sur ses épaules et saisit au passage le couteau qui lui servait à découper sa viande. *Si c'est un traquenard, plutôt mourir que de les laisser me frapper davantage*. Elle dissimula l'arme sous son vêtement.

Une colonne de spadassins en manteau rouge arrivait au pas de course quand elle parvint, furtive, au seuil de la nuit. Elle leur laissa prendre un bon pas d'avance avant de s'engager sur le pont désert. Dans la cour, des hommes bouclaient leur ceinture ou sellaient leur cheval. Non loin des écuries, ser Preston et trois de ses compères en manteaux blêmes comme la lune aidaient Joffrey à endosser son armure. Cette vue lui coupa le souffle mais, par bonheur, le roi ne la vit pas, occupé qu'il était à réclamer en vociférant son arbalète et son épée.

Plus elle s'enfonçait dans le dédale du château, sans oser regarder en arrière de peur que Joffrey ne la remarquât… ou, pire, ne la suivît, plus s'assourdissait le vacarme. Devant se discernait l'escalier serpentin, sinueuse succession d'à-plats vaguement jaunis par l'éclairage clignotant des fenêtres en surplomb. En atteignant la dernière marche, Sansa haletait si fort qu'elle dut se précipiter dans l'ombre d'une colonnade et se plaquer au mur pour reprendre souffle. Et son cœur faillit exploser quand quelque chose lui frôla la jambe – mais ce n'était qu'un chat. Un matou noir, pelé, à l'oreille déchiquetée. Qui lui cracha sa hargne avant de s'esbigner.

Du tohu-bohu ne parvenait plus qu'un faible cliquetis d'acier entrecoupé d'exclamations lointaines quand elle parvint dans le bois sacré. Elle s'enveloppa dans son manteau plus étroitement. L'air embaumait la feuille et l'humus. *Lady aurait aimé ces lieux*, songea-t-elle. L'atmosphère des bois sacrés conservait toujours comme un relent de sauvagerie. Même ici, au cœur du château dressé lui-même au cœur de la cité, vous sentiez posés sur votre peau les milliers d'yeux invisibles des dieux.

Elle avait plus volontiers sacrifié aux dieux de sa mère qu'à ceux de son père. Elle aimait les statues, les motifs des vitraux dans leur réseau de plomb, la fragrance de l'encens, les septons, leurs robes et leurs cristaux, les irisations féeriques de ces derniers jouant sur les autels incrustés de nacre, d'onyx, de lapis-lazuli. Et cependant, elle ne pouvait le nier, les bois sacrés n'étaient pas non plus dépourvus de charmes. Notamment la nuit. *Aidez-moi*, pria-t-elle, *envoyez-moi un ami, un authentique chevalier qui me tienne lieu de champion*…

Elle avançait d'arbre en arbre, les doigts sensibles à la rudesse de leur écorce. Leur feuillage caressait ses joues. S'était-elle décidée trop tard ? Il ne pouvait être déjà reparti, si ? Ou n'y était-il pas même venu ? Devait-elle se risquer à appeler ? Tout semblait si discret, si paisible, ici…

« Je craignais que vous ne veniez pas, petite. »

Elle fit volte-face. Un homme émergeait des ombres, lourdement bâti, l'échine épaisse, d'un pas traînant. Il portait une robe gris sombre à coule rabattue. Mais lorsqu'un fin rayon de lune lui effleura la joue, révélant sous sa peau marbrée un fouillis de veines éclatées, Sansa le reconnut instantanément. « Ser Dontos ? souffla-t-elle, au désespoir. C'était donc vous ?

— Oui, madame. » Il se rapprocha. Son haleine empestait le vin. « Moi. » Il tendit une main.

Elle recula, « *Ne me touchez pas !* » tout en glissant la main sous son manteau. « Que… – que me voulez-vous ?

— Simplement vous aider. Comme vous m'avez aidé.

— Vous avez bu, n'est-ce pas ?

— Rien qu'une coupe. Pour me donner du courage. S'ils m'attrapent, ils m'arracheront la peau du dos, cette fois. »

Et que me feront-ils à moi ? À nouveau, elle se surprit à penser à Lady. Lady qui savait flairer la fausseté, qui *savait*, oui, mais elle était morte, Père l'avait tuée, par la faute d'Arya. Sansa tira son couteau et, à deux mains, le pointa devant elle.

« Vous comptez me frapper ? demanda ser Dontos.

— Oui. Dites-moi qui vous a envoyé.

— Personne, gente dame. Je vous le jure sur mon honneur de chevalier.

— De chevalier ? » Joffrey l'avait décrété indigne de ce titre et condamné à n'être qu'un bouffon, le ravalant plus bas que Lunarion lui-même. « J'ai prié les dieux d'envoyer un chevalier me sauver, dit-elle. J'ai prié, prié. Pourquoi m'infligeraient-ils un vieil ivrogne de bouffon ?

— Je mérite vos mépris, quoique…, je sais que c'est bizarre, mais si… si je n'ai été qu'un bouffon pendant tout le temps où je fus chevalier, maintenant…, maintenant que je suis bouffon, il me semble, gente dame…, j'ai l'impression que je puis trouver en moi de quoi être à nouveau chevalier. Et tout cela grâce à vous…, à cause de votre beauté, de votre bravoure. Ce n'est pas seulement de Joffrey que vous m'avez sauvé, c'est aussi de moi. » Il baissa la voix. « Les chanteurs parlent d'un autre bouffon qui, jadis, fut le plus insigne des chevaliers…

— *Florian*, murmura-t-elle, frissonnante.

— Je voudrais être votre Florian, gente dame », dit humblement Dontos en tombant à genoux devant elle.

Lentement s'abaissa le couteau de Sansa. Elle avait l'impression de flotter dans un vide vertigineux. *C'est de la folie. Accorder ma confiance à cet ivrogne. L'éconduire ? Mais s'il ne se présente plus d'occasion ?* « Comment… – comment vous y prendriez-vous ? Pour me tirer d'ici ? »

Il leva son visage vers elle. « Le plus dur sera de vous faire sortir du château. Une fois dehors, quelque bateau vous ramènerait chez vous. Ma tâche se résumerait à trouver de l'argent et à tout combiner.

— Nous pourrions partir tout de suite ? demanda-t-elle, écartelée entre l'espoir et l'incrédulité.

— Cette nuit même ? Non, madame, à mon grand regret. Il me faut d'abord trouver le moyen de vous faire évader à coup sûr, le moment venu. Ce qui ne sera ni facile ni immédiat. Ils me surveillent aussi. » Il se lécha convulsivement les lèvres. « Ne rangerez-vous pas ce couteau ? »

Elle le refourra sous son manteau. « Levez-vous, ser.

— Merci, gente dame. » Il se remit gauchement sur pied, épousseta les feuilles et la terre qui maculaient ses genoux. « Alors que le royaume n'avait jamais vu d'homme plus intègre que le seigneur votre père, je le leur ai lâchement laissé assassiner. Je n'ai rien dit, rien fait…, tandis que vous, vous…, dût Joffrey vous en punir de mort, vous avez élevé la voix. Je n'ai jamais rien eu d'un héros, dame, d'un Ryam Redwyne ou d'un Barristan le Hardi. Je n'ai pas remporté de tournoi, je ne me suis distingué par aucun exploit guerrier…, mais le chevalier que je *fus* jadis, vous l'avez obligé à se rappeler ses obligations. Si peu qu'elle vaille, ma vie est à vous. » Sa main se plaqua sur le tronc noueux de l'arbrecœur. Il était tout tremblant. « Je jure, et que les dieux de votre père soient témoins de mon serment, je jure de vous renvoyer chez vous. »

Il a juré. Un serment solennel, sous le regard des dieux. « Eh bien…, je me remets entre vos mains, ser. Mais l'heure du départ, comment saurai-je qu'elle a sonné ? M'enverrez-vous un nouveau message ? »

Il jeta un coup d'œil inquiet sur les alentours. « Trop dangereux. Il vous faudra venir ici même. Le plus souvent possible. C'est le lieu le plus sûr. Le *seul* sûr. Nous ne devons nous voir nulle part ailleurs. Ni dans vos appartements ni chez moi ni dans l'escalier ni dans la cour. Lors même que nous nous croirions seuls. Les pierres du Donjon Rouge ont toutes des oreilles. Nous ne pouvons parler à cœur ouvert qu'ici.

— Qu'ici, dit-elle. Je m'en souviendrai.

— Et pardonnez-moi, petite, si je vous parais cruel, railleur ou indifférent quand nous serons entourés d'yeux.

Mon rôle va m'y forcer, et vous devrez agir de même. Un faux pas, un seul, et nos têtes iront orner le rempart comme le fit celle de votre père. »

Elle acquiesça d'un signe. « Je comprends.

— Vous devrez vous montrer courageuse et énergique… – et patiente, surtout patiente.

— Je le serai, promit-elle, mais…, de grâce…, faites au plus vite. J'ai si peur…

— Moi aussi, dit-il avec un sourire navré. Et maintenant, partez, partez vite avant qu'on ne s'aperçoive de votre disparition.

— Vous ne venez pas ?

— Mieux vaut que personne ne nous voie ensemble. »

Elle hocha la tête, esquissa un pas… puis, se retournant vivement, lui déposa, paupières closes, un baiser sur la joue. « Mon Florian, chuchota-t-elle. Les dieux m'ont entendue. »

Elle suivit dans sa fuite l'allée de la Néra, dépassa les petites cuisines et traversa le clos aux pourceaux. Les grognements des pensionnaires y couvraient le bruit de sa course. *Chez moi*, songeait-elle, *chez moi, il va me ramener chez moi, saine et sauve, il veillera sur moi, mon Florian*. Les chansons consacrées à Jonquil et Florian l'enchantaient par-dessus toute autre. *Il était un peu rustre aussi, Florian, quoique pas si vieux…*

Elle dévalait déjà les marches serpentines quand un homme jaillit de sous un porche dérobé, et leur collision fut si rude qu'elle aurait perdu l'équilibre si des doigts de fer ne s'étaient refermés sur son poignet, tandis que la cinglait une voix de bronze. « La cabriole serait longuette, petit oiseau, dans cet escalier ! Voulais nous tuer tous les deux ? » s'esclaffa-t-il. Son rire grinçait comme une scie de tailleur de pierre. « Jurerait, ma foi… »

Le Limier. « Non, messire, pardonnez-moi, vraiment pas. » Si vivement qu'elle se fût détournée, trop tard, il avait vu ses traits. « Vous me faites mal, gémit-elle en se débattant pour se libérer.

— Et comment se fait-il que le petit oiseau de Joffrey volette en pleine nuit dans ces parages ? » Comme elle demeurait muette, il la secoua. « *Où étais-tu ?*

— D-d-dans le bois sacré, messire, balbutia-t-elle, n'osant mentir. À prier…, prier pour mon père et… pour le roi, prier qu'il ne soit pas blessé.

— Me crois si soûl que je vais gober *ça* ? » Il relâcha l'étreinte. Il tanguait imperceptiblement. L'ombre et la lumière zébraient les terribles décombres de son visage. « T'as presque l'air d'une femme…, frimousse, nichons, et la taille aussi, presque…, ah, mais t'es encore qu'un stupide petit oiseau, hein ? À chanter toutes les chansons qu'on t'a serinées…, pourquoi tu m'en chantes pas une, à moi ? chante ? Allez. Chante pour moi ? Une de ces chansons farcies de chevaliers et de nobles pucelles… T'aimes bien les chevaliers, non ? »

Il la terrifiait. « Les v-vrais chevaliers, messire.

— *Vrais* chevaliers ! se gaussa-t-il. Seulement, moi, je ne suis pas sire, pas plus *sire* que chevalier. Faut te battre pour que ça t'entre dans la cervelle ? » Il recula, manqua tomber. « *Bons dieux !* jura-t-il, trop de vin. L'aimes, toi, le vin, petit oiseau ? Le *vrai* vin ? Un flacon de rouge âpre, noir comme du sang, tout ce qu'un homme a besoin. Homme ou femme. » Il se mit à rire, secoua la tête. « Aussi saoul qu'un chien, le diable m'emporte ! À présent, tu viens. Retour à ta cage, petit oiseau. T'y ramène. Intacte pour le roi. » D'une bourrade étrangement délicate, il la mit en route et la suivit dans l'escalier. Le temps de parvenir au bas, il était retombé dans un mutisme tellement sombre qu'il semblait avoir oublié qu'il n'était plus seul.

En abordant la citadelle de Maegor, Sansa s'affola : c'était désormais ser Boros qui gardait le pont. Au bruit de leurs pas, le grand heaume blanc se retourna avec roideur. De son mieux, Sansa esquiva le regard de Blount. Le pire des membres de la Garde. Aussi vil que laid, tout froncés et bajoues.

«Rien à craindre de çui-là, petite.» La main pesante du Limier lui saisit l'épaule. «Peins des rayures sur un crapaud, ça n'en fera jamais un tigre.»

Ser Boros releva sa visière. «Où donc, ser…?

— Fous-toi tes *ser*, Boros. C'est toi, le chevalier, pas moi. Je suis le chien du roi, l'oublies?

— C'est beaucoup plus tôt que le roi avait besoin de son chien.

— Le chien s'abreuvait. C'était à toi de protéger le roi, cette nuit, *ser*. À toi et à mes autres *frères*.»

Blount se tourna vers Sansa. «D'où vient que vous ne soyez pas dans vos appartements à cette heure, dame?

— Je suis allée dans le bois sacré prier pour la sécurité du roi.» Le mensonge sonnait mieux, cette fois, presque véridique.

«Comment dormirait-elle avec tout ce barouf? ajouta Clegane. Que s'est-il passé?

— Des crétins à la porte, expliqua l'autre. De bonnes langues avaient répandu des sornettes sur les préparatifs du festin de noces de Tyrek, et ces canailles se sont figuré qu'on devrait aussi les repaître. Une sortie conduite par Sa Majesté les a fait déguerpir.

— Courageux de sa part», commenta Clegane, la bouche de travers.

Son courage, on en jugera quand il affrontera mon frère, se dit Sansa, pendant que le Limier lui faisait franchir le pont. Puis, comme ils gravissaient tous deux le colimaçon, elle questionna: «Pourquoi laisser les gens vous appeler "chien"? Vous ne laissez *personne* vous appeler "ser"…

— J'aime mieux les chiens que les chevaliers. Le père de mon père était maître piqueux au Roc. Une année d'automne, lord Tytos se trouva coincé entre une lionne et la proie qu'elle convoitait. Être le propre emblème des Lannister ne valait pas même une crotte, pour la lionne. Elle mit en pièces la monture de notre seigneur et l'aurait lui-même déchiré par-dessus le marché si mon grand-père n'était survenu avec les limiers. Trois de ceux-ci périrent contre elle. Mon grand-père y laissa une jambe, et les Lannister la lui payèrent en lui donnant des terres, un manoir et en prenant son fils comme écuyer. Les trois chiens qui figurent sur notre bannière sont ceux qui succombèrent, sur l'herbe jaunie de l'automne. Un limier saura mourir pour vous, jamais il ne vous mentira. Et il vous regardera toujours droit dans les yeux. » Il lui glissa la main sous la mâchoire et, le pinçant sans ménagements, lui souleva le menton. « Les petits oiseaux ne sauraient en faire autant, n'est-ce pas ? Je n'ai pu obtenir ma chanson.

— Je… j'en sais une sur Florian et Jonquil.

— Florian et Jonquil ? Un fol et son con. Épargne-les-moi. Mais, un jour, je tirerai une chanson de toi, que tu le veuilles ou pas.

— Je la chanterai volontiers pour vous. »

Sandor Clegane renifla. « Un joli bibelot, mais si mauvais menteur. Les chiens flairent infailliblement le mensonge, sais-tu. Regarde autour de toi, et hume un grand coup. Il n'y a que des menteurs, ici…, et tous mieux doués que toi. »

ARYA

Après avoir escaladé le tronc jusqu'à la cime, elle aperçut pointer parmi les arbres des cheminées. Des toits de chaume s'échelonnaient le long du lac et du menu cours d'eau qui s'y déversait. Une jetée de bois s'avançait dans les flots. Un long bâtiment bas couvert d'ardoise la jouxtait.

Elle rampa le plus loin qu'elle put sans la faire ployer vers l'extrémité de la plus forte branche. Point de bateaux amarrés mais, de-ci de-là, de fines volutes de fumée, et des ridelles de charrette à l'arrière d'une écurie.

Quelqu'un vit là. Elle se mâchouilla la lèvre. Ils n'avaient, partout ailleurs, trouvé que solitude et désolation. Fermes, châteaux, villages, septuaires, granges, nulle différence. Ce qui pouvait brûler, les Lannister y avaient mis le feu, ce qui pouvait mourir, ils l'avaient tué. Ils avaient même fait de leur mieux pour incendier les bois, et si la flamme n'avait pas gagné, ce n'était pas leur faute mais celle de la végétation, trop verte encore et gorgée de sève par les pluies récentes. « L'auraient-ils pu qu'ils brûlaient le lac », avait dit Gendry, et il disait vrai. La nuit de leur fuite, le brasier de la ville en illuminait si brillamment les flots qu'on les eût eux-mêmes *jurés* en fusion.

Il leur avait fallu rassembler tout leur courage pour retourner finalement dans les ruines, en catimini, la nuit

suivante, malgré les supplications de Tourte et les piaillements de Lommy : « Vous êtes fous, ou quoi ? Vous voulez
qu'ils vous prennent et qu'ils vous tuent aussi ? » Mais ils n'y
découvrirent que pierres noircies, carcasses calcinées,
cadavres. Des cendres montaient encore, çà et là, des fume-
rolles blêmes. Quant à ser Amory Lorch et sa clique, ils
avaient décampé depuis belle lurette. Les portes étaient
brisées, les murs à demi démolis, l'intérieur jonché de
morts sans sépulture. Un coup d'œil suffit à Gendry. « Pas
de survivant, pas un seul, dit-il. Et des chiens s'y sont mis
aussi, voyez.

— Ou des loups.

— Chiens, loups, ça change quoi ? Terminé. »

Mais Arya refusa de partir tant qu'on n'aurait pas
retrouvé Yoren. Ils ne pouvaient pas l'avoir tué, *lui*, se disait-
elle, il était trop tenace, trop coriace… – et de la Garde de
Nuit, en plus. Tous arguments dont elle saoula Gendry pendant les recherches.

Bien que le coup de hache qui l'avait tué lui eût fendu
le crâne en deux, la grande barbe hirsute était bien la
sienne, impossible de s'y méprendre, non plus qu'au vêtement, maculé, crasseux, et délavé au point de paraître plus
gris que noir. Lorch ne s'étant pas plus soucié d'enterrer ses
complices que ses victimes, quatre hommes d'armes Lannister gisaient près de Yoren. Ils avaient dû s'y prendre à
combien pour l'abattre ? se demanda-t-elle.

Il allait me ramener à la maison, songea-t-elle pendant
que l'on creusait sa fosse. Le nombre de morts était tel
qu'on ne pouvait les enterrer tous, mais elle avait insisté
pour que Yoren du moins ait une sépulture. *Il promettait de
me ramener saine et sauve à Winterfell.* Au fond d'elle-
même, quelque chose brûlait de le pleurer, quelque chose
d'autre de le bourrer de coups de pied.

C'est Gendry qui se souvint des trois hommes expédiés par Yoren tenir la tour seigneuriale. Il se révéla qu'on les y avait bien assaillis, mais qu'elle ne comportait d'autre accès qu'une porte au second étage et qu'une fois l'échelle retirée à l'intérieur ils s'étaient trouvés hors d'atteinte. Les fagots empilés par les Lannister au pied de la tour avaient flambé sans en desceller les moellons, et Lorch n'avait pas eu la patience d'affamer les assiégés. Aussi Cutjack ouvrit-il sitôt que le héla Gendry et, en entendant Kurz pester qu'ils auraient mieux fait de détaler vers le nord au lieu de revenir sur leurs pas, Arya se reprit à espérer atteindre un jour ou l'autre Winterfell.

Oh, certes, la bourgade qu'elle avait à présent sous les yeux n'était pas Winterfell, mais ses toits rustiques promettaient chaleur, asile, voire nourriture, à qui aurait l'audace de s'aventurer. *Mais si c'était Lorch ? Il avait des chevaux. Facile à lui de nous devancer.*

Du haut de son arbre, elle épia longtemps, dans l'espoir de finir par voir quelque chose d'autre, homme ou cheval ou bannière, n'importe quoi, qui la renseigne. Mais s'il lui arriva de discerner quelque mouvement, la distance interdisait toute espèce de certitude. Elle n'identifia, mais fort net, là, qu'un hennissement.

Le ciel pullulait d'oiseaux – essentiellement des corbeaux. Qui, pas plus gros que des mouches, battaient mollement des ailes et tourbillonnaient au-dessus des chaumières. À l'est, l'Œildieu couvrait de sa nappe bleue martelée de soleil la moitié du monde. Certains jours, tandis que l'on remontait pas à pas le rivage humide (Gendry ne voulait pas entendre parler de routes, et même Tourte et Lommy trouvaient fondée sa répugnance), Arya se sentait comme appelée par le lac. Elle mourait d'envie de se fondre dans l'azur paisible de ses eaux, d'éprouver à nouveau le bien-être de la propreté, de nager, barboter, se chauffer au soleil. Mais elle n'osait se déshabiller, fût-ce pour faire une lessive, alors qu'on risquait de la voir. Elle en était réduite, le soir venu, à s'asseoir sur un rocher et à laisser pendre ses pieds dans l'eau froide. Elle avait fini par jeter ses bottes éculées, crevassées. Aller pieds nus était un supplice, au début, mais vos ampoules se crevaient, à la longue, vos entailles se cicatrisaient, votre plante devenait du cuir. Elle appréciait désormais le moelleux de la vase entre les orteils tout comme la fermeté de la terre durant la marche.

De son perchoir, elle distinguait, au nord-est, un îlot boisé. À trente pas peut-être de la grève voguaient, sereins, tellement sereins…, trois cygnes noirs. Nul ne les avait avertis que la guerre avait éclaté, et des villes en feu, de l'affreux carnage ils n'avaient cure. Elle les envia. Au fond d'elle, quelque chose brûlait d'être cygne, et quelque chose d'autre brûlait d'en manger un. Pour tout déjeuner, elle n'avait eu qu'un peu de pâtée de glands et une poignée de punaises. Pas si mauvais, les punaises, à condition de s'y habituer. Beaucoup moins mauvais que les vers, mais rien n'était pire que les crampes de votre estomac vide depuis plusieurs jours. Trouver des punaises était un jeu d'enfant, vous n'aviez qu'à retourner les pierres à coups de pied. Comme elle en avait déjà croqué une, dans son enfance, rien que pour faire piauler Sansa, en croquer d'autres ne l'avait pas effarouchée. La fouine n'était pas difficile non plus, mais Lommy et Gendry ne voulaient même pas essayer, depuis que Tourte avait dégobillé la bouchée qu'il s'efforçait d'en avaler. La veille, Gendry avait partagé une grenouille avec Lommy et, quelques jours plus tôt, Tourte entièrement dépouillé des ronces de leurs mûres mais, à part cela, on vivait surtout de glands et d'eau fraîche. C'est Kurz qui leur avait montré comment écraser les glands pour en faire cette pâtée. Infecte !

Elle n'en déplorait pas moins sa mort. Le braconnier était mieux à son affaire qu'eux tous réunis, dans les bois, mais une flèche lui avait transpercé l'épaule alors qu'il retirait l'échelle de la tour, et il avait eu beau jurer ses grands dieux que c'était une égratignure, l'emplâtre de mousse et de boue du lac confectionné par Tarber n'avait pas empêché la chair de sa gorge de noircir au bout de deux jours ni des traînées rougeâtres de lui envahir peu à peu la mâchoire et le torse. Si bien qu'un matin ses forces le trahirent et qu'il mourut le lendemain.

Après qu'on l'eut enterré sous un amas de pierres, Cutjack s'adjugea son cor de chasse et son épée, Tarber son arc, ses bottes et son couteau. Puis décampèrent, emportant le tout. On les avait d'abord crus simplement partis chasser. Ils allaient revenir avec du gibier, on aurait à manger... Mais l'attente se prolongea, vaine, indéfiniment, et Gendry finit par obtenir qu'on se remette en route. Peut-être Tarber et Cutjack s'étaient-ils dit que traîner cette bande d'orphelins réduisait leurs chances de s'en sortir, et c'était probablement vrai, mais Arya leur en voulait à mort de leur défection.

Au bas de son arbre, Tourte se mit à aboyer. Kurz, toujours lui, leur avait conseillé d'imiter des cris de bêtes pour correspondre entre eux. «Un vieux truc de braconnier», selon lui, mais il était mort avant d'avoir pu leur apprendre à émettre les sons judicieusement. Les rossignolades de Tourte étaient une calamité. Son chien valait un peu mieux – guère.

Elle sauta de sa branche sur celle du dessous, mains en dehors comme balancier. *Jamais ne tombe un danseur d'eau.* D'un pied léger, les orteils bien reployés autour du bois, elle progressa quelque peu, se laissa choir, aérienne, sur une ramure plus massive puis, main après main, se fraya passage dans l'épais des feuilles jusqu'au tronc. L'écorce était rude sous ses vingt doigts. Elle descendit prestement, décrocha pour les six derniers pieds, se laissa bouler à l'atterrissage.

Gendry lui tendit la main pour l'aider à se relever. « Tu y es restée un bon bout de temps, là-haut ! Tu as vu quoi ?

— Un village de pêcheurs, juste une bourgade, au nord, en suivant le rivage. Vingt-six toits de chaume, un d'ardoise, j'ai compté. L'arrière d'une charrette. C'est habité. »

Le son de sa voix fit émerger Belette des buissons. Bien que sa ressemblance avec la bestiole fût pure invention de Lommy, ce surnom collait si fort à la peau de la chialeuse qu'on ne pouvait s'empêcher de le lui appliquer, même depuis qu'elle ne chialait plus. En lui voyant la bouche toute crottée, Arya craignit qu'elle n'eût une fois de plus mangé de la vase.

« Tu as vu quelqu'un ? questionna Gendry.

— Guère mieux que des toits, reconnut-elle, mais quelques cheminées fumaient, et j'ai entendu un cheval. » À deux bras, Belette lui étreignit la jambe. Ça la prenait, comme ça, de temps à autre.

« S'y a du monde, y a d' quoi becter », déduisit Tourte, un ton trop haut. Gendry avait beau lui rabâcher de parler plus bas, cela ne servait à rien. « 't-êt' qu'on voudra nous en donner ?

— Ou nous tuer, dit Gendry.

— Pas si on s' rendait, si ? suggéra Tourte avec la naïveté de l'espoir.

— Voilà que tu parles comme Lommy. »

Mains-vertes était prostré au pied du chêne. Deux grosses racines le calaient. Sa blessure au mollet l'avait contraint, dès le lendemain soir, à ne marcher qu'à cloche-pied, appuyé sur Gendry, et voilà qu'il ne pouvait même plus faire *ça*. On avait bien bricolé une civière de branchages, mais le transporter tout du long était non seulement lent mais éreintant, et le moindre cahot lui arrachait des gémissements.

« Faut se rendre, dit-il. Ça qu'aurait dû faire Yoren. Il aurait dû ouvrir les portes comme les autres lui disaient. »

La ritournelle de Lommy : Yoren aurait dû se rendre, écœurait Arya. Il n'arrêtait pas de resservir ça pendant qu'on le trimbalait, ça et sa jambe et son ventre vide.

Tourte approuva. « Y-z-y ont *dit* d'ouvrir les portes, y-z-y ont dit au nom du roi. Faut toujours faire ce qu'y vous disent au nom du roi. Sa faute, à c' vieux puant, tout ça. S'y s' 'tait rendu, les autres nous laissaient tranquilles. »

Gendry se renfrogna. « Entre eux, noblaille et chevaliers, ça se fait prisonnier, ça se paie rançon, mais qu' ça se rende ou pas, ton espèce, si ça s'en branle ! » Il se tourna vers Arya. « Tu as vu quelque chose d'autre ?

— Si c'est un village de pêcheurs, insista Tourte, on nous vendrait du poisson, j' parie. » Le poisson abondait dans le lac, mais ils n'avaient rien pour l'attraper. Elle avait bien tenté de le faire à la main, selon la méthode de Koss, mais l'eau était pleine de trompe-l'œil, et le poisson plus rapide que les pigeons.

« Pour le poisson, je ne sais pas. » Les doigts emmêlés dans la tignasse de Belette, elle songeait que la meilleure solution serait peut-être de la raser. « Mais des corbeaux s'abattent non loin de l'eau. Quelque charogne, de ce côté-là…

— Du poisson rejeté sur le rivage, s'obstina Tourte. Si les corbeaux l' mangent, on peut nous aussi, j' parie.

— On d'vrait prend' des corbeaux, reprit Lommy. C't *eux* qu'on mang'rait. On pourrait faire du feu et les rôtir com' des poulets. »

Gendry le regarda de travers, ce qui lui donnait l'air féroce. Sa barbe avait poussé, aussi noire et drue qu'un hallier. « J'ai dit : pas de feu.

— Mais Lommy a *faim*! geignit Tourte, et moi aussi…

— Nous avons tous faim, riposta Arya.

— Pas *toi*. » Mains-vertes cracha par terre. « Tu r'foules l'asticot. »

Elle réprima son envie de botter le mollet blessé. « J'ai *dit* que je te chercherais des vers, si tu voulais. »

Il fit une grimace de dégoût. « S'rait pas ma jambe, j'irais vous chasser des sang'iers.

— Des sangliers! ricana-t-elle. Il faut une lance spéciale pour chasser le sanglier, et des chevaux, et des chiens, et des hommes pour le débusquer de sa bauge. » Père l'avait chassé, le sanglier, lui, dans le Bois-aux-Loups, avec Robb et Jon. Il avait même emmené Bran, une fois, mais jamais elle, quoiqu'elle fût plus âgée que Bran. À en croire septa Mordane, chasser le sanglier n'était pas pour les dames. Et Mère: « Le sanglier…, voyez-moi ça! Quand tu seras un peu plus grande, tu auras ton propre faucon. » Plus grande, elle l'était à présent, mais eût-elle un faucon qu'elle le *mange-rait*.

« Tu sais quoi de la chasse au sanglier, *toi*? insinua Tourte.

— Plus que vous. »

Gendry n'était pas d'humeur à tolérer ces chamailleries. « Fermez-la, vous deux. Laissez-moi réfléchir. » L'effort de réfléchir lui donnait toujours une expression aussi douloureuse que s'il se meurtrissait contre un mur.

« S' rendre, dit Lommy.

— Je t'ai dit de la boucler là-dessus. Nous ne savons même pas qui se trouve dans le village. On pourrait peut-être y voler de la nourriture?

— Lommy, oui, s'y avait pas sa jambe, dit Tourte. Il étai voleur, en ville.

— Un mauvais voleur, dit Arya, puisqu'il s'est fai piquer. »

Gendry jeta un coup d'œil au soleil. « Vaut mieux le crépuscule pour s'y faufiler. J'irai me rendre compte, à la brune.

— Non, dit Arya, c'est moi. Tu fais trop de bruit. »

Le nuage familier assombrit la physionomie de Gendry. « On ira tous les deux.

— Faudrait mieux Arry, dit Lommy. 'l est plus furtif qu' toi.

— J'ai dit : *tous les deux*.

— Et si vous r'venez pas ? Tourte peut pas me porter tout seul, vous savez bien, peut pas…

— Puis y a des loups, ajouta Tourte. Je les ai entendus, pendant que je montais la garde, la nuit dernière. Z'avaient l'air tout près… »

Elle aussi les avait entendus. Elle s'était assoupie à la fourche d'un orme quand leurs hurlements l'avaient réveillée. Elle en avait eu froid dans le dos plus d'une heure, à les écouter.

« Et tu nous interdis de faire du feu pour les tenir à distance, reprit Tourte. C'est pas juste, nous abandonner aux loups…

— Personne vous abandonne, riposta Gendry d'un air dégoûté. Lommy a sa lance, si les loups viennent, et tu restes avec lui. On va juste voir, c'est tout ; et puis on revient.

— Qui qu'y soient, ces gens, vous d'vriez vous rendre à eux, gémit Mains-vertes. M' faut des drogues, pour ma jambe. Fait vachement mal.

— Si on voit des drogues à jambe, on te les rapporte, dit Gendry. En route, Arry. Je veux arriver dans les parages avant que le soleil se couche. Tourte, tu retiens Belette. Je veux pas qu'elle nous suive.

— Elle m'a donné des coups de pied, la dernière fois…

— C'est moi qui t'en donnerai si tu la retiens pas. » Sans lui laisser le temps de répliquer, Gendry coiffa son heaume et s'en fut.

Comme il était son aîné de cinq ans, plus grand qu'elle de douze pouces et possédait des jambes longues à proportion, Arya devait tricoter ferme pour se maintenir à sa hauteur. Il demeura muet un bon moment, se contentant de se frayer passage, à grand tapage et d'un air furibond, parmi la futaie touffue. Il finit tout de même par s'arrêter et dit : « Lommy va mourir, je crois. »

Le pronostic ne la surprit pas. Bien qu'il fût autrement vigoureux que Lommy, Kurz était mort de sa blessure. Chaque fois que venait son tour de s'atteler à la civière, Arya était frappée par la fièvre intense de l'orphelin et la puanteur de sa jambe. « Si nous pouvions trouver un mestre…

— On trouve de mestres que dans les châteaux et, même on en trouverait un, il consentirait pas à se salir les mains pour un pauvre diable comme Lommy. » Il se coula sous une branche basse.

« Ce n'est pas vrai. » Mestre Luwin aurait secouru quiconque fût venu le trouver, elle en était sûre.

« Il va mourir et, plus vite il mourra, mieux ce sera pour nous autres. On devrait l'abandonner, comme il dit. Si le blessé, c'était toi ou moi, tu sais très bien qu'il nous abandonnerait. » Ils dégoulinèrent dans un ravin, en escaladèrent l'autre versant en s'agrippant à des racines. « J'en ai marre, de le porter, et j'en ai marre aussi, de l'entendre ressasser : "Faut se rendre." S'il tenait debout, j'y ferais avaler ses dents. Il sert à rien ni à personne. Pas plus que la morveuse.

— Fous la paix à Belette, elle a peur et faim, voilà tout. » Elle jeta un regard en arrière mais, pour une fois, la petite ne les suivait pas. Tourte avait dû la retenir de force, comme ordonné.

« Elle est inutile, s'opiniâtra Gendry. Elle et Tourte et Lommy. Ils nous ralentissent et finiront par nous faire tuer.

T'es le seul du groupe à être bon à quelque chose.
Quoique t'es une fille. »

Elle se pétrifia. « *Je ne suis pas une fille !*

— Si. Tu me crois aussi bête qu'eux ?

— Non. Plus bête. La Garde de Nuit ne prend pas les
filles, chacun sait ça.

— C'est vrai. Je ne sais pas pourquoi Yoren t'a emme-
née, il devait avoir de bonnes raisons, mais t'en es pas
moins une fille.

— Je ne le suis pas !

— Alors, sors ta queue et pisse. Allez ?

— Je n'ai que faire de pisser. Je pourrais si je le voulais.

— Menteuse. Tu peux pas sortir ta queue parce que t'en
as pas. J'avais pas remarqué tant qu'on était trente, mais tu
files toujours dans les bois pour faire ton eau. Pas Tourte
qui ferait ça, ni moi. Si t'es pas une fille, alors, tu dois être
plus ou moins eunuque.

— L'eunuque, c'est *toi*.

— Tu sais bien que non. » Il se mit à sourire. « Tu veux
que je la sorte, ma queue, pour te prouver ? J'ai rien à
cacher, moi.

— Si fait, lâcha-t-elle, dans un élan désespéré pour
esquiver le sujet de la queue qu'elle n'avait pas. Ces manteaux d'or en avaient après toi, à l'auberge, et tu as refusé
de nous dire pourquoi.

— Je voudrais le savoir moi-même. À mon avis, Yoren
savait, mais il m'a jamais rien dit. Mais toi, pourquoi t'as cru
qu'ils étaient après toi ? »

Elle se mordit la lèvre. Elle se rappelait les paroles de
Yoren, le jour où il lui avait coupé les cheveux. *Dans c'te
clique, la moitié te r'fourguerait à la reine, eul temps d' cracher, contre un pardon, rien qu' quéqu' sous même, p't-êt'.
L'aut', pareil, mais t'viol'raient d'abord.* Gendry seul était dif-

férent, la reine le voulait aussi. « Je te dirai mon secret si tu me dis le tien, répondit-elle prudemment.

— Je te le dirais si je le savais, Arry… – c'est vraiment comme ça que tu t'appelles, ou bien tu portes un nom de fille ? »

Elle fixa la racine qui se convulsait à ses pieds. La fraude était éventée, comprit-elle. Gendry savait, et elle n'avait pas dans ses chausses de quoi le convaincre du contraire. De deux choses l'une, ou bien elle tirait Aiguille et le tuait, là, sur place, ou bien elle lui faisait confiance. Le tuer ? elle n'était pas sûre d'y parvenir, même si elle essayait ; il avait sa propre épée, et il était *fichtrement* plus costaud qu'elle. Cela la réduisait à dire la vérité. « Tourte et Lommy ne doivent pas savoir, dit-elle.

— Ils sauront pas, promit-il. Pas par moi.

— Arya. » Elle leva les yeux vers les siens. « Je m'appelle Arya. De la maison Stark.

— De la maison… » Il lui fallut un bon moment pour retrouver la voix. « La Main du roi s'appelait Stark. Celui qu'ils ont tué comme traître.

— Jamais il n'a trahi. Il était mon père. »

Gendry s'écarquilla. « Et c'est pour *ça* que tu as cru… ? »

Elle hocha la tête. « Yoren me ramenait à Winterfell. Chez moi.

— Je… T'es de la haute, alors, une… tu seras une dame… »

Les yeux d'Arya tombèrent sur ses vêtements en loques, ses pieds nus, couverts de crevasses et de durillons. Sur ses mains écorchées, ses ongles crasseux, ses coudes couronnés de croûtes. *Septa Mordane ne me reconnaîtrait même pas, je gage. Sansa peut-être, mais elle affecterait le contraire.* « Ma mère est une dame, ma sœur aussi, moi pas, jamais.

— Bien sûr que si. Tu étais la fille d'un grand seigneur et tu habitais un château, n'est-ce pas ? Et tu… – bons dieux de bons dieux! jamais je...» Il semblait tout à coup décontenancé, presque effrayé. «Tout ce micmac sur les queues..., j'aurais jamais dû. Ni proposer de pisser devant toi et tout le reste. Je... je vous demande pardon, m'dame.

— *Arrête!*» grinça-t-elle. Se moquait-il?

«Je connais les manières, m'dame, poursuivit-il, plus bouché que jamais. Chaque fois que des damoiselles de la haute venaient à la boutique avec leurs pères, mon maître me disait de leur ployer le genou devant, de leur causer que si elles m'adressaient la parole et de les appeler *m'dame*.

— Si tu te mets à m'appeler m'dame, même *Tourte* s'en apercevra. Garde-toi même de pisser différemment.

— Serviteur, m'dame.»

Des deux poings, elle lui assena un grand coup dans la poitrine. Il trébucha contre une pierre et tomba sur le derrière avec un gros *pouf.* «En voilà, des façons, s'étouffa-t-il, pour une damoiselle du meilleur monde!

— En voilà d'autres.» Elle lui décocha un coup de pied dans les côtes, mais il ne s'en esclaffa que mieux. «Rigole tout ton saoul. *Moi*, je vais voir qui habite le village.»

Déjà, le soleil s'était abaissé sous les frondaisons; il ferait sombre incessamment. C'est Gendry qui, pour le coup, dut courir aux trousses d'Arya. «Tu sens?» demanda-t-elle.

Il huma l'air. «Poisson pourri?

— Tu sais bien que non.

— Gaffe, alors. Je vais faire le tour par l'ouest, voir s'y a une route. Probable, avec ta charrette. Tu suis le rivage. Si t'as besoin d'aide, t'aboies.

— Idiot. Si j'ai besoin d'aide, je gueule: *À l'aide.*» Elle s'élança. Ses pieds nus foulaient l'herbe en silence. Un coup d'œil par-dessus l'épaule lui confirma que Gendry la regardait s'éloigner de cet air chagrin que lui donnait la perplexité. *Il doit se dire qu'il ne devrait pas laisser m'dame partir piquer de quoi croûter.* Il n'allait faire que des bêtises, sûr et certain.

Plus elle approchait du village, plus s'aggravait la pestilence. À ses narines, tout sauf celle du poisson pourri. Bien plus fétide et plus infecte. Son nez s'en fripa.

Dès que la futaie s'éclaircit, elle recourut aux buissons pour se dissimuler, se faufilant, silencieuse comme une ombre, de l'un à l'autre. S'immobilisant tous les cinq ou six pas pour tendre l'oreille. Ainsi finit-elle par entendre des chevaux, ainsi qu'une voix d'homme. Et la puanteur ne cessait d'empirer. *Pue le cadavre, voilà.* Celle-là même qu'elle n'avait déjà que trop sentie avec Yoren et les autres.

Au sud du village s'échevelait un impénétrable roncier. Le temps de l'atteindre en demeurant constamment à couvert, et les longues ombres du crépuscule avaient commencé à s'estomper, les phalènes à fuser. Juste au-delà des ronces s'apercevait la silhouette des toits de chaume. À croupetons, Arya poursuivit sa progression jusqu'à ce qu'elle découvre une vague brèche où s'insinuer en rampant. Alors, elle vit de quoi émanait l'odeur.

Non loin de la berge que venaient laper gentiment les eaux de l'Œildieu se dressait un interminable gibet sommaire de bois vert où ballottaient, pieds entravés, des choses qui avaient été des hommes et que des corbeaux becquetaient en voletant de l'un à l'autre, parmi des nuées de mouches. Un soupçon de brise souffla du lac, et le cadavre le plus proche tourna sur sa corde, à peine à peine, comme par coquetterie. Les corbeaux ne lui avaient guère laissé de visage ni du reste, de tout le reste. Sa gorge et sa poitrine étaient déchiquetées, son ventre béant laissait pendouiller des boyaux verdâtres et des lambeaux de chair. De l'un de ses bras, tranché au ras de l'épaule, ne subsistaient, à quelque pas d'Arya, que les os, dépecés, rongés, mis en pièces.

Elle se contraignit à regarder le deuxième homme et le troisième et celui d'après…, tout en s'intimant de rester de pierre. Des cadavres, tous, et tellement défigurés, tellement putréfiés qu'il lui fallut un bon moment pour s'apercevoir qu'avant de les pendre on les avait déshabillés. Comme ils avaient à peine figure humaine, leur nudité ne se remarquait pas. Les corbeaux leur avaient toujours dévoré les yeux, parfois les joues. Du sixième de l'interminable file ne restait rien, sauf une jambe, une seule, encore entravée, que le moindre souffle faisait guincher.

La peur est plus tranchante qu'aucune épée. Ces morts ne pouvaient lui faire aucun mal, mais ceux qui les avaient tués le pouvaient, quels qu'ils fussent. Bien au-delà du gibet, devant le long bâtiment bas proche de la jetée, celui au toit d'ardoise, se tenaient, appuyés sur leur lance, deux types en haubert de mailles. Deux grands mâts fichés au bord du rivage portaient des bannières. L'une semblait rouge, l'autre plus pâle – blanche, peut-être, ou jaune –, mais comme elles ne flottaient pas et que l'obscurité s'épaississait, Arya n'aurait pas même pu affirmer que la rouge était Lannister. *Pas besoin de voir le lion. Me suffit de voir tous ces morts. Qui d'autre que les Lannister aurait fait cela ?*

Alors retentit un cri.

Qui fit se retourner les lances tandis que, poussant un prisonnier devant lui, paraissait un troisième larron. Il faisait désormais trop sombre pour distinguer les visages, mais le captif portait un heaume étincelant d'acier dont les cornes achevèrent d'éclairer Arya. *Espèce d'idiot d'idiot d'idiot D'IDIOT !* Elle l'aurait à nouveau roué de coups de pied s'il s'était trouvé avec elle.

Les gardes avaient beau gueuler, la distance l'empêchait d'entendre ce qu'ils disaient, surtout avec les battements d'ailes et les piaillements des corbeaux tout proches. L'une des lances arracha son heaume à Gendry et lui posa une question, mais il ne dut pas trouver la réponse à son goût, car il lui balança sa hampe en pleine figure et l'envoya bouler à terre, où celui qui l'avait fait prisonnier lui botta les flancs, tandis que leur compagnon coiffait la tête de taureau. Enfin, après l'avoir remis sur pied, ils l'emmenèrent vers l'entrepôt. À peine en eurent-ils ouvert la porte qu'en fusa un petit garçon, mais l'un d'eux lui attrapa le bras et le renvoya baller à l'intérieur. D'où s'ensuivirent des sanglots puis un cri de douleur si déchirant qu'Arya s'en mordit la lèvre.

Là-dessus, les gardes propulsèrent aussi Gendry dans le bâtiment et en barrèrent la porte sur ses talons. Au même moment, l'haleine du lac émut les bannières, les défripa. La première portait, comme redouté, le lion, la seconde, trois minces figures noires courant sur un champ jaune beurre. *Des chiens*, pensa-t-elle. Des chiens qu'elle avait déjà vus quelque part, mais où ça ?

Il n'importait. La seule chose importante était que les autres tenaient Gendry. Savaient-ils que la reine le voulait ? Tout têtu et borné qu'il était, elle devait le tirer de là.

Il lui était odieux de voir le garde parader sous le heaume de Gendry, mais qu'y faire ? Étouffés par les murs aveugles de l'entrepôt montèrent, lui sembla-t-il, de nouveaux cris, mais peut-être se trompait-elle, après tout.

Elle demeura là suffisamment pour assister à la relève et voir mille autres choses. Des hommes allaient et venaient, menaient leurs chevaux s'abreuver au ruisseau. Une troupe de chasseurs rapporta des bois la dépouille d'un daim suspendue à une longue perche. Après qu'ils l'eurent écorché, vidé, qu'ils eurent allumé un feu sur la berge opposée du ruisseau, le fumet de la viande en train de rôtir se mêla de manière étrange à l'ignoble odeur de décomposition, barbouillant si bien son estomac vide qu'Arya pensa dégobiller, tandis qu'il attirait de nouveaux groupes de soldats casernés dans les chaumières et pour la plupart équipés de maille ou de cuir bouilli. Une fois le gibier cuit, ses meilleurs morceaux furent emportés dans une maison.

Elle avait compté que les ténèbres lui permettraient de se rapprocher en tapinois pour libérer Gendry, mais les autres enflammèrent des torches à même les braises. Un écuyer vint apporter de la viande et du pain aux deux factionnaires apostés devant l'entrepôt et qu'un peu plus tard rejoignirent deux nouveaux sbires avec une outre de vin qui circula de main en main. Cette dernière aussitôt vidée, ceux-ci s'éloignèrent mais, appuyés sur leur lance, ceux-là reprirent leur faction.

Ce que voyant, Arya finit, tout ankylosée, par s'extraire de sa tanière pour regagner le noir des bois. D'encre était la nuit, filiforme le croissant de lune que tour à tour occultait et dévoilait la fuite des nuages. *Silencieux comme une ombre*, se dit-elle en se coulant à travers les arbres. Si profondes étaient les ténèbres qu'elle n'osait courir, de peur de buter sur quelque obstacle invisible ou de s'égarer. Sur sa gauche, l'Œildieu lapait imperturbablement ses rives. Sur sa droite, un rien de vent faisait soupirer les branches, bruire et frissonner les feuilles. Au loin se percevaient des hurlements de loups.

Tourte et Lommy faillirent se conchier quand elle surgit du fourré derrière eux. «Chut», leur souffla-t-elle en enlaçant Belette qui s'était ruée sur elle.

Tourte lui fit les gros yeux. «On croyait que vous nous aviez abandonnés.» Son poing se crispait sur l'épée dont Yoren avait délesté l'officier des manteaux d'or. «J'avais peur que tu sois un loup.

— Où est Taureau? demanda Lommy.

— Ils l'ont pris, murmura-t-elle. Nous faut le tirer de là. Besoin de toi, Tourte. On se faufile, on tue les gardes, puis j'ouvre la porte. »

Les deux garçons échangèrent un regard. « Y en a combien ?

— Pas pu compter, confessa-t-elle. Une vingtaine au moins. Mais seulement deux à la porte. »

La physionomie de Tourte se chiffonna comme s'il allait pleurer. « On peut pas en combattre *vingt*…

— Tu n'en combattras qu'*un*. Je me charge de l'autre. On libère Gendry et on file.

— On d'vrait se rendre, intervint Lommy. Juste aller s'rendre. »

Elle secoua la tête avec véhémence.

« Alors, abandonne-le, Arry, insista-t-il. Nous, y savent pas qu'on est là. Si on s'cache, y partiront, tu sais qu'y partiront. Pas not' faute, qu'y s'est fait pincer.

— Ce que tu es bête ! ragea-t-elle. Tu *mourras*, si nous ne le libérons pas. Qui va te porter, dis ?

— Toi et Tourte.

— Tout le temps ? Sans personne pour nous relayer ? Nous n'y arriverons pas. C'était Gendry, le costaud. Puis cause toujours, je m'en fiche, moi, j'y retourne. » Elle fixa Tourte. « Tu viens ? »

Ses yeux coururent de Lommy à elle, d'elle à Lommy. « Je viens, dit-il, non sans répugnance.

— Lommy, garde-moi Belette. »

Il saisit la main de la mioche, l'attira à lui. « Et si les loups viennent ?

— Rends-toi ? »

Le trajet jusqu'au village leur parut durer des heures. Comme Tourte trébuchait sans cesse, dans le noir, s'égarait sans cesse, Arya devait sans cesse l'attendre ou rebrousser chemin pour le retrouver. À la longue, elle préféra lui tenir

la main et le guider dans le sous-bois. « La ferme et suis. »
Mais dès que s'entrevit au bas du ciel le vague rougeoiement des feux du village, elle l'avertit : « Tu vas voir des pendus, de l'autre côté de ce roncier, là. Tu n'as rien à redouter d'eux. Mets-toi seulement dans la tête que la peur est plus tranchante qu'une épée. On va progresser pas à pas et dans un silence absolu. » Il acquiesça d'un hochement.

Elle se glissa la première sous la haie d'épines et, accroupie au ras du sol, l'attendit de l'autre côté. Il finit par la rejoindre, blême et pantelant, la figure et les bras tout sillonnés de longues griffures sanguinolentes. Il voulut dire quelque chose, mais elle lui posa un doigt sur les lèvres. À quatre pattes, ils longèrent le gibet. Au-dessus d'eux oscillaient doucement les morts, mais Tourte se garda de lever les yeux et de piper son.

Mais il ne put réprimer un hoquet lorsqu'un corbeau se posa sur son dos. Et un : « *Qui va là ?* » fracassa les ténèbres.

Déjà, Tourte avait bondi sur ses pieds. « *Je me rends !* » Et de jeter loin de lui son épée, tandis que des dizaines de corbeaux s'envolaient avec des croassements plaintifs ou furieux, giflant de leurs ailes les suppliciés. Arya lui agrippa la jambe, mais elle eut beau tirer de toutes ses forces pour l'obliger à se baisser, il se dégagea d'une saccade et se mit à courir en agitant les bras. « Je me rends ! je me rends ! »

Debout d'un bond, Arya dégaina Aiguille, mais déjà des hommes la cernaient. Elle tailla vers le plus proche, mais il para le coup avec son bras bardé d'acier, pendant qu'un autre se jetait sur elle et la terrassait, puis qu'un troisième lui arrachait son arme. Elle tenta de mordre, ses dents se refermèrent sur de la maille crasseuse et glacée. « Hoho, c't un démon ! » rigola l'homme en lui abattant sur le crâne son poing ganté de fer.

De l'échange qui s'ensuivit par-dessus sa souffrance, elle ne parvint pas à comprendre un traître mot. Les oreilles lui bourdonnaient. Elle essaya de se défiler à quatre pattes, la terre se déroba sous elle. *M'ont pris Aiguille*. Elle en éprouva une honte plus douloureuse que la douleur, toute rude qu'était la douleur. C'est Jon qui la lui avait donnée, et Syrio lui avait appris à la manier…

Finalement, quelqu'un l'empoigna par son justaucorps et la planta sur ses genoux. Tourte aussi était agenouillé, mais devant l'homme le plus colossal qu'elle eût jamais vu, un monstre issu des pires contes de Vieille Nan. Elle ne l'avait pas vu arriver. Trois chiens noirs couraient en travers de son surcot jaune délavé, ses traits durs avaient l'air taillés dans la pierre. Et, subitement, elle se rappela où et quand elle avait vu ces chiens pour la première fois. À Port-Réal, le soir du tournoi. Chaque chevalier avait suspendu son écu devant les pavillons. « Celui-là appartient au frère du Limier, lui avait confié Sansa. Un géant. Encore plus grand qu'Hodor, si tu vois ? On l'a surnommé *la Montagne-à-cheval*. »

À demi consciente seulement de ce qui se passait autour d'elle, Arya laissa retomber sa tête. Tourte n'en finissait pas de se rendre encore un peu. La Montagne dit : « Tu vas nous conduire jusqu'à ces deux autres », et s'en fut. Puis elle s'aperçut qu'elle venait de dépasser, titubante, le dernier pendu, cependant que Tourte promettait aux autres force tourtes et tartes s'ils ne le maltraitaient pas. Ils étaient quatre à les escorter. Un brandissait une torche, un portait une épée, deux avaient des lances.

Lommy n'avait pas bougé de sa place, au pied du chêne. « J'me rends ! » cria-t-il du plus loin qu'il les aperçut. Il avait déjà jeté sa propre lance au diable et leva ses mains barbouillées de teinture verte. « J'me rends. Pitié. »

Le type à la torche se mit à fureter parmi les arbres. « Y a que toi ? Mitron disait qu'y avait une fille…

— Elle s'est enfuie quand elle vous a entendus, dit Lommy. Faisiez un fameux boucan. » Et Arya pensa : *Cours,*

Belette, cours aussi loin que tu pourras, cours te cacher, cours et garde-toi de jamais revenir.

«Dis-nous où se terre ce fils de pute de Dondarrion, et tu te farciras un repas chaud.

— Qui ça? s'ébahit Lommy.

— Quand j' te disais…, râla l'homme à l'épée. C'te bande en sait pas pus qu' les aut' cons du village. Perd not' putain d' temps!»

L'une des lances se pencha sur Lommy. «Des emmerdes avec ta jambe, mon gars?

— 'll' est blessée.

— Peux marcher?» Le ton marquait la sollicitude.

«Non. Faudra m' porter.

— Crois ça?» Posément, l'homme leva sa lance et la lui ficha dans la gorge sans même lui laisser le loisir de se rendre une fois de plus. Un soubresaut, et ce fut tout. Puis une fontaine de sang noir quand le meurtrier libéra son fer. «L' porter, qu'y dit… », marmonna-t-il avec un petit rire.

TYRION

Comme ils lui avaient conseillé de se vêtir chaudement, Tyrion Lannister décida de les prendre au mot en enfilant non seulement d'épaisses chausses molletonnées et un doublet de laine, mais en s'empaquetant par-dessus le marché dans la pelisse de lynx qu'il avait gagnée sur Marillion dans les montagnes de la Lune. Taillée pour un homme deux fois plus grand que lui, celle-ci était d'une longueur grotesque et, à moins de se trouver à cheval, il ne pouvait la porter qu'à condition de s'y enrouler plusieurs fois, ce qui lui donnait la dégaine d'un ballot de poil à rayures.

Accoutrement à part, il se félicitait à présent de sa docilité. Dans ce long boyau voûté, le froid et l'humidité vous pénétraient jusqu'au cœur des os. Il avait suffi à Timett d'en tâter pour préférer remonter dare-dare dans la cave. Taillées quelque part sous la colline de Rhaenys, derrière la Guilde des Alchimistes, les parois de pierre suintaient, tachées de salpêtre, et le seul éclairage qui les révélât provenait de la lanterne à huile dûment scellée que ne portait Hallyne le Pyromant qu'avec une délicatesse de bigote.

De quoi, bigre… ! et voici les grès à bigarreaux, n'est-ce pas ? Tyrion souleva l'un des pots pour l'examiner. Tourné dans une argile grasse, il était rond, rougeâtre et de la taille d'un grappe-fruit. Un peu gros pour sa main mais idéal pour bien tenir, il le savait, dans celle d'un homme normal. Au demeurant d'une si extrême fragilité, tant la pâte était fine, que mieux valait ne trop serrer le poing, l'avait-on prévenu. De contact rêche et granuleux. « C'est fait exprès, lui avait dit Hallyne. Lisse, il risquerait de glisser des doigts. »

Le feu grégeois moussa sournoisement vers la bouche du pot quand Tyrion inclina celui-ci pour y jeter un œil, mais la pauvreté de la lumière interdisait de distinguer le vert glauque annoncé. « Épais, remarqua-t-il.

— À cause du froid, messire », expliqua Hallyne. Ses manières obséquieuses ne démentaient ni ses mains moites ni son teint blafard. De la zibeline soutachait ses robes à rayures écarlates et noires, mais elle avait l'air et plus que l'air mangée aux mites et rapetassée. « En s'échauffant, la substance se fluidifie comme l'huile de lampe. »

La substance était le terme par lequel les pyromants désignaient le feu grégeois. Ils se qualifiaient également de *sagesse* entre eux, ce que Tyrion trouvait presque aussi assommant que leur manie de vouloir lui faire accroire, à force d'insinuations, qu'ils possédaient un prodigieux arsenal de connaissances occultes. Car si leurs semblables avaient jadis constitué une puissante corporation, cela faisait des siècles que les mestres de la Citadelle les supplantaient à peu près partout. Leur ordre vénérable ne comportait désormais qu'une poignée de membres, qui ne prétendaient même plus à la transmutation des métaux…

… mais qui *savaient* toujours confectionner le feu grégeois. « L'eau ne peut l'éteindre, à ce qu'on dit.

— C'est exact. Une fois enflammée, la substance brûle inexorablement jusqu'à son propre épuisement. De surcroît, elle imprègne si bien le tissu, le bois, le cuir et même l'acier que ceux-ci s'embrasent également. »

À ces mots, Tyrion se remémora Thoros de Myr et son épée de flammes. Si mince fût-il, l'enduit de feu grégeois pouvait brûler une heure durant. Après chaque mêlée, le prêtre rouge avait besoin d'une nouvelle épée, mais Robert, qui s'était entiché de lui, se faisait un plaisir de la lui offrir. « Comment se fait-il qu'il n'imprègne pas aussi l'argile ?

— Oh, mais il le fait ! s'énamoura l'alchimiste. À l'étage au-dessous de celui-ci, nous avons une cave réservée au stockage des pots anciens. Ceux qui datent du roi Aerys. Il avait eu la fantaisie de leur faire donner la forme de fruits. De fruits fort dangereux, à la vérité, seigneur Main, et, hmhm, plus *mûrs* à présent que jamais, si vous voyez ce que je veux dire. Nous avons eu beau les sceller à la cire avant d'inonder leur resserre, eh bien, malgré cela… Il eût été légitime de les détruire, mais il se fit un tel carnage de nos sagesses durant le sac de Port-Réal que les quelques acolytes qui avaient survécu se montrèrent inférieurs à la tâche. Une grande partie du fonds constitué pour Aerys fut perdue. C'est seulement l'année dernière que l'on découvrit deux cents pots dans l'un des magasins souterrains du Grand Septuaire de Baelor. Nul ne fut à même de se rappeler comment diable ils avaient pu échouer là, mais je n'ai sûrement pas besoin de vous préciser que la nouvelle a rendu le Grand Septon fou de terreur. J'ai moi-même en personne présidé à la sécurité de leur déménagement. J'avais fait emplir de sable une carriole et trié nos acolytes sur le volet. Nous opérâmes exclusivement de nuit, et nous fîmes…

— … merveilles, je n'en doute point. » Tyrion replaça le pot qu'il tenait toujours en compagnie de ses potes. Ils couvraient la table et, quatre par quatre, défilaient en bon ordre vers les ténèbres du souterrain. D'autres tables s'y trouvaient, beaucoup d'autres. « Et ces…, ah oui, ces fameux *fruits* du feu roi Aerys, on peut encore les utiliser ?

— Oh oui, sans conteste…, mais avec *prudence*, messire, tellement de prudence, toujours. En prenant de l'âge, la substance devient de plus en plus, hmhmhm, *frivole*, disons. La moindre flamme y met le feu. La moindre étincelle. Trop de chaleur, et les pots s'embrasent de conserve, à l'unanimité. Il est malavisé de les exposer au soleil, fût-ce brièvement. Une fois que le feu s'y met, la substance se dilate avec tant de violence que les pots ne tardent guère à exploser. Et si, d'aventure, on en a déposé d'autres à proximité, ceux-ci sautent à leur tour, de sorte…

— Vous en avez combien, pour l'heure ?

— Sept mille huit cent quarante, m'a dit ce matin même sagesse Munciter. Y inclus, bien entendu, les quatre mille qui datent du roi Aerys.

— Nos fruits blets ? »

Hallyne pencha la tête de côté. « Sagesse Malliard opine que nous serons en mesure d'en fournir dix milliers tout ronds à la reine, comme promis. J'abonde. » Le pyromant semblait se gargariser de cette abominable perspective.

À supposer que nos ennemis vous en laissent le temps.

Les alchimistes pouvaient bien tenir jalousement secrète la recette du feu grégeois, Tyrion savait néanmoins que le processus d'élaboration réclamait des minuties, des précautions, des patiences infinies. Aussi avait-il d'abord tenu leur engagement d'en procurer un tel volume pour une fanfaronnade aussi outrée que celle du fameux banneret jurant ses grands dieux à son suzerain de lui aligner dix mille hommes et n'en produisant que cent deux le jour de la bataille. *S'ils sont vraiment capables de nous en donner dix mille…*

Devait-il en être horrifié ? devait-il s'en féliciter ? il l'ignorait lui-même. *Peut-être un chouïa des deux.* « J'espère, sagesse, que vos confrères de la guilde ne sont pas en train de pécher par précipitation. Il nous fâcherait fort d'avoir dix mille pots de substance défectueuse, voire même un seul…, et nous ne voulons certes à aucun prix d'un quelconque incident.

— Il n'arrivera pas d'incident, seigneur Main. Elle est préparée par la crème de nos acolytes dans des cellules de pierre nue, et chaque pot prélevé puis descendu ici même par un apprenti dès l'instant où il est fin prêt. Au-dessus de chaque cellule opérative se trouve une pièce exactement comblée de sable. Les lieux sont protégés par une formule magique des plus, hmhmhm, efficiente. Que le moindre feu se déclare dans une cellule du bas, le plafond de celle-ci s'effondre, et le sable étouffe instantanément l'incendie.

— Sans parler de l'acolyte désinvolte. » *Formule magique* devait signifier, dans le jargon d'Hallyne, *ingénieux trucage*. Aller visiter l'une de ces cellules à faux plafond pour voir comment cela fonctionnait tentait assez Tyrion, mais ce n'était pas le moment. Une fois la guerre gagnée, le cas échéant.

« Mes confrères sont incapables de désinvolture, affirma l'autre. S'il m'est permis de me montrer, hmhmhmhm, *franc*…

— Mais faites donc.

— La substance coule dans mes veines, et elle palpite au cœur de tout pyromant. Nous respectons ses pouvoirs. Mais le soldat vulgaire, les, hmhmhmhm, servants de l'un des boutefeux de la reine, dites, une étourderie, dans la fièvre de la bataille…, la moindre anicroche peut provoquer une catastrophe. On ne saurait assez insister sur ce point. Mon père en avisait plus qu'à son tour le roi Aerys, et son père à lui le vieux roi Jaehaerys.

— Lesquels ont dû se montrer attentifs, lâcha le nain. S'ils avaient brûlé la ville de fond en comble, j'en aurais entendu parler. Ainsi, vous nous recommandez de nous montrer prudents ?

— *Très* prudents, appuya Hallyne. *Très très* prudents.

— Ces pots de grès…, vous en avez des réserves assez considérables ?

— Oui, messire. Je vous remercie de vous en inquiéter.

— Dans ce cas, vous ne vous offusquerez pas si je vous en prends. Quelques milliers.

— Quelques *milliers* ?

— Ou en aussi grand nombre qu'en pourra concéder votre guilde sans compromettre le rythme de production. Comprenez-moi bien, ce sont des pots *vides* que je demande. Faites-les livrer aux capitaines chargés de la garde de chacune des portes de la cité.

— Je n'y manquerai pas, messire, mais pourquoi… ? »

Tyrion lui sourit de bas en haut. « Quand vous m'enjoignez de me vêtir chaudement, je me vêts chaudement. Quand vous m'enjoignez la prudence, eh bien… » Il haussa les épaules. « J'en ai assez vu. Pousseriez-vous l'obligeance jusqu'à me raccompagner jusqu'à ma litière ?

— Je m'en ferai un immense, hmhmhm, plaisir, messire. » Élevant sa lampe, il le précéda vers l'escalier. « Trop aimable à vous de nous avoir rendu visite. Un immense honneur, hmhmhm. Cela faisait trop longtemps que la Main du roi n'avait daigné nous accorder la grâce de sa présence. En fait depuis lord Rossart, et il appartenait à notre ordre. Ce qui nous renvoie à l'époque du roi Aerys. Le roi Aerys prenait un immense intérêt à nos travaux. »

Le roi Aerys vous utilisait pour griller la viande de ses ennemis. Tyrion tenait de Jaime des anecdotes croustillantes sur le roi fol et ses chouchous de pyromants. « Joffrey ne manquera pas non plus de s'y intéresser. » *Raison de plus pour le tenir soigneusement à l'écart de vous.*

« C'est notre espoir le plus cher que d'accueillir en l'hôtel de la Guilde la royale personne de Sa Majesté. J'en ai moi-même entretenu votre royale sœur. Un grand festin… »

Le froid diminuait au fur et à mesure que l'on montait. «Sa Majesté a formellement interdit toute espèce de festivité jusqu'à la victoire définitive.» *Sur mes instances.* «Le roi trouve malséant de banqueter somptueusement quand son peuple n'a pas de pain.

— Une attitude des plus, hmhmhm, *aimante*, messire. Certains d'entre nous ne pourraient-ils, à titre de consolation, se rendre au Donjon Rouge auprès de Sa Majesté? Une petite démonstration de nos pouvoirs serait, je m'en flatte, susceptible de La distraire une soirée de tous ses soucis. Le feu grégeois n'est jamais que l'un des terribles secrets dont notre vénérable ordre détient les clés. Il est nombre de merveilles auxquelles nous vous initierions.

— Sa Grâce et moi y songerons.» S'il n'avait rien contre quelques tours de magie, Tyrion trouvait déjà bien assez alarmant le faible de Joffrey pour les duels à mort; il n'allait sûrement pas le laisser goûter à la jouissance de brûler vifs les gens.

En atteignant enfin la dernière marche, il se défit de sa pelisse et la plia sur son bras. Sans lui laisser le loisir d'admirer l'imposant dédale de la Guilde – une garenne de pierre noire –, Hallyne l'y fit tournicoter jusqu'à la galerie des Torches-de-fer, longue pièce peuplée d'échos dont les colonnes de métal noir, hautes de vingt pieds, étaient comme gainées de flammèches vertes ondoyantes. Les flammes fantomatiques qui chatoyaient sur la noirceur miroitante du marbre des murs et du sol achevaient l'ambiance émeraude. Mais cette fantasmagorie aurait davantage impressionné Tyrion s'il n'avait su que l'on venait tout juste d'illuminer en son honneur, et que l'on éteindrait dès son départ. Le feu grégeois coûtait trop cher pour se gaspiller.

Au sommet du large escalier courbe, ils débouchèrent sur la rue des Sœurs, presque au pied de la colline de Visenya. Ses adieux faits au pyromant, Tyrion trottina rejoindre, un peu plus bas, Timett, fils de Timett, et ses Faces Brûlées. Eu égard à sa démarche du jour, le choix d'une telle escorte lui avait paru singulièrement judicieux. Sans compter que les cicatrices de ce joli monde flanquaient à la populace une trouille bleue. Et ce n'était pas du luxe, ces derniers temps. Rien que trois nuits plus tôt, la foule s'était à nouveau massée aux portes du Donjon Rouge afin de chanter sa faim, et Joff l'avait fait remercier de la sérénade par une grêle de flèches – quatre morts –, avant de gueuler : « Bouffez-les ! je vous donne la permission ! » *Autant de nouveaux amis gagnés à notre cause.*

À la surprise de Tyrion, Bronn l'attendait aussi, près de la litière. « Qu'est-ce que tu fabriques ici ?

— Je vous apporte des messages. Main-de-fer vous réclame d'urgence à la porte des Dieux. Il refuse de dire pourquoi. Et vous êtes également convoqué à Maegor.

— *Convoqué ?* » Il ne voyait capable d'utiliser pareil mot qu'une seule personne. « Que me veut Cersei ? »

Bronn haussa les épaules. « La reine vous ordonne de regagner le château sur-le-champ et de vous présenter chez elle. Le commissionnaire était votre jouvenceau de cousin. Quatre poils sur la lèvre, et ça se croit un homme.

— Quatre poils et un titre de chevalier. Il est *ser* Lancel, maintenant, tiens-le-toi pour dit. » Pour que Prédeaux le dérange, il fallait qu'il s'agît d'une affaire importante. « Autant commencer par ser Jacelyn. Mande à ma sœur que j'irai la voir dès mon retour.

— Elle n'appréciera pas, l'avertit Bronn.

— Tant mieux. Plus Cersei attend, plus elle enrage, et la rage la rend idiote. Je l'aime cent fois mieux furieuse et idiote que maligne et de sang-froid. » Il balança sa pelisse dans la litière et l'y rejoignit, plus ou moins hissé par Timett.

À la porte des Dieux, la place du marché qui, dans des circonstances normales, aurait été bondée de maraîchers, était quasiment déserte lorsqu'il la traversa. Devant la poterne l'attendait ser Jacelyn, qui brandit d'un air bourru sa main de fer en guise de salut. « Messire. J'ai ici votre cousin Cleos Frey. Il arrive de Vivesaigues sous bannière blanche, porteur d'une lettre de Robb Stark.

— Conditions de paix ?

— Paraît-il.

— Ce cher cousin. Menez-moi à lui. »

Les manteaux d'or avaient relégué ser Cleos dans un poste de police aveugle de la conciergerie. Il se leva à l'entrée de Tyrion. « Enchanté de te voir.

— Un compliment qu'on ne me fait guère, cousin.

— Cersei t'accompagne ?

— Ma sœur a d'autres occupations. C'est la lettre de Stark ? » Il la préleva sur la table. « Vous pouvez nous laisser, ser Jacelyn. »

Prédeaux s'inclina et se retira. « Je suis prié de transmettre l'offre à la reine régente, dit ser Cleos comme la porte se refermait.

— Je m'en charge. » Tyrion jeta un coup d'œil sur la carte jointe à la lettre par Robb Stark. « Chaque chose en son temps, cousin. Prends un siège. Repose-toi. Tu as une mine de déterré. » C'était un euphémisme, à la vérité.

« Oui. » Il s'affala sur un banc. « C'est du vilain, dans le Conflans, Tyrion. Autour de l'Œildieu et le long de la route royale en particulier. Les seigneurs riverains brûlent leurs propres récoltes dans l'espoir de nous affamer, et les fourrageurs de ton père incendient chaque village dont ils s'emparent et en exterminent la population. »

La guerre ordinaire, quoi. On égorgeait les petites gens, et les gens bien nés, on les retenait captifs pour les rançonner.

Rappelle-moi de rendre grâces aux dieux qui m'ont fait naître Lannister.

Ser Cleos se passa la main dans ses fins cheveux bruns. «Malgré notre bannière blanche, on nous a attaqués deux fois. Des loups vêtus de maille, affamés d'étriper quiconque est plus faible qu'eux. À quel bord ils appartenaient initialement, les dieux seuls le savent, mais ils sont désormais de leur propre bord. Perdu trois hommes et eu deux fois plus de blessés.

— Quelles nouvelles de notre adversaire?» Il reporta son attention sur les conditions de Stark. *Il ne se montre pas trop gourmand. Rien que la moitié du royaume, la libération de nos prisonniers, des otages, l'épée de son père…, puis ses sœurs, ah oui.*

«Le garçon reste à ne rien faire à Vivesaigues, disait cependant ser Cleos. Je pense qu'il craint d'affronter ton père en rase campagne. Ses forces s'amenuisent de jour en jour. Les seigneurs riverains l'ont quitté pour aller défendre chacun ses terres.»

Est-ce à cela que visait Père? Il roula la carte. «Ces conditions sont inacceptables.

— Consentiras-tu du moins à échanger les petites Stark contre Willem et Tion?» demanda ser Cleos d'un ton plaintif.

Tion était son frère cadet, se rappela Tyrion. «Non, dit-il sans rudesse, mais nous proposerons notre propre échange de prisonniers. Laisse-moi en conférer avec Cersei et le Conseil. Nous te renverrons à Vivesaigues avec nos conditions.»

Manifestement, cette perspective ne le réconforta pas. «Je ne crois pas, messire, que Robb Stark se rende aisément. C'est lady Catelyn qui veut cette paix, pas lui.

— Lady Catelyn veut ses filles.» Tyrion s'extirpa de son banc, carte et lettre aux doigts. «Ser Jacelyn veillera à te faire avoir nourriture et feu. Tu as salement besoin de dormir, ça se voit. Je t'enverrai chercher quand nous aurons débrouillé les choses. »

Du rempart, ser Jacelyn regardait s'exercer sur le terrain plusieurs centaines de nouvelles recrues. Si, vu l'énorme afflux de réfugiés, Port-Réal ne manquait pas d'hommes désireux de s'engager dans le Guet pour avoir quelque chose à se mettre sous la dent et disposer d'une paillasse dans les casernes, Tyrion ne se faisait aucune illusion quant à la valeur de pareils défenseurs si l'on en venait à se battre.

« Vous avez bien fait de me requérir, dit-il. Je vous confie ser Cleos. Ne le laissez manquer de rien.

— Et ceux qui l'escortent ?

— Donnez-leur à manger, des vêtements propres, et trouvez un mestre qui visite leurs blessures. Qu'ils ne mettent pas le pied en ville, compris ? » Laisser éclairer Vivesaigues sur la situation problématique de la cité eût été pour le moins malvenu.

« Parfaitement, messire.

— Oh, une chose encore. Chaque porte va recevoir des alchimistes pas mal de pots de grès vides que vous ferez emplir de peinture verte et que vous utiliserez pour entraîner vos boutefeux. Je veux des gens qui sachent les manipuler. Tout homme éclaboussé sera disqualifié. Une fois acquise la dextérité nécessaire, substituez à la peinture de l'huile de lampe et instruisez-les à l'allumage et au lancement. Lorsqu'ils auront maîtrisé ces opérations sans se brûler, nous pourrons leur confier le feu grégeois. »

Ser Jacelyn se gratta la joue avec sa main de fer. « Sages mesures. Encore que je déteste ce pissat d'alchimiste.

— Moi de même, mais j'emploie ce que l'on me donne. »

Sitôt rencogné dans sa litière, Tyrion Lannister en tira les rideaux, se fourra un coussin sous le coude. Qu'il eût intercepté la lettre de Stark allait mécontenter Cersei, mais c'est pour gouverner que Père l'avait envoyé, pas pour contenter Cersei.

À son avis, Robb Stark venait de leur offrir une chance en or. Qu'il attende à Vivesaigues, avec ses rêves de paix à bon compte. Tyrion répliquerait par des conditions de son propre cru, juste à point consentantes pour entretenir dans ses chimères le roi du Nord. Que ser Cleos se casse son cul osseux de Frey à caracoler dans les deux sens avec des propositions et contre-propositions. Cela laisserait tout loisir à leur cousin ser Stafford d'entraîner et d'armer la nouvelle armée levée à Castral Roc et, la chose faite, de s'entendre avec lord Tywin pour prendre en tenaille une bonne fois pour toutes les Stark et Tully.

Si seulement les frères de Robert voulaient bien se montrer aussi accommodants. Si glacial que fût sa progression, Renly Baratheon n'en grignotait pas moins le terrain tant au nord qu'à l'est avec son énorme armée de méridionaux, et il ne se passait guère de nuit que Tyrion ne craignît d'être réveillé par la nouvelle que Stannis et sa flotte remontaient la Néra. *Bon, il semblerait que je possède d'assez jolies quantités de feu grégeois, mais, mais…*

Un brouhaha de la rue vint le divertir de ses préoccupations. Il entrebâilla prudemment les rideaux. Sous les auvents de cuir de la place Crépin que l'on traversait pour lors se pressait une foule considérable, ameutée par les transes prophétiques d'un énergumène que sa robe de laine brute et le cordon de chanvre de sa ceinture désignaient comme frère mendiant.

« *Corruption!* piaillait-il. Tel est l'avertissement! Voici le fouet du Père! » Il brandit l'index vers la plaie rougeâtre du ciel, dans son dos. Grâce à quoi l'auditoire embrassait simultanément la colline d'Aegon surmontée par la silhouette lointaine du Donjon Rouge et, en suspens telle une menace au-dessus des tours, la comète. *Judicieux, le choix de l'angle…*, rumina Tyrion. «Nous sommes ballonnés, boursouflés, fétides. Le frère s'accouple à la sœur dans le lit des rois et, en son palais, le fruit de l'inceste galipette au son du pipeau d'un petit singe démoniaque! Les grandes dames forniquent avec les bouffons et mettent au monde des monstres! Le Grand Septon lui-même a oublié les dieux! Il se vautre dans des bains capiteux et s'empiffre à lard de lamproie, d'ortolans pendant que son peuple se meurt de faim! La vanité prévaut sur la prière, l'asticot règne dans nos châteaux, l'or est tout…, mais *suffit*! L'été pourri s'achève, et voilà jeté à bas le roi maquereau! Une effroyable puanteur assiégea le ciel lorsque l'ouvrit le sanglier, et sa panse vomit des myriades de reptiles sifflants et mordants!» À nouveau, son doigt décharné montra la comète et le château, derrière. «Voici que vient l'Avant-coureur! Purifiez-vous, clament les dieux, de peur qu'on ne vous purifie! Baignez-vous dans le vin de la vertu, ou votre bain sera de feu! *De feu!*

— *De feu!*» reprirent certains auditeurs, mais leur voix se perdit sous les huées et les quolibets, au soulagement de Tyrion. Il donna l'ordre de poursuivre, et la litière se remit à rouler comme un navire par mer forte dans le sillage des Faces Brûlées. *Un petit singe démoniaque, ah mais.* Le bougre avait à l'évidence une dent contre le Grand Septon. Au fait, qu'en avait dit Lunarion, l'autre jour? *Un pie qui pousse la ferveur à l'endroit des Sept jusqu'à se farcir un repas pour chacun d'eux chaque fois qu'il se met à table.* Le souvenir de cette pique le fit sourire.

Il fut bien aise d'atteindre le Donjon Rouge sans autre incident. Et la situation lui parut, pendant qu'il remontait chez lui, beaucoup moins désespérée qu'à l'aube. *Du temps, voilà tout ce dont j'ai véritablement besoin, du temps pour tout combiner. Une fois fabriquée la chaîne…* Il ouvrit la porte de sa loggia.

Cersei se détourna si vivement de la baie que l'envol de ses jupes souligna la minceur de ses hanches. «Comment *oses*-tu bafouer mes ordres?

— Qui t'a admise dans ma tour?

— *Ta* tour? Ce château royal appartient à mon fils.

— C'est ce qu'on m'a dit.» Il n'avait pas envie de rire. Et Crawn l'aurait encore moins, ses Sélénites étant de garde, aujourd'hui. «Il se trouve que je m'apprêtais à t'aller voir.

— Vraiment?»

Il claqua la porte derrière lui. «Tu doutes de moi?

— Toujours, et non sans motifs.

— Tu me blesses.» Il tricota jusqu'au dressoir pour se servir une coupe de vin. Il ne savait rien de si altérant qu'un entretien avec sa sœur. «Si je t'ai le moins du monde offensée, autant m'apprendre en quoi.

— Quel répugnant petit vermisseau tu fais. Myrcella est ma fille unique. T'es-tu figuré un seul instant que je te la laisserais vendre comme un sac d'avoine?»

Myrcella..., songea-t-il. *Cet œuf est éclos, bon. Voyons voir la couleur du poussin*. «Un sac d'avoine? à peine. Elle est princesse. D'aucuns diraient qu'elle est née pour cela. À moins que tu ne projetasses de la marier à Tommen?»

Prompte comme une mèche de fouet, la main de Cersei fit voler la coupe qu'il tenait. Le sol fut tout éclaboussé de vin. «Frère ou pas, je devrais t'arracher la langue pour ce mot-là. C'est *moi* qui assure la régence pour Joffrey, pas toi, et je dis que Myrcella ne sera pas expédiée à ce Dornien comme je le fus à Robert Baratheon.»

Tyrion secoua ses doigts dégoulinants de vin et soupira. «Pourquoi pas? Elle serait bien plus en sécurité à Dorne qu'ici.

— Est-ce ignorance crasse ou pure perversité? Tu le sais aussi bien que moi, les Martell n'ont aucune raison de nous aimer.

— Les Martell les ont toutes de nous haïr. Néanmoins, je me flatte qu'ils accepteront. La rancune du prince Doran contre la maison Lannister a beau ne dater que d'une génération, les gens de Dorne guerroient depuis mille ans contre Accalmie et Hautjardin, ce qui n'a pas empêché Renly de considérer comme acquise leur allégeance. Myrcella a neuf ans, Trystan Martell onze, j'ai proposé de les unir quand elle en aurait treize révolus. D'ici là, elle serait traitée en hôte de marque à Lancehélion, sous la protection du prince Doran.

— En otage, dit Cersei, la bouche pincée.

— En hôte de marque, maintint-il, et m'est avis qu'il la traitera plus aimablement que Joffrey ne traite Sansa Stark. Je méditais de la faire accompagner par ser Arys du Rouvre. Avec un chevalier de la Garde pour écu lige, elle ne risque pas que quiconque oublie qui et ce qu'elle est.

— Piètre secours pour ma fille que ser Arys, si Doran Martell décide de laver la mort de sa sœur par la sienne.

— Martell est trop homme d'honneur pour assassiner une fillette de neuf ans, surtout une fillette aussi câline et innocente que Myrcella. Du moment qu'il la tient, il peut raisonnablement se promettre une loyauté sans faille de notre part, et je lui fais des conditions trop riches pour qu'il les refuse. Myrcella n'en est que la moindre. Je lui offre aussi l'assassin de sa sœur, un siège au Conseil, des châteaux dans les Marches…

— Excessif.» Elle s'écarta de lui, fébrile comme une lionne. «Excessif et offert en dehors de mon autorité – sans même mon consentement.

— C'est du prince de Dorne que nous parlons. En offrant moins, je m'exposais à ce qu'il me crache à la figure.

— *Excessif!* répéta-t-elle en revenant sur lui.

— Que lui aurais-tu donc offert, *toi*? s'emporta-t-il à son tour, furieux, le trou de ton entrecuisse ? »

La gifle, il la vit venir, cette fois. Elle ne lui en dévissa pas moins la tête, avec un *crac !* des cervicales. « Chère chère sœur, dit-il, crois-m'en sur parole, jamais plus tu ne me frapperas. »

Elle éclata de rire. « Ne me menace pas, bout d'homme. T'imagines-tu que la lettre de Père suffit à te préserver ? Un chiffon de papier. Eddard Stark se reposait aussi sur un chiffon de papier. Avec le succès que l'on sait. »

Eddard Stark n'avait pas le Guet, répliqua mentalement Tyrion, *ni les prétoriens des clans ni les reîtres engagés par Bronn. Moi si.* Du moins l'espérait-il. Tout dépendait de la fiabilité de Varys, de ser Jacelyn Prédeaux, de Bronn. Lord Stark avait également dû se faire pas mal d'illusions…

Il garda néanmoins ses réflexions pour lui. Un sage ne verse pas de feu grégeois sur le brasier. Il se versa par compensation une nouvelle coupe de vin. « De quelle sécurité te flattes-tu que jouira Myrcella, si par hasard Port-Réal tombe ? Stannis et Renly empaleront sa tête à côté de la tienne. »

À ces mots, Cersei se mit à sangloter.

Aegon le Conquérant eût-il en personne fait irruption dans la pièce à dos de dragon et jonglant avec des tartes au citron que Tyrion Lannister n'aurait pas été davantage abasourdi. Il n'avait pas vu sa sœur en pleurs depuis leur lointaine enfance, à Castral Roc. Avec gaucherie, il esquissa un pas vers elle. Vous êtes bien censé, quand votre sœur pleure, la réconforter, non ? … Mais cette sœur était *Cersei !* Il ébaucha timidement le geste de lui toucher l'épaule.

« Bas les pattes ! » dit-elle avec un haut-le-corps qui n'aurait pas dû le blesser, mais qui le blessa, le blessa plus qu'aucun soufflet. La face aussi empourprée de colère que de chagrin, Cersei haleta : « Ne me regarde pas comme… – comme ça… – pas *toi* ! »

Il lui tourna discrètement le dos. « Je ne voulais pas t'affoler. Il n'arrivera rien à Myrcella, je te le promets.

— Menteur ! lui cracha-t-elle entre les épaules. Je ne suis pas une enfant, pour me laisser bercer de promesses. Tu m'as aussi promis de libérer Jaime. Eh bien, où est-il ?

— À Vivesaigues, si je ne m'abuse, et en vie. Sous bonne garde en attendant que je trouve un biais pour le tirer de là. »

Elle émit un reniflement. « C'est homme que j'aurais dû naître. Je n'aurais dès lors besoin d'aucun d'entre vous. Rien de tout cela ne serait arrivé, je ne l'aurais pas toléré. Comment diable Jaime a-t-il pu se laisser capturer par ce *mioche* ? Et Père, en qui j'avais la bêtise de croire, où est-il à présent ? Que *fabrique*-t-il donc ?

— La guerre.

— De derrière les créneaux d'Harrenhal ? ricana-t-elle avec mépris. Curieuse façon de se battre. J'y verrais plutôt une manière de se planquer.

— Regarde plus attentivement.

— Comment veux-tu que j'appelle cela ? Père se prélasse dans un château, Robb Stark dans un autre, et aucun des deux ne *fout* rien !

— Il y a se prélasser et se prélasser, suggéra Tyrion. Chacun des deux attend que l'autre fasse mouvement, mais le lion se fouette posément, patiemment les flancs, pendant que le faon, pétrifié de frousse, a les tripes en compote. Quelque bond qu'il fasse, et il le sait, le lion finira par l'avoir.

— Et tu es *absolument* certain que Père est le lion ? »

Tyrion s'épanouit. « Nos bannières l'affirment unanimement. »

Elle dédaigna la plaisanterie. « Si c'était Père qu'on avait fait prisonnier, je te garantis que Jaime se démènerait au lieu de se prélasser. »

*Jaime délabrerait son armée, lambeau par lambeau,
contre les murs de Vivesaigues, et ce serait pour les autres
du pain bénit. La patience n'a jamais été son fort, non plus
que le tien, chère sœur.* « Nous ne pouvons avoir tous
sa hardiesse, mais il est d'autres moyens de gagner les
guerres. Harrenhal bénéficie de sa puissance et de sa position.

— Contrairement à Port-Réal. Une évidence pour nous
deux. Criante. Or, pendant que Père joue au lion et au faon
avec le petit Stark, Renly s'avance sur la route de la Rose, et
il peut à tout moment se présenter à nos portes !

— La ville ne tombera pas en un jour. Pour descendre
de Harrenhal, la route royale est directe et rapide. À peine
Renly aura-t-il dressé ses engins de siège que Père viendra
le prendre à revers. Le marteau d'un côté, l'enclume des
remparts de l'autre, cela ne fait-il pas un charmant
tableau ? »

Les prunelles vertes de Cersei le sondèrent, toujours
méfiantes, mais la faim de croire aux assurances qu'il lui
jetait en pâture s'y devinait aussi. « Et si Robb Stark se met
en marche ?

— Harrenhal se trouve assez près des gués du Trident
pour empêcher l'infanterie de Roose Bolton de les franchir
et d'opérer sa jonction avec la cavalerie du Jeune Loup.
Stark ne saurait marcher sur Port-Réal avant d'avoir pris
Harrenhal et, même grossies de celles de Bolton, ses forces
n'y suffiraient pas. » Tyrion lui façonna son sourire le plus
vainqueur. « Et, d'ici là, Père vit sur la graisse du Conflans,
tandis qu'Oncle Stafford nous amasse des troupes fraîches
au Roc. »

Le regard de Cersei se fit soupçonneux. « D'où tiens-tu
tout cela ? Père t'a révélé ses intentions avant de t'expédier
ici ?

— Non. J'ai jeté un coup d'œil sur la carte. »

Une moue dédaigneuse lui répliqua. «Ainsi, tout ce galimatias s'est combiné dans ta cervelle de pantin burlesque, c'est bien ça, Lutin?

— *Tt tt*, clappa-t-il. Je te le demande, chère sœur, les Stark nous feraient-ils des ouvertures de paix si nous n'étions pas en train de gagner la guerre?» Il exhiba la lettre apportée par ser Cleos Frey. «Le louveteau nous fait part de ses conditions, vois-tu. Des conditions inacceptables, naturellement, mais ce n'est qu'un début, après tout. Te soucierais-tu de les voir?

— Oui.» Son port de reine lui revint instantanément. «Comment se fait-il qu'elles soient en *tes* mains? C'est à moi qu'elles auraient dû parvenir.

— À quoi servirait une Main, sinon pour te tendre les choses?» Il lui remit la lettre. La joue lui cuisait encore de la gifle qu'il avait reçue. *Tant pis pour la marque qu'elle y a laissée, c'est peu cher payer son consentement au mariage de Dorne.* Il était sûr d'obtenir celui-ci, maintenant, il le pressentait.

Du gâteau. *Avec*…, eh oui, pour cerise les convictions acquises quant à certain mouchard…

BRAN

Des bardes en laine d'un blanc de neige frappées au loup-garou gris caparaçonnaient Danseuse, et Bran portait des chausses grises et un doublet blanc dont les manches et le col étaient soutachés de vair ; sur son sein gauche était agrafée une tête de loup d'argent et de jais poli. Plutôt que cette broche sur la poitrine, il eût préféré les gambades d'Été près de lui, mais ser Rodrik s'était montré inexorable.

Les degrés de pierre rampants ne firent broncher Danseuse qu'une seconde, et elle les descendit gentiment dès la première injonction. Au-delà des larges vantaux de chêne et de fer s'alignaient dans la grande salle de Winterfell huit longues rangées de tables volantes, quatre de chaque côté de l'allée centrale. Des hommes se pressaient, épaule contre épaule, sur les bancs, qui se dressèrent à son passage en criant « Stark ! » et « Winterfell ! *Winterfell !* ».

Il n'était plus assez jeune pour s'y méprendre : ces ovations ne s'adressaient pas vraiment à *lui*, elles saluaient la moisson, Robb et ses victoires, la mémoire de Père, de Grand-Père et de tous les Stark qui s'étaient succédé là depuis huit mille ans. Il s'en gonfla néanmoins d'une telle fierté qu'il s'oublia brisé depuis son entrée jusqu'à l'autre bout de la salle. La mémoire lui en revint cependant lorsque, au pied de l'estrade, Hodor et Osha durent le défaire, sous les yeux de tous, de son harnais, l'enlever de selle et le porter sur la cathèdre de ses aïeux.

Sa fille Beth à ses côtés, ser Rodrik occupait la gauche de Bran. À droite, Rickon, dont la tignasse auburn avait tellement poussé qu'elle balayait son mantelet d'hermine, et qui refusait de la laisser couper tant que Mère ne serait pas de retour. Il avait même récompensé d'un coup de dents la dernière bonne âme qui l'avait abordé, ciseaux en main. « Moi aussi, je voulais arriver à cheval, maugréa-t-il pendant qu'Hodor emmenait Danseuse. Je monte mieux que toi.

— Non pas. Boucle-la », souffla Bran puis, ser Rodrik ayant intimé silence à l'assistance, il éleva la voix. Après avoir souhaité la bienvenue à ses hôtes au nom de son frère, le roi du Nord, il les pria de rendre grâces aux dieux anciens et nouveaux pour les succès de Robb et pour l'opulence de la moisson. « Puissions-nous en fêter cent autres ! conclut-il en brandissant le gobelet d'argent de Père.

— *Cent autres !* » Un tintamarre de chopes d'étain, de coupes d'argile et de cornes à boire cerclées de fer qui s'entrechoquaient accompagna le toast. Tout sucré de miel et parfumé de cinnamome et de girofle qu'il était, le vin de Bran ne laissait pas que d'être plus fort qu'à l'accoutumée. Chaque gorgée vous faisait fourmiller dans la poitrine de longs serpentins brûlants. La tête lui tournait lorsqu'il reposa le gobelet.

« Tu t'en es bien tiré, le complimenta ser Rodrik. Lord Eddard aurait été très fier de toi. » Un peu plus loin, mestre Luwin approuva d'un signe, tandis que l'on commençait à servir.

À servir des mets tout nouveaux pour Bran ; et si nombreux qu'à peine pouvait-il prendre une ou deux bouchées de chacun des plats qui se succédaient indéfiniment. D'énormes cuissots d'aurochs rôtis avec des poireaux, des tourtes de venaison farcies de carottes, de lard et de champignons, des côtelettes de mouton nappées de sauce miel-et-girofle, du canard aux herbes, du sanglier poivrade, de l'oie, des brochettes de pigeon et de chapon, du ragoût de bœuf et d'orge, du velouté de fruits glacé... Lord Wyman avait apporté de Blancport vingt barils de poisson, de mollusques et de crustacés conservés dans la saumure sur des lits d'algues ; moules, aiglefins, crabes et bigorneaux, palourdes, harengs, morues, saumons, langoustes et lamproies. Il y avait encore du pain-de-nègre et des pains d'épices et des biscuits d'avoine ; et puis des pois et des betteraves et des navets, des haricots et de la purée et de gigantesques oignons rouges ; et il y avait des pommes au four et des tartes aux baies et des poires pochées dans du vin capiteux ; à chaque table étaient disposées, de part et d'autre du sel, des formes entières de fromage, et sans trêve, de main en main, circulaient des flacons fumants de vins épicés, des carafes de bière d'automne frappée.

Toute la fougue et le talent des musiciens de lord Wyman n'empêchèrent pas les sons de la harpe, du crincrin, du cor de sombrer bientôt sous la houle des rires et joyeux devis, le fracas des coupes et de la vaisselle, les aboiements des limiers qui se disputaient les reliefs du banquet. Le chanteur chanta de bonnes chansons, *Lances de fer* et *La Belle et l'Ours* et *L'Incendie de la flotte*, mais seul Hodor y parut attentif, qui, debout près du cornemuseux, sautait en cadence d'un pied sur l'autre.

Le tintamarre finit par s'enfler jusqu'à devenir un rugissement continu de borborygmes qui vous entêtait, vous obnubilait comme une monstrueuse buée sonore. Ser Rodrik causait avec mestre Luwin par-dessus les boucles de Beth, et Rickon interpellait gaiement les Walder. Ceux-là... N'eût été que de Bran, ils n'auraient pas mis les pieds à la table haute, mais mestre Luwin lui avait rafraîchi la mémoire : «Ils seront bientôt de ta parenté, puisque Robb va épouser l'une de leurs tantes et Arya l'un de leurs oncles.» À quoi il eut beau riposter du tac au tac : «Pas Arya, jamais de la vie!», peine perdue, le mestre n'avait pas cédé, les Frey se trouvaient à côté de Rickon.

Afin d'y prélever, s'il le désirait, le morceau du seigneur, Bran avait la primeur de chaque nouveau plat, mais la satiété lui vint aux canards, et il se contenta dès lors de dodeliner tour à tour son approbation puis d'esquisser un geste de refus. Si le fumet du mets lui paraissait particulièrement exquis, il faisait présenter celui-ci à l'un des lords attablés sur l'estrade pour l'honorer et lui marquer son amitié, conformément aux leçons du mestre. Ainsi dédia-t-il du saumon à cette pauvre affligée de lady Corbois, le sanglier à ces grandes gueules d'Omble, de l'oie aux baies à Cley Cerwyn et une langouste géante au maître d'écuries Joseth qui, pour n'être ni lord ni hôte de marque, n'en avait pas moins dressé Danseuse pour lui permettre de la monter. De même envoya-t-il des confiseries à Vieille Nan et Hodor, sans autre motif que son affection. Mais il fallut les instances expresses de ser Rodrik pour qu'il régalât ses frères adoptifs, Petit Walder de raves bouillies, Grand Walder de navets au beurre.

En bas, sur les bancs, se mêlaient aux gens de Winterfell le menu peuple de la ville d'hiver, des amis venus de manoirs voisins, les hommes d'escorte des invités. Si certains visages étaient inconnus de Bran, si d'autres lui étaient en revanche aussi familiers que le sien, il se sentait néanmoins étranger à tous. Il les regardait d'un regard aussi lointain que s'il n'avait pas quitté sa chambre et, de sa fenêtre, en haut, contemplait l'agitation de la cour, voyant toutes choses sans prendre de part à aucune.

De table en table allait Osha, bière en main. L'un des hommes de Leobald Tallhart lui ayant fourré sa main sous la cotte, elle lui brisa son pichet sur le crâne, les rires explosèrent. Et pourtant Mikken tripotait le corsage d'une autre femme sans qu'elle fît seulement mine de s'en offusquer. Bran épia Farlen expédier sa chienne rouge quémander des os, et les doigts crochus de Vieille Nan attaquant la croûte d'une tourte chaude lui arrachèrent un sourire. Sur l'estrade, lord Wyman se rua contre une platée de lamproies bouillante avec autant de fougue que s'il se fût agi d'ennemis mortels. Il était si gras que ser Rodrik avait dû lui faire fabriquer d'urgence un fauteuil spécial, mais il riait si fort et si volontiers que Bran se découvrit quelque sympathie pour lui. Près de cet ogre était assise la malheureuse lady Corbois qui, pâlotte et figée au point de sembler porter un masque de pierre, picorait, muette, d'un air absent. À l'autre bout de la table, Hother et Mors jouaient à boire à qui mieux mieux, choquant pour trinquer leurs cornes aussi rudement qu'oncques leurs armes chevaliers en lice.

Il fait trop chaud, ici, et trop de bruit, et ils vont tous finir par se saouler. Aux démangeaisons que lui provoquaient ses lainages blancs et gris, Bran désira soudain se trouver n'importe où sauf là. *Il fait frais maintenant dans le bois sacré. Des bassins chauds s'élève une vapeur, et les feuilles rouges du barral bruissent doucement. Les arômes y sont plus riches qu'ici, et la lune ne tardera guère à se lever, saluée par les chants de mon frère.*

« Bran ? s'inquiéta ser Rodrik. Tu ne manges rien… »

Le songe éveillé avait été d'une telle vivacité que, pendant un moment, Bran avait entièrement perdu conscience de sa position. « Plus tard, répondit-il. J'ai le ventre plein à éclater. »

Le vin rosissait la moustache blanche du vieux chevalier. « Tu t'en es vraiment bien tiré, Bran. Pendant les audiences et ici. Tu feras un jour, je pense, un seigneur d'exception. »

Je veux être chevalier. À nouveau, il trempa ses lèvres dans le vin d'épices et de miel, plein de gratitude pour le gobelet de Père – quelque chose à empoigner, du moins. L'un des flancs en était orné d'une tête de loup grondant. Au contact du museau d'argent qui lui creusait la paume, Bran se remémora la dernière fois où il avait vu Père utiliser la coupe.

C'était le soir du festin donné pour accueillir le roi Robert et sa cour. L'été régnait encore, à l'époque. Père et Mère partageaient l'estrade avec le roi, la reine et les frères de celle-ci. Et Oncle Benjen aussi, tout de noir vêtu. Quant à lui-même, il se trouvait avec ses frères et sœurs à la table des enfants royaux, Joffrey, Tommen et la princesse Myrcella qui n'avait cessé, tout au long du repas, de couver Robb d'un air d'adoration. Quand personne ne la regardait, Arya, juste en face, faisait des grimaces ; Sansa prit un air extatique lorsque le premier harpiste du roi se mit à chanter des chansons de chevalerie ; et comme Rickon n'arrêtait pas de demander pourquoi Jon ne se trouvait pas là, il avait fallu lui souffler, à la fin : « Parce qu'il est bâtard. »

Et les voici tous partis, maintenant. Comme si quelque dieu cruel avait abattu son immense main pour les balayer, les filles en captivité, Jon sur le Mur, Robb et Mère à la guerre, le roi Robert et Père en la tombe et, peut-être, Oncle Ben aussi...

Même aux tables du bas se trouvaient des hommes nouveaux. Mort, Jory, morts, Gros Tom et Porther et Alyn et Desmond, mort, Hullen, l'ancien maître d'écuries, mort, son fils, Harwin..., ainsi que tous ceux que Père avait emmenés dans le sud, et morts eux-mêmes, septa Mordane et Vayon Poole. Et, partis pour la guerre avec Robb, les autres aussi mourraient peut-être, après tout. Les nouveaux, les Bille-defoin, Tym-la-Grêle et autres Mic-muche..., oh, Bran les aimait bien, mais il regrettait ses copains d'avant.

Son regard parcourut un à un les visages, tristes ou gais, qui peuplaient tout du long les bancs, et il se demanda lesquels auraient, l'année suivante et celle d'après, disparu. Il en aurait pleuré mais ne pouvait se le permettre, lui, le Stark de Winterfell, le fils de Père, l'héritier de Robb et presque un homme, désormais.

Au bas bout de la salle, les portes s'ouvrirent, et une bouffée d'air froid fit une seconde briller les torches d'un éclat plus vif. « Lady Meera, de la maison Reed ! aboya, par-dessus le vacarme, le garde – un rondouillard. Et son frère, Jojen de Griseaux ! »

Coupes et tranchoirs se hérissèrent d'yeux curieux. Bran entendit Petit Walder grommeler : « Mange-grenouilles », à l'adresse de Grand Walder. Ser Rodrik se jucha sur pied. « Bienvenue, amis, pour le partage de cette moisson. » Des serviteurs s'empressèrent de rallonger la table d'honneur avec des tréteaux et des sièges.

« Qui c'est, *ceux-là* ? demanda Rickon.

— Des bourbeux, répondit Petit Walder avec dédain. Ce sont des voleurs et des pleutres, et ils ont les dents vertes à force de manger des grenouilles. »

Mestre Luwin vint s'accroupir aux côtés de Bran et lui chuchota : « Il te faut les accueillir chaleureusement. Je ne m'attendais pas à les voir ici, mais… – tu sais qui ils sont ? »

Bran acquiesça d'un hochement. « Les gens des paluds. Dans le Neck.

— Howland Reed était un grand ami de ton père, ajouta ser Rodrik. Ce doivent être ses enfants. »

Le temps que les nouveaux venus remontent l'allée centrale, Bran s'avisa que l'un d'eux était effectivement une fille, encore que sa tenue – braies en peau d'agneau assouplies par un long usage et justaucorps sans manches tapissé d'écailles de bronze – n'en révélât rien. Fluette comme un garçonnet, bien qu'elle eût l'âge à peu près de

Robb, et les seins à peine ébauchés, elle portait sa longue chevelure brune nouée dans le dos. À l'une de ses hanches étroites était suspendu un filet, un long poignard de bronze à l'autre ; elle coinçait sous son aisselle un grand heaume de fer moucheté de rouille ; un baudrier lui maintenait en travers des épaules une pique à grenouilles et une rondache de cuir.

Le frère, beaucoup plus jeune, ne portait pas d'armes, et il était entièrement vêtu de vert, y inclus le cuir de ses bottes. Dès que son approche permit à Bran de les discerner, ses yeux avaient la couleur de la mousse, mais ses dents autant de blancheur que celles de quiconque. Fins d'ossature et minces comme des lames, lui et sa sœur n'étaient guère plus grands que Bran. Parvenus devant l'estrade, ils ployèrent un genou.

« Messeigneurs Stark, dit la damoiselle, les années se sont écoulées par centaines et milliers depuis que mon peuple jura pour la première fois fidélité au roi du Nord. Le seigneur mon père nous envoie renouveler, au nom de tous les nôtres, l'ancien serment. »

C'est moi qu'elle regarde, se dit brusquement Bran, saisi. Il fallait répondre, dire quelque chose. « Mon frère se bat dans le sud, articula-t-il, mais vous pouvez, s'il vous agrée, jurer votre foi devant moi.

— À Winterfell, dirent les deux Reed d'une seule voix, nous engageons la foi de Griseaux. Foyers, récoltes et cœurs, nous vous remettons tout, messire. Nos épées, nos lances et nos arcs, les voici vôtres et à vos ordres. Accordez miséricorde à nos égarés, secours à nos désarmés, justice à tous, et jamais nous ne vous manquerons.

— Je le jure par la terre et l'eau, dit le garçon en vert.

— Je le jure, ajouta sa sœur, par le bronze et le fer.

— Nous le jurons par la glace et le feu », conclurent-ils simultanément.

Bran tâchait de répondre, éperdu. Était-il censé retourner un serment? Le leur n'était pas de ceux qu'il avait appris. «Puissent les hivers vous être brefs et les étés prodigues», dit-il enfin. Une formule qui, d'ordinaire, était de bon ton. «Levez-vous. Je suis Brandon Stark.»

Lady Meera se redressa, puis donna la main à son frère pour qu'il fît de même. Il avait constamment gardé les yeux fixés sur Bran. «Nous vous apportons en présents du poisson, des grenouilles et de la volaille, dit-il.

— Je vous remercie.» Lui faudrait-il manger une grenouille par politesse? «Permettez-moi de vous offrir le pain et le sel de Winterfell.» Il essaya de se rappeler les leçons reçues quant aux habitants des paluds du Neck. Ils n'en sortaient que rarement. Pêcheurs et chasseurs de grenouilles, ils cachaient leur pauvreté sur des îles flottantes, au fin fond des marais, dans des huttes de chaume et de roseaux tressés. On les taxait de couardise, car ils se servaient, disait-on, d'armes empoisonnées, aimant d'ailleurs mieux s'embusquer que de combattre ouvertement. Ce qui n'empêchait pas Howland Reed de s'être montré l'un des plus fermes compagnons de Père durant la guerre qui, dès avant la naissance de Bran, avait valu le trône à Robert Baratheon.

Tout en prenant place, Jojen Reed promena un regard curieux sur la salle. «Où sont les loups-garous?

— Dans le bois sacré, répondit Rickon. À cause de la méchanceté de Broussaille.

— Mon frère aimerait les voir», glissa Meera.

Petit Walder jugea bon de piailler: «Gare à lui s'ils le voient, ils n'en feront qu'une bouchée!

— Pas si je suis là.» Bran était charmé de leur intérêt pour les loups. «Été ne mord pas, de toute manière, et je tiendrai Broussaille à l'écart.» Ces prétendus «bourbeux» l'intriguaient. Il ne se rappelait pas en avoir jamais vu auparavant. Malgré la correspondance régulière de Père avec le sire de Griseaux, Winterfell n'avait semblait-il reçu la visite d'aucun des gens des paluds depuis des années. Bavarder un peu avec ces deux-là l'aurait ravi, mais le tapage était tel dans la grande salle qu'on n'y pouvait à la rigueur entendre que son voisin immédiat.

Son voisin immédiat étant ser Rodrik, il l'interrogea : « C'est vrai qu'ils mangent des grenouilles ?

— Mmouais, répondit le vieux chevalier. Des grenouilles et du poisson et des lézards-lions et des oiseaux de toutes sortes. »

Peut-être n'ont-ils ni gros ni petit bétail, se dit Bran. Aussi commanda-t-il de leur apporter une bonne tranche d'aurochs, des côtelettes de mouton et d'emplir à ras bord leurs tranchoirs de ragoût de bœuf. Ils en parurent assez friands. Mais lorsque Meera, surprenant l'attention dont elle était l'objet, sourit, Bran rougit et se détourna.

Bien plus tard, après que l'on eut fini de servir et d'engloutir les pâtisseries puis de les noyer dans des pintes et des pintes de vin d'été, de débarrasser les tables et de les repousser contre les murs pour faire de la place, il ne fut plus question que de danser. La musique se fit beaucoup plus trépidante, les tambours s'en mêlèrent, et Hother Omble accoucha d'une trompe de guerre courbe colossale cerclée d'argent dont il tira si grand fracas, lorsque le chanteur aborda le passage de *La Nuit suprême* où la Garde de Nuit fondait sur les Autres durant la bataille de l'Aube, que tous les chiens se répandirent en aboiements furieux.

À peine deux des Glover eurent-ils entamé sur la harpe et la cabrette une ritournelle endiablée que Mors Omble bondit le premier sur ses pieds et, empoignant au passage une servante dont la carafe de vin vola se briser au sol, se mit à la faire, parmi la jonchée que souillaient mille détritus, débris d'os et quignons de pain, toupiller, branler, gigoter en l'air, suffocante, hilare et cramoisie dans un tourbillon de jupes retroussées.

D'autres s'empressèrent de les imiter. Tandis qu'Hodor entreprenait de gambiller seul, lord Wyman invitait Beth Cassel et, pour un homme d'une telle ampleur, n'était pas dépourvu de grâce, sinon d'endurance, car sa lassitude permit à Cley Cerwyn de s'emparer de la petite. Ser Rodrik tenta sa chance auprès de lady Corbois, mais elle se récusa avant de se retirer. Quant à Bran, après s'être imposé le rôle de spectateur assez longuement pour ne point faillir à la courtoisie, il manda Hodor. Il se sentait brûlant, vanné, bouffi d'avoir bu, et la vue des danses le chagrinait. Encore une chose que jamais il ne pourrait faire. « Je veux partir.

— Hodor ! » lui repartit Hodor d'une voix de stentor en s'agenouillant. Mestre Luwin et Bille-de-foin hissèrent Bran dans sa hotte. Une cérémonie que les habitants de Winterfell avaient vue cent fois, mais qui ne pouvait manquer de sembler curieuse à ceux des invités que la politesse n'étouffait point. Ces regards pesants…

Pour s'épargner de retraverser toute l'immense salle, il se fit emporter par la porte arrière, celle du seigneur, qui ne l'obligeait qu'à baisser la tête. Dans la pénombre du corridor, ils trouvèrent le maître d'écuries, Joseth, engagé dans une partie plutôt particulière d'équitation. Il tenait plaquée contre le mur une femme inconnue de Bran qui, cottes retroussées jusqu'aux reins, gloussait en se trémoussant. Mais lorsque Hodor s'immobilisa, fasciné, elle poussa un cri. « Fiche-leur la paix, Hodor, dut intervenir Bran. Ramène-moi dans mes appartements. »

Ce que fit le géant, docile, avant de le déposer auprès de son lit et, une fois qu'il s'y fut lui-même étendu en s'aidant des barres de fer, de lui retirer ses bottes et ses chausses. « Tu peux retourner à la fête, à présent, le congédia Bran, mais ne va pas importuner Joseth, au moins.

— Hodor!» répliqua Hodor, la tête inclinée de côté.

Dès que Bran eut soufflé sa chandelle de chevet, les ténèbres l'enveloppèrent à la manière familière et moelleuse d'une courtepointe. Par les volets clos sourdait l'écho des flonflons lointains.

Subitement lui revint de sa petite enfance un mot de Père. Comme il demandait à lord Eddard si les chevaliers qui composaient la Garde étaient véritablement la fine fleur des Sept Couronnes, celui-ci répondit : «Plus maintenant. Alors qu'ils faisaient d'elle un joyau, jadis, une éblouissante leçon pour le monde.

— En fut-il un dont l'excellence surpassa toute autre?

— Je n'en ai pas connu de plus parfait que ser Arthur Dayne dont l'épée, Aube, avait été forgée dans le cœur même d'une étoile tombée du ciel. On l'appelait, lui, l'Épée du Matin, et il m'aurait tué, sans l'intervention d'Howland Reed.» Là-dessus, Père s'était rembruni et, maintenant, il était trop tard, hélas, pour obtenir une explication…

Il s'endormit la cervelle pleine de chevaliers revêtus d'armures étincelantes et dont les épées avaient des chatoiements d'astres, mais le rêve survint, qui le ramena dans le bois sacré. Les odeurs en provenance des cuisines et de la grande salle y sévissaient si fort qu'il pouvait presque croire n'avoir toujours pas quitté la fête. Il se glissait, talonné par son frère, sous les arbres. Emplie qu'elle était des hurlements de la meute humaine toute à ses jeux, la nuit foisonnait d'une vie sauvage. Tout ce boucan le rendait fébrile. Il voulait courir, il voulait chasser, il voulait…

Le ferraillement lui fit pointer l'oreille. Son frère les pointait aussi. Ils prirent tous deux leur course dans les fourrés en direction du bruit. Et comme il franchissait d'un bond l'étang paisible au pied du bon vieux barral, il perçut la senteur, la senteur étrangère, une senteur d'homme où s'enchevêtraient le cuir, la terre et le fer.

Les intrus n'avaient fait que quelques pas dans le bois sacré lorsqu'il les découvrit ; une femelle et un jeune mâle qui ne manifestèrent aucune espèce de frayeur, lors même qu'il leur montra la blancheur de ses crocs. Et son frère eut beau émettre un grondement de gorge, ils ne s'enfuirent pas davantage.

« Les voici », dit la femelle. *Meera*, chuchota quelque chose en lui, quelque volute évanescente du petit dormeur égarée dans le loup de rêve. « Tu t'attendais à les voir si gros ?

— Ils le seront bien davantage, une fois adultes, dit le jeune mâle en les dévisageant sans ciller de ses grands yeux verts. Le noir n'est que rage et que peur, mais quelle puissance a le gris !… une puissance bien plus grande qu'il ne s'imagine…, la sens-tu, ma sœur ?

— Non, dit-elle tout en portant sa main vers la garde du long poignard brun glissé dans sa ceinture. Vas-y doucement, Jojen.

— Il ne me fera pas de mal. Le jour de ma mort n'est pas celui-ci. » Et il s'avança, du même air intrépide, et il tendit la main, lui flatta le museau d'une caresse aussi légère que, l'été, la brise. Mais, au seul contact de ces doigts-là, voilà que le bois s'évapora, voilà que le sol lui-même s'évanouit en fumée sous ses pieds dans un éclat de rire virevoltant, et voici que, sur une cabriole, il tombait, tombait, *tombait*…

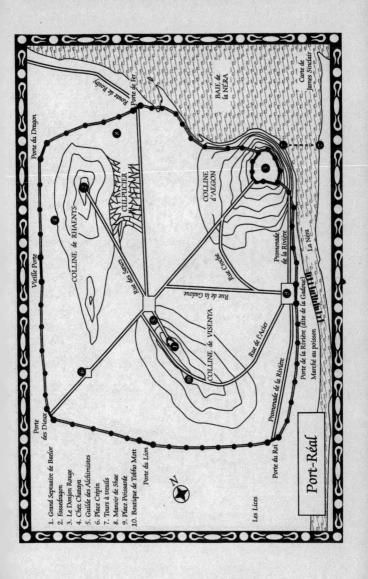

Port-Réal

1. Grand Septuaire de Baelor
2. Fossedragon
3. Le Donjon Rouge
4. Chez Chataya
5. Guilde des Alchimistes
6. Place Crépin
7. Tours à treuils
8. Manoir de Stue
9. Place Poissarde
10. Boutique de Tobho Mott

Carte de James Sinclair

Le Nord

La Grève Glacée

La Forêt Hantée

Les Crocgivre · LE MUR

Tour Château- Fort
Ombreuse noir Levant

Baie des Glaces

Île-aux-Ours

Baie des Pirques

Skagos

Presqu'île
de Merdragon

Motte-la-Forêt

Bois-aux-Loups

Karhold

Lifiaine

Les Roches

Winterfell

Fort-
Terreur

N

Quart-Torrhen

Route Royale

Blanchedague

Les Rus

LES TERTRES

Blancport

La Veuve

Fjord de
Piquesel

Moat Cailin

Baie d'Enfer

Pouce-
Flint

Le Neck

La Morsure

Cap Kraken

Griseaux

Les Trois Sœurs

Les Quatre
Doigts

Falaises de Flint

Les Jumeaux

Îles de Fer
Vieux Wick

Cap des Aigles

Salvemer

Grand Wick

Baie du
Fer-né

Verfurque

Les Eyrié

VAL D'ARRYN

Bleufurque

La Porte
Sanglante

Carte par
James Sinclair

Vivesaigues

Ruffurque

412

Le Sud

Les Trois Sœurs
Les Quatre Doigts

Route Royale

Îles de Fer

Pyk

Salvemer

Verlurque

Bleurfurque

VAL D'ARRYN

Les Eyrié

Le Trident

La Porte Sanglante

Goëville

Ruffurque

Baie des Crabes

Belle Île

Culbute

Vivesaigues

Harrenhal

L'Œildieu

Île aux Faces

Viergétang

Presqu'île de Clacquepince

La Dent d'Or

Castral Roc

Port Lannis

Route d'Or

Néra

Duskendale

Rosby

Peyredragon

LE GOSIER

Port-Réal

Le Bec de Massey

Route du Front de Mer

N

LE BIEF

Route de la Rose

Pont-l'Amer

Mander

Ashford

Hautjardin

Bois-du-Roi

Wend

Torth

Accalmie

Baie des Naufrageurs

Marches de Dorne

Cap de l'Ire

Bois de la Pluie

Villevieille

Mer de Dorne

Le Bras Cassé

Les Météores

DORNE

Lancehélion

La Treille

Carte par James Sinclair

6090

Composition PCA à Rezé
Achevé d'imprimer en Europe (France)
par Brodard et Taupin à La Flèche (Sarthe)
le 11 décembre 2001. 10624
Dépôt légal décembre 2001. ISBN 2-290-31610-5

Éditions J'ai lu
84, rue de Grenelle, 75007 Paris
Diffusion France et étranger : Flammarion